VIE
DE SAINT HONORAT

INCIPIT VITA UEL ACTUS BEATI HONORATI EPI ARO
LATENSIS. QUAM EDIDIT CLARISSIMUS DOCTOR HY
LARIUS. QUI EI MERITO SUCCES

AGNOSCITIS dilectissimi diem publicis fidelium
meroribus consecratum. qui mihi quamdiu hos
caducos usus huius diei dominus indulserit. semper
idem acerbitatibus gravius. plenius et dignitati
[illegible]. Hodie enim ille semper recordationis pectore huius
antistes. sacerdotio nostro honoratus pater corpore exutus. quem ego
ad clausulam eloquii mei si adiecero. absurdum poterit iudica
ri. Si enim dixero ad astra migravit. ille etiam dum in terris mo
raretur. inter illa splendidissima astra dinumeratus est. Ad
huc christo adstat. Quando autem ei invita sua non astitit. cum
omnis vita illa [illegible] vocem habuit. [illegible] hodie
Dicat terrena deseruit. cuius ita apostolus ait. conversatio semper in celis
fuit. Simul itaque quantum animus noster habet. quicquid
de tali viro dicendum occurrerit. ipsa sui magnitudine
congruo extricare. Conpugnant meroribus gaudia.
Tale reminisci dulce est. tali carere supplicium. Duplex
materia me provocat. Illinc me laudum suarum gratia ad ser
monem trahit. Hinc ad singultus trahunt dampna communia.
Ignoscite itaque si dirimentibus sibi duobus his affectibus minime
meroris mei officium tamquam duobus dominis famulatum congruum
negat. Quicquid recordatio in laudis partibus suggerit.

Lyrinensis cod. hic habet. plenius tamen consolatoria laude [illegible]
[illegible] sacerdotis [illegible]
Duplex [illegible] materia [illegible]

Ms. arlésien de la *Vita Honorati*, XIe siècle
(en marge, des variantes « lériniennes »)
Paris, B. N., *lat. 5295*, fo 26.
(Photo Bibl. nat. Paris)

SOURCES CHRÉTIENNES

Fondateurs : H. de Lubac, s. j. et † J. Daniélou, s. j.
Directeur : C. Mondésert, s. j.
N° 235

Série des Textes Monastiques d'Occident, n° XLVI

HILAIRE D'ARLES

VIE DE SAINT HONORAT

INTRODUCTION, TEXTE CRITIQUE, TRADUCTION ET NOTES

PAR

Marie-Denise VALENTIN, o. p.
AGRÉGÉE DE L'UNIVERSITÉ

LES ÉDITIONS DU CERF, 29, BD DE LATOUR-MAUBOURG, PARIS
2008

Ce volume a été préparé avec le concours
et révisé par les soins de l'ERA 645
(Institut des Sources Chrétiennes)

NIHIL OBSTAT :

Lyon, 15 novembre 1976,
CL. MONDÉSERT, s. j.
B. DE VREGILLE, s. j.

IMPRIMI POTEST :

Abbaye de Lérins,
19 novembre 1976,
fr. M.-BERNARD DE TERRIS,
abbé de Lérins.

IMPRIMATUR :

Paris, 6 décembre 1976,
† Fr. Card. MARTY,
archevêque de Paris.

Imprimé en France

ISBN : 978-2-204-01149-5

AVANT-PROPOS

Ce mince volume est la publication partielle d'une thèse soutenue à Nice en janvier 1975. Nous l'avons voulu court pour permettre au lecteur d'en prendre facilement connaissance. Si le texte, la traduction et même l'apparat critique sont donnés dans leur intégralité, l'étude des manuscrits et le commentaire ont été réduits le plus possible.

Au moment où se termine ce travail, notre pensée va une fois de plus à ceux et à celles — et ils sont nombreux — qui l'ont suscité, favorisé, rendu réalisable. Nous nous plaisons à remercier ici le Révérendissime Père Abbé de Lérins, Dom Bernard de Terris qui, personnellement, nous a demandé d'entreprendre ces recherches et n'a cessé d'en suivre le cours avec tant de délicate bienveillance, le Père Vincent de Lérins dont l'aide nous a été si précieuse, M. le Professeur René Braun qui fut pour nous un directeur de thèse d'une compétence et d'un dévouement auxquels je ne pourrai assez rendre hommage, Mme le Professeur Demougeot qui voulut bien revoir notre partie historique avec sa rigueur et son érudition de spécialiste du Bas-Empire, M. le Professeur Jacques Fontaine dont l'édition de la *Vita Martini* a été pour nous une mine de renseignements et un exemple idéal et qui eut l'extrême obligeance d'annoter de près la totalité de notre thèse.

Nous tenons aussi à exprimer notre gratitude à Mme Le Goff et à Mlle Geneviève Renaud, de l'Institut de Recherche et d'Histoire des Textes, à MM. les Conservateurs de la Bibliothèque nationale de Paris et des bibliothèques de Bordeaux, Grenoble, Lyon, Troyes, à ceux du Vatican, de Rome et de Trèves, aux Bibliothécaires — notamment à ceux de la Bibliothèque universitaire de Nice — qui ont si aimablement mis leurs ressources à notre disposition.

Sœur Marie-Dominique Poinsenet nous a proposé de judicieuses améliorations de notre traduction, le R. P. Dewailly a fait pour nous bien des recherches en Suède. Leur concours nous a été fort utile. Enfin, notre reconnaissance va tout spécialement à l'Institut des Sources Chrétiennes où le R. P. Mondésert nous a réservé le meilleur accueil, à l'équipe des « Sources Chrétiennes » et, en particulier, au R. P. de Vregille, guide d'une inlassable patience, dont la discrétion égala l'efficacité, et à Mlle M. Zambeaux qui a apporté tant de soin et de compétence à la dernière mise au point de notre manuscrit.

Marie-Denise VALENTIN, o. p.

Couvent des Dominicaines
de Notre-Dame du Très Saint Rosaire,
Monteils, le 15 août 1976.

INTRODUCTION *

PREMIÈRE PARTIE

En 430 mourut en Arles l'évêque de la ville, Honorat. Son décès bouleversa la cité tout entière.

Peu après, lui succédait son parent, Hilaire. A l'occasion sans doute du premier anniversaire de cet événement, mémorable pour les Arlésiens, Hilaire prononça un long *Sermo de uita Honorati* où il évoquait la vie et les vertus du disparu.

I. — Vie et œuvres de l'auteur

Figure originale et attachante, saint Hilaire d'Arles fut un de ces « moines-évêques » qui, à la suite de saint Martin, ont contribué activement à l'enracinement du christianisme en Gaule.

Il naquit sans doute en 401 [1]. Il eut une sœur Piméniola,

* La table des abréviations se trouve à la p. 59.

1. Nos sources les plus anciennes concernant Hilaire d'Arles sont la *Vita Sancti Hilarii Arelatensis* (*B.H.L.* 3882 ; *S.*, p. 79-109) et la notice de GENNADE (*Liber de uiris inlustribus* LXX, éd. d'Ernest Cushing Richardson, *Texte und Untersuchungen*, XIV Band, Heft 1, Leipzig 1896, p. 85). La première, qui relate avec complaisance plusieurs miracles du saint, nous semble peu sûre. Les renseignements donnés par la seconde paraissent exacts, mais ils sont malheureusement très succincts et concernent surtout les qualités morales d'Hilaire. LENAIN DE TILLEMONT (*Mémoires ...*, t. 15, p. 36-97 et 842-846) a exploité, comme toujours, avec une pénétration et une fraîcheur remarquables, les indications fournies par ses prédécesseurs. Vladimir BOUBLICK a consacré à l'évêque l'Arles un article bien documenté suivi d'une bibliographie (art. « Ilario » dans *Bibliotheca Sanctorum*, t. 7, Latran 1966, col. 713-715). — On ignore d'ailleurs qui composa cette *Vita Hilarii*. Sam. Cavallin a examiné ce problème (*S.*, p. 36-40). GENNADE l'attribue à Honorat de Marseille. B. Kolon pense qu'il commet là une erreur due à une confusion entre le nom d'Honorat d'Arles et celui d'Honorat de Marseille. Selon Sam. Cavallin, l'intention du biographe d'Hilaire était de montrer que l'évêque d'Arles ne devait pas être soupçonné de semi-pélagianisme, et cette intention pouvait très bien être celle d'Honorat de Marseille ; il le consi-

qui épousa le futur évêque saint Loup, et un frère. Saint Loup étant originaire de Bourgogne ou de Lorraine, peut-être Hilaire est-il né aussi dans cette région. Remarquable par sa beauté et ses dons naturels [1], il reçut sans aucun doute une éducation très soignée, car le *Sermo* prouve la distinction de son intelligence et la délicatesse de son goût.

Il était apparenté à Honorat et celui-ci, après avoir fondé un monastère à Lérins, fit, malgré le mauvais état de sa santé, un long voyage pour aller le voir et le décider à venir vivre dans son monastère. Après une lutte intérieure qui dura deux jours entiers, Hilaire rejoignit Honorat sur la route de Lérins. Il se dépouilla de ses biens qu'il vendit à son frère, dit-on, pour distribuer aux pauvres l'argent ainsi recueilli [2]. Puis il vécut à Lérins une vie de prière et de pénitence, s'occupant, entre autres, de l'éducation de Salonius, le fils d'Eucher, futur évêque de Lyon [3].

Mais, en 426 ou 427, Honorat devint évêque d'Arles ; il y emmena Hilaire. Ce dernier y fonda d'abord un monastère auprès de la ville, l'Hilarianum [4], mais, trop épris de solitude, s'en retourna à Lérins. C'est alors qu'Eucher lui adressa son *De laude eremi* [5]. Sentant ses forces décliner, Honorat lui écrivit à plusieurs reprises de revenir, mais sans succès. Alors il s'en fut le chercher à Lérins, en personne, malgré ses infirmités. Hilaire le suivit et demeura désormais auprès d'Honorat. Selon une biographie d'Hilaire due probablement à Honorat, l'évêque de Marseille, Honorat d'Arles, au moment de mourir, aurait désigné Hilaire pour lui succéder. Mais celui-ci, à peine les funérailles terminées, se serait enfui

dère donc comme l'auteur de la *Vita*. — Voir sur tout ce problème la *Clauis Patrum* (1961²), n° 506, p. 116, qui donne, comme auteur de la *Vita*, *Reuerentius* (déformation de *Rauennius*), hypothèse repoussée par Cavallin pour cette raison qu'un *Rauennius* succéda immédiatement à Hilaire et que la *Vita* fut composée à un moment où plusieurs évêques avaient déjà succédé à Hilaire sur le trône épiscopal d'Arles (cf. *S.*, p. 39).

1. Lenain de Tillemont, *Mémoires...*, t. 15, p. 36-37.
2. V. Boublick, o. c., col. 713.
3. P. Riché, *Éducation et culture dans l'occident barbare, VIe-VIIIe siècles*, p. 143.
4. F. Benoît, « Arles », dans *Villes épiscopales de Provence*, p. 20.
5. É. Griffe, *La Gaule chrétienne à l'époque romaine*, t. 2, p. 287.

pour retourner à son cher désert. Rattrapé par des soldats en cours de route, il aurait été contraint d'accepter l'épiscopat car une colombe, descendue miraculeusement du ciel, se serait posée sur sa tête [1]. Il avait moins de trente ans.

Il se révéla un évêque d'une activité et d'une sainteté exceptionnelles : il pouvait se livrer, assis à sa table, à trois occupations à la fois : dicter à son secrétaire, lire un livre ouvert devant lui, tresser des filets [2], car, à l'exemple de saint Paul et des ascètes égyptiens, il voulut travailler de ses mains. Pour distribuer aux pauvres le fruit de son travail, il s'adonnait même à des tâches réservées en principe aux paysans et ce, au-delà de ses forces [3]. La *Vita Hilarii* indique qu'il ne portait été comme hiver qu'une seule tunique et voyageait toujours à pied, quel que fût le temps. Il remplissait surabondamment les devoirs de sa charge : il construisait des monastères, des églises, secourait les orphelins, les prêtres, les moines et surtout, allait jusqu'à vendre les vases sacrés pour racheter les captifs [4]. Il n'hésitait pas à reprendre publiquement dans sa cathédrale les notables d'Arles qui le méritaient [5]. Sa vie intérieure était intense, sa prière continuelle ; il en faisait partager les richesses à ses fidèles en de longs sermons qui pouvaient durer quatre heures d'affilée [6]. Parfois, sa semaine terminée, il se levait au milieu de la nuit, faisait à pied trente milles, célébrait la messe et prêchait longuement, tout cela bien sûr à jeun selon la coutume du temps [7]. La même *Vita* cite encore plusieurs guérisons miraculeuses qu'il aurait obtenues [8].

Doué d'une aussi forte personnalité, il ne fut pas sans jouer un grand rôle dans l'Église de son temps. A la suite des privilèges accordés en 417 à Patrocle, évêque d'Arles, par le pape Zosime et que son successeur Boniface n'avait pas

1. V. BOUBLICK, *o. c.*, col. 713.
2. *Vita Hilarii* (*B. H. L.* 3882), ch. 15, *S.* p. 94.
3. LENAIN de TILLEMONT, *o. c.*, p. 46.
4. *Vita Hilarii*, ch. 11, *o. c.*, p. 90-91.
5. *Id.*, ch. 13, p. 92.
6. *Id.*, ch. 14, p. 92.
7. *Id.*, ch. 15, p. 94.
8. *Id.*, ch. 16-20, p. 94-98.

expressément révoqués, Hilaire crut qu'il pouvait se considérer comme le chef de l'Église des Gaules. Il tenta de convoquer régulièrement des conciles regroupant les évêques du midi, le premier en 439 à Riez, le second en 441 à Orange, le troisième en 442 à Vaison. Mais Hilaire, dans l'excès de son zèle, outrepassa ses droits. Après s'être rendu en 444 à Auxerre et y avoir rencontré saint Germain avec lequel il s'était lié d'une étroite amitié, il fit déposer par un concile l'évêque de Besançon, Chélidonius, qui avait, disait-on, avant d'être évêque, épousé une veuve et prononcé au cours d'une magistrature plusieurs condamnations à mort, accusations qui, si elles avaient été fondées, auraient rendu nulle son accession à l'épiscopat. Dans le même moment, Hilaire s'était rendu au chevet d'un évêque fort malade, Proculus, et estimant que celui-ci allait bientôt mourir, il l'avait déjà remplacé par un successeur. On imagine la réaction de Proculus quand, rétabli contre toute attente, il apprit l'affaire. Il se plaignit au pape saint Léon. Hilaire, parti pour Rome afin de se disculper, ne montra pas suffisamment de souplesse et, mis en résidence surveillée, il finit par s'enfuir et s'en retourna en Gaule, à pied, selon son habitude, au plus fort de l'hiver. La pape, ému de l'ampleur des événements, adressa une longue lettre aux évêques de la province de Vienne pour blâmer la conduite d'Hilaire, qui vit ses pouvoirs resserrés dans les limites du seul évêché d'Arles, et pour rétablir dans leurs droits les autres métropolitains. Cette lettre fut suivie de peu par une constitution impériale de Valentinien III : adressée le 8 juillet 445 à Aetius, « comte et maître des deux milices », elle marquait la volonté qu'avait le « bras séculier » de faire respecter à tout prix la primauté de Rome.

Hilaire, voulant apaiser le pape, lui dépêcha trois envoyés, tout d'abord un prêtre Ravennius, qui gagna ainsi la faveur du pape — il devait succéder à Hilaire comme évêque d'Arles —, puis deux évêques, Nectarius d'Avignon et Constantius d'Uzès, qui se rendirent aussi auprès d'Auxiliaris, ancien préfet des Gaules. Devenu l'ami d'Hilaire lors de son passage en Arles, Auxiliaris était alors préfet de Rome ou d'Italie.

Tel était le prestige de la sainteté d'Hilaire que le pape n'osa pas le déposer : l'évêque d'Arles continua à jouir, durant les quelques années qui lui restaient à vivre, de la même estime qu'auparavant [1]. Il mourut, épuisé de travail et de mortifications, le 5 mai 449, dans une grande paix. Il fut enterré dans la cathédrale Saint-Étienne [2] au milieu de l'affliction générale. Il venait d'avoir quarante-huit ans [3].

Il laissait une œuvre littéraire peu abondante mais de grande qualité. Notre *Sermo de uita sancti Honorati* est le seul texte qui soit cité par Gennade [4] ; le reste est perdu [5]. Lui furent aussi attribués un poème sur *la Genèse* et un autre sur la mort des Macchabées [6], mais rien ne prouve qu'ils soient de lui.

II. — Les faits politiques à la fin du IVe siècle et au début du Ve

L'époque à laquelle vécurent saint Honorat (vers 365-vers 430) et son illustre contemporain saint Augustin est

1. Pour tous ces événements, voir o. c., ch. 21-22, p. 98-100, L. Duchesne, *Fastes épiscopaux de l'ancienne Gaule*, t. 1, p. 113-118 et É. Griffe, *La Gaule chrétienne à l'époque romaine*, t. 2, p. 146-168 et 200-212.

2. V. Boublick, o. c., col. 715.

3. É. Griffe, o. c., p. 249.

4. *Ingenio uero immortali aliqua et parua edidit, in quibus... Vitam sancti Honorati* : avec un génie digne d'être immortel, il produisit des œuvres en petit nombre et courtes, parmi lesquelles... la *Vie de saint Honorat* (Gennade, *éd. cit.*, p. 85).

5. *S.*, *praefatio*, p. 13-16.

6. On ignore quelles sont les autres œuvres d'Hilaire d'Arles (cf. la *Clauis Patrum*, *éd. cit.*, nos 500-505 et 508-509, p. 115-117 et l'édition de Cavallin, p. 14-16). — Hilaire a sans doute composé un poème qui comprenait les quatre vers attribués par Grégoire de Tours à un certain Hilaire ; c'est aussi l'opinion de Cavallin (*S.*, p. 15-16) et celle de la *Clauis Patrum* (n° 102, p. 115). — On a aussi un court billet adressé à Eucher (*C. S. E. L.* 31, p. 197-198), dans lequel Hilaire regrette d'avoir dû confier à l'envoyé d'Eucher, au lieu de les lui rapporter lui-même, les *Instructions* qu'il lui avait fait parvenir. Le ton à la fois précieux et aimable de cette courte missive nous incite à suivre la *Clauis* et à la considérer comme d'Hilaire. Cavallin ne la cite pas, mais il énumère quelques autres œuvres que la *Clauis* ne mentionne pas. Cependant les extraits cités par lui manquent complètement de souffle. Étant donné la qualité de la *Vita Honorati*, on ne peut que déplorer la disparition des autres écrits de l'évêque d'Arles.

l'une des plus complexes de notre histoire : en soixante-dix ans, cinq empereurs d'Occident se succèdent qui, au milieu de difficultés intérieures immenses, vont tenter de ralentir la décadence de l'Empire romain envahi par les Barbares. On assiste alors à l'agonie d'un monde dont on ne peut deviner de quelle façon il retrouvera un jour prospérité et énergie conquérante.

Valens (364-378) en Orient et Valentinien (364-375) en Occident, tous deux fils de Gratien, succédèrent à l'empereur Julien l'Apostat, après le court règne de Jovien (363-364) [1]. Alors, pour la dernière fois fut rénovée complètement la ligne de défense du *limes* romain en Bretagne, sur le Rhin et le Danube [2]. A la mort de Valentinien (375), fut proclamé Auguste son très jeune fils, Valentinien II, placé sous la tutelle de Gratien [3], tandis que, cinq mois après la mort de Valens disparu lors de la bataille d'Andrinople le 9 août 378 [4], Théodose se vit confier l'Empire d'Orient à l'âge de trente-trois ans par le même Gratien le 17 janvier 379 [5]. Après l'assassinat de ce dernier (383), Valentinien II devint Premier Auguste alors que Maxime, l'usurpateur d'origine espagnole qui causa la chute de Gratien, obtint en partage, en 384, les Gaules, l'Espagne et la Bretagne [6]. Mais il envahit l'Italie [7] et fut vaincu par Théodore Ier (388) [8]. Ce dernier, après la mort de Valentinien II (392) [9], régna sur l'Empire romain et réussit à l'unifier (394) [10]. A sa mort (395) [11], ses deux fils se partagèrent l'Empire [12] : l'Orient revint à Arcadius auquel succéda son fils Théodose II en 408 [13], et l'Occident à Honorius. Après la mort d'Honorius (423) [14] et la déposition de l'usurpateur Jean [15], Théodose II s'efforça de conserver à l'Occident sa dynastie et fit proclamer Auguste dès 425 son cousin Valentinien III [16], fils de Constance III et de Galla Placidia, elle-même fille de la seconde femme de Théodose.

1. E. Stein, *Histoire du Bas-Empire*, t. 1 : *De l'État romain à l'État byzantin*, éd. française, p. 172.
2. *Id.*, p. 181.
3. *Id.*, p. 183.
4. *Id.*, p. 190.
5. *Id.*, p. 191.
6. *Id.*, p. 202.
7. *Id.*, p. 205.
8. *Id.*, p. 207.
9. *Id.*, p. 211.
10. *Id.*, p. 212.
11. *Id.*, p. 218.
12. *Id.*, p. 225.
13. *Id.*, p. 246.
14. *Id.*, p. 275.
15. *Id.*, p. 282-284.
16. *Id.*, p. 284.

Ainsi Julien l'Apostat, Théodose Ier et Théodose II furent-ils les derniers à régner sur la totalité de l'Empire romain.

Pour compléter ce rapide survol de la situation politique à la fin du IVe siècle et au début du Ve, il faudrait mentionner les multiples usurpateurs qui essayèrent de s'approprier le pouvoir et périrent tous misérablement et aussi quelques femmes qui jouèrent alors un rôle politique déterminant : Justine, la mère de Valentinien II, qui prit les rênes du pouvoir à Milan [1] ; Pulchérie, devenue à quinze ans la régente de son frère Théodose II qui en avait treize [2] ; Eudoxie, la femme de ce dernier, qui devint toute-puissante sur son mari [3] ; et surtout, la belle Galla Placidia, fille de Théodose Ier et demi-sœur d'Honorius, prisonnière puis épouse du roi Visigoth Athaulf [4], mariée en seconde noces à Constance III [5] et mère de Valentinien III.

La vie politique de l'époque ne manque pas de figures originales et, si l'on ajoute que les empereurs d'Occident eurent alors successivement pour résidences Trèves, Arles, Milan et Ravenne [6], on voit que la stabilité n'est pas le caractère distinctif de cette période.

De plus, on assiste au IVe siècle à plusieurs incursions de hordes barbares sur l'Empire romain : en 365, les Alamans franchissent à nouveau le Rhin [7] ; en 367, les Pictes, les Scots et les Saxons submergent le diocèse de Bretagne [8] ; vers 376, les Goths réussissent à franchir le Danube [9] et, le 9 août 378, Valens est tué à la bataille d'Andrinople, « ce qui signifie réellement pour l'Empire universel de Rome le commencement de la fin [10] » et permit aux Visigoths d'errer vingt-trois ans à leur guise dans les Balkans.

Certes, en 382, Théodose réussit à conclure la paix avec les Visigoths à Constantinople et à endiguer encore une fois le flot des envahisseurs [11]. Les Francs Ripuaires qui avaient pénétré en 388 dans la région de Cologne en furent repoussés en 389 [12], mais en novembre 401, Alaric avec ses Visigoths

1. *Id.*, p. 202.
2. *Id.*, p. 275.
3. *Id.*, p. 281.
4. *Id.*, p. 262, 266.
5. *Id.*, p. 267.
6. *Id.*, p. 248-249.
7. *Id.*, p. 181.
8. *Id.*
9. *Id.*, p. 188.
10. *Id.*, p. 190.
11. *Id.*, p. 194.
12. *Id.*, p. 210.

envahit l'Italie du Nord, tandis que, de Milan, la Cour se réfugie à Ravenne, ville protégée par des marais d'un abord difficile. Alaric sera battu par Stilicon en 402 [1]. A la fin de 405, Radagaise, à la tête d'une horde très importante de barbares d'origines diverses, envahit le nord-est de l'Italie et ravagea tout le pays jusqu'à ce que Stilicon réussît à l'encercler à Fiesole au mois d'août suivant [2].

Mais les Romains ne pourront empêcher les Vandales et les Alains de franchir le Rhin le 1er janvier 407 [3] et de déferler jusqu'aux abords de Toulouse et à l'entrée de la vallée du Rhône [4]. Et que dire de la marche triomphale d'Alaric qui, trois années de suite, en 408, 409 et 410, assiège Rome, prend la ville en août 410, la livre à ses soldats, jette des milliers de réfugiés sur les routes et sème ainsi la consternation dans le monde antique [5] ? Puis Alaric quitte Rome pour s'en aller ravager l'Italie du sud jusqu'à Messine [6]. Son successeur, son beau-frère Athaulf, assiège Marseille en 413, s'empare de Narbonne à la fin de 414, après avoir pillé et incendié Bordeaux [7]. Toutefois, avec le sac de Rome par Alaric, conséquence de cinq années de troubles, l'Empire s'engage irrémédiablement dans la voie de la décadence.

Dans les dix années suivantes, la puissance romaine semble s'affermir de nouveau [8] ; en Armorique et en Espagne notamment furent envoyées en permanence des troupes de campagne [9].

Mais, dès 425, « l'Occident sous Valentinien III courait à sa perte avec une rapidité effrayante [10] ».

Les Vandales franchissaient en 429 le détroit de Gibraltar, traversaient l'Afrique du Nord et mettaient le siège devant Carthage [11].

1. *Id.*, p. 248-249.
2. É. Demougeot, *De l'unité à la division de l'Empire romain, 395-410, essai sur le gouvernement impérial*, Paris 1951, p. 354-361.
3. E. Stein, *o. c.*, p. 250.
4. É. Demougeot, *o. c.*, p. 384-387.
5. E. Stein, *o. c.*, p. 250.
6. *Id.*, p. 262.
7. *Id.*, p. 266.
8. *Id.*, p. 262.
9. *Id.*, p. 269.
10. *Id.*, p. 317.
11. *Id.*, p. 320-321.

On imagine sans peine les difficultés sociales et économiques suscitées par de telles circonstances.

III. — L'évolution de l'Église à la même époque

Au moment où, du vivant d'Honorat, l'Empire romain s'épuise à lutter contre les invasions barbares, l'Église, au contraire, surmonte victorieusement des difficultés de tous ordres et devient peu à peu une puissance remarquablement organisée.

Le christianisme triomphe petit à petit des résistances païennes. Si, en Occident, Valentinien Ier observe une stricte impartialité religieuse et si, en Orient, sous le règne de Valens, la liberté de religion est accordée à tous sauf aux « fidèles des apôtres », Gratien, en 382, sous l'influence de saint Ambroise, marque nettement la séparation entre l'État et le paganisme et porte un coup fatal à ce dernier en supprimant leurs revenus aux collèges de prêtres et de vestales [1]. Quant à Théodose, avant même l'assassinat de Gratien le 25 août 383 [2], il a commencé à mener énergiquement la lutte contre le paganisme. Le 28 février 380, il promulgue une loi ordonnant à ses sujets de professer la foi nicéenne [3] et il continue à affaiblir l'arianisme. En 391, de plus en plus influencé par Ambroise, il privera du droit de témoigner en justice ceux qui auraient abjuré le christianisme [4]. Il interdit aussi de pénétrer dans les temples païens et d'y célébrer aucun acte de culte [5]. Après la mort de Valentinien II, Nicomaque Flavien, soutenu par l'usurpateur, Eugène, mènera, durant deux ans, une dernière offensive d'une vigueur surprenante en faveur du paganisme [6], mais après la victoire de Théodose sur Eugène en 394, le paganisme perdra beaucoup d'adeptes [7].

Stilicon se montre, au début, libéral envers les païens [8], mais il est bientôt obligé de changer d'attitude et, en 407, il

1. A. Fliche et V. Martin, *Histoire de l'Église*, t. 3 : *De la paix constantinienne à la mort de Théodose*, p. 192-193 (J.-R. Palanque).

2. É. Stein., o. c., p. 202.

3. *Id.*, p. 197. 4. *Id.*, p. 200. 5. *Id.*, p. 209.

6. *Id.*, p. 213. 7. *Id.* 8. *Id.*, p. 217.

fait signer à Honorius une loi ordonnant la confiscation des temples païens [1]. Des difficultés d'ordre politique contraignent Honorius à autoriser, de 409 à 410, les cultes hérétiques et le culte donatiste interdits en 408 [2]. Mais l'orthodoxie est déjà trop solidement implantée pour que de telles mesures gênent son expansion.

Beaucoup plus graves que l'opposition passagère de tel ou tel haut personnage furent, pour l'Église, les crises intérieures suscitées par des divergences doctrinales. L'Église eut d'abord à lutter contre le donatisme combattu par les empereurs Gratien (en 376 et 377) [3] et Honorius (en 413 et 414) [4], contre l'arianisme écrasé grâce à l'appui de Gratien et de Théodose [5], et notamment condamné par le concile de Constantinople en 381 [6], contre le pélagianisme enfin, condamné d'abord en 417 par Innocent I, puis par le pape Zosime qui l'avait d'abord absout [7]. Mais surtout, tandis que le pouvoir des empereurs apparaît de plus en plus fragile et menacé, celui des successeurs de Pierre ne cesse de s'affermir. L'un des meilleurs exemples de cet enracinement de l'orthodoxie dans un pays et de l'autorité croissante de la papauté nous est donné par la Gaule, patrie d'Honorat.

L'Église des Gaules avait d'abord été éprouvée, dès sa fondation, par des persécutions qui avaient mis en évidence le courage des martyrs mis à mort en 177 sous Marc-Aurèle [8], vers 250 sous Dèce [9], huit ans plus tard sous Valérien [10]. Mais ensuite, elle avait joui d'une tranquillité relative lors de la persécution de Dioclétien en 303 [11]. Elle s'était considérablement développée, surtout en Narbonnaise, province qui,

1. *Id.*, p. 251.
2. *Id.*, p. 257.
3. *Nouvelle Histoire de l'Église*, t. 1 : J. Daniélou et H. Marrou, *Des origines à saint Grégoire le Grand*, p. 287.
4. E. Stein, *o. c.*, p. 265.
5. A. Fliche et V. Martin, *o. c.*, p. 280-281.
6. *Id.*, p. 285-292.
7. E. Stein, *o. c.*, p. 272-273.
8. É. Griffe, *La Gaule chrétienne à l'époque romaine*, t. 1, p. 33-55.
9. *Id.*, p. 131.
10. *Id.*, p. 132.
11. *Id.*

en 313, à l'avènement de Constantin, comptait entre douze et seize évêchés, soit la plus forte densité d'évêchés de toute la Gaule [1]. Vers 350, la Gaule comptait trente évêchés et, en 395, à la mort de Théodose, l'implantation de l'Église y était en général pleinement organisée [2].

En 313, trois évêques gaulois, dont celui d'Arles, furent appelés à Rome pour juger le donatisme [3]. Au concile d'Arles qui se tint l'année suivante, furent rédigés vingt-deux canons ; en les adressant au pape Sylvestre, les évêques indiquaient qu'ils reconnaissaient au pape une préséance sur tous les autres évêques d'Occident [4].

L'Église de Gaule fut particulièrement éprouvée par la crise arienne : lors d'un ultérieur concile d'Arles tenu en 353, les évêques, influencés par l'empereur Constance II, tenant de l'arianisme, condamnèrent Athanase [5]. Mais ce fut à Hilaire de Poitiers que revint l'honneur d'avoir jugulé l'hérésie grâce à son énergie indomptable [6].

Hélas ! « la Gaule qui avait donné au temps d'Hilaire < de Poitiers > l'exemple de l'union, va au temps de Martin donner l'exemple de la discorde [7] ». Après avoir connu environ vingt-cinq ans de paix au lendemain de la crise arienne, les évêques vont se diviser à la suite de l'exécution de Priscillien et de plusieurs de ses adeptes sur ordre de l'empereur Maxime en 386. Plusieurs essais d'entente échoueront [8] : l'apaisement ne se produira guère dans les esprits avant le concile de Turin tenu en 398 [9].

Pourtant, peu à peu, cette Église gallo-romaine s'organise et se soumet, après bien des remous, à l'autorité du « Siège Apostolique », appellation de l'Église de Rome, au moins à partir du pape Damase [10]. Ses structures administratives sont calquées sur celles du pouvoir civil [11]. Or le nombre de ses provinces passa de quatre à l'avènement de Dioclétien à

1. *Id.*, p. 124.
2. *Id.*, p. 185.
3. *Id.*, p. 188.
4. *Id.*, p. 199.
5. *Id.*, p. 216.
6. *Id.*, p. 263.
7. *Id.*, p. 316.
8. *Id.*, p. 344-346.
9. A. Fliche et V. Martin, *o. c.*, p. 470.
10. É. Griffe, *o. c.*, p. 349.
11. *Id.*, p. 332.

dix-sept, probablement sous Gratien (375-383) [1]. A l'influence de Vienne, métropole des évêchés du Sud-Est, s'oppose celle d'Arles, cité devenue probablement vers 395 résidence du préfet du prétoire des Gaules [2], tandis que l'évêque de Marseille exerçait en fait sa juridiction sur les évêchés voisins [3]. Lors de l'épiscopat de Patrocle (411-426), ambitieux soutenu par la pape Zosime qui, étant d'une ambition égale à la sienne, soutint ses exigences, un conflit éclata entre Vienne et Arles. Dès 417, Zosime avait reconnu la primauté d'Arles. Il faudra la mort de Zosime, en décembre 418, et l'énergie de son successeur Boniface pour que Patrocle renonce à ses prétentions mal fondées [4]. Trente ans plus tard, Hilaire d'Arles éprouvera lui aussi durement l'effondrement de ses prétentions et sera obligé de s'incliner devant les décisions du pape, saint Léon [5].

Le IVe siècle et le début du Ve se caractérisent donc dans le monde, et spécialement en Gaule, par une grande intensité de vie religieuse ; peu à peu se crée une société chrétienne, plus humaine, plus difficile sur la valeur morale de ses spectacles [6]. C'est l'âge d'or de la patristique ; même des esprits raffinés, aristocratiques sont séduits par le christianisme. Les conversions se multiplient. Enfin, de très nombreux chrétiens désirent se consacrer totalement à Dieu et on assiste, à cette époque, à une magnifique floraison de la vie monastique, que saint Honorat, pour sa part, implante solidement en Gaule.

IV. — **Valeur historique de la « Vita Honorati »**

La *Vita* nous fait connaître la personnalité d'Honorat, mais elle reste volontairement avare en détails précis sur les lieux et l'époque où il a vécu. Nous ignorons le lieu de sa

1. *Id.*, p. 335.
2. J.-R. Palanque, « La date du transfert de la préfecture des Gaules de Trèves à Arles », p. 359-365.
3. É. Griffe, *o. c.*, t. 1, p. 336-340.
4. É. Griffe, *o. c.*, t. 2, p. 146-154.
5. *Id.*, p. 159-164.
6. J. Daniélou et H. Marrou, *o. c.*, p. 363-364.

naissance. Il est à présumer qu'Honorat naquit en Gaule Belgique. Dans les panégyriques païens, « l'orateur s'ingénie à éviter de prononcer les noms propres, même ceux que l'on aurait estimés le plus indispensables [1] ». Un peu moins discrète, la tradition judéo-chrétienne admet « un mélange aux articulations du récit, de précisions de lieu et d'imprécisions chronologiques [2] » et Hilaire évoque, au cours de son récit, l'Achaïe, la Toscane, Fréjus, Lérins et Arles, sans désigner expressément par leurs noms ces deux derniers lieux.

Pour fixer les dates importantes de la chronologie d'Honorat, il faut donc nous référer aux historiens qui ont étudié cette époque.

Selon Lenain de Tillemont qui s'appuie sur l'expression *iuuenili ausu* : « Si Honorat quitte son pays en 395 et qu'il ait eu alors trente ans, qui est le temps auquel les Romains commençaient la jeunesse, on peut mettre sa naissance avec quelque probabilité vers l'an 365 [3]. »

Très jeune, il désira le baptême. Déjà il faisait des largesses avec son argent de poche (5, 6). Il dut recevoir le baptême quand il eut une vingtaine d'années, étant alors en âge de participer à toutes les réjouissances organisées par son père (ch. 6) et de devenir le conseiller de nombreuses personnes (9, 3-6).

Il a pu s'écouler une dizaine d'années entre son baptême et son retour de Grèce en Provence. Barralis place la fondation du monastère en « 375 de notre salutaire rédemption [4] »,

1. R. Aigrain, *L'hagiographie*, p. 123.
2. *S. M.*, p. 67.
3. Lenain de Tillemont, *Mémoires...*, t. 12, p. 676.
4. *Hanc* (i. e. insulam Lerinensem) *circa annos nostrae salutiferae redemptionis septuaginta quinque supra trecentos, tertio iam completo saeculo et quarto per tertiam partem iam elapso* (*uti antiqua ipsius monasterij monumenta edocent*) *expetiit uir per cuncta laudabilis et nomine et re honorandus Honoratus noster, Pater Insularum* : Dans cette île, environ 375 ans après notre salutaire rédemption, trois siècles s'étant déjà écoulés et le quatrième étant déjà passé aux trois quarts (comme nous l'apprennent les anciens documents du monastère) arriva un homme louable en tous points, digne d'être honoré en raison de son nom et de son action, notre cher Honorat, le Père des Iles (V. Barralis, *Chronologie...*, t. 1, Lyon 1613, *Descriptio situs insulae lerinensis*, seconde page de la *Descriptio*, sans numéro de page).

mais, comme le fait remarquer Lenain, si l'on adopte cette date, saint Honorat aurait eu plus de quatre-vingts ans lorsqu'il fut fait évêque d'Arles et, d'autre part, toujours selon Lenain, Paulin de Nole n'entendit pas parler de la fondation de Lérins avant 409 [1]. La tradition fixe donc la date de la fondation en 410, et H. Marrou propose de la fixer vers 400 [2].

La *Chronique* de Prosper nous apprend que Patrocle, prédécesseur d'Honorat sur le trône épiscopal d'Arles, fut assassiné en 426 [3] et, selon la *Vita Hilarii*, Honorat occupa cette charge plus de deux ans [4]. Selon Lenain, Honorat serait donc mort en 429 [5]. É. Griffe estime qu'entre Patrocle et Honorat, Arles aurait eu pour évêque un certain Helladius, qui aurait occupé fort peu de temps sa charge. Il place le début de l'épiscopat d'Honorat à la fin de 427 [6]. De toute façon, selon lui, Honorat serait mort le 16 janvier 430 [7] ; c'est aussi la date adoptée par H. Marrou [8] et il y a de grandes chances pour qu'elle soit exacte. Qu'on nous permette — ce qui arrivera plus d'une fois au cours de ce travail — de laisser au « judicieux [9] » Lenain de Tillemont le mot de la fin : « Le plus sûr est de ne rien avancer sur ce que nous ne savons point [10]. »

Bien qu'elle ne nous fournisse pas de repères d'ordre chronologique, la valeur historique de la *Vita* reste considérable. D'abord, nous pouvons avancer avec quelque vraisemblance que son texte a été écrit pour le premier anniversaire du décès d'Honorat en 430 ou en 431. L'authenticité de la *Vita* n'a jamais été mise en doute. « De tous les écrits d'Hilaire, Gennade ne marque en particulier que celui-ci comme le plus considérable de tous, et un ouvrage utile et

1. Lenain de Tillemont, o. c., p. 675 et 676.
2. J. Daniélou et H. Marrou, *o. c.*, p. 319.
3. *Epitoma Chronicum*, ad ann. 1292, *M. G. H.*, *Auct. Antiq.*, 9, p. 471.
4. *Vita Hilarii*, ch. 9, *S.*, p. 87.
5. Lenain de Tillemont, *id.*
6. É. Griffe, o. c., p. 239-241.
7. *Id.*, p. 242.
8. J. Daniélou et H. Marrou, *o. c.*, p. 481.
9. R. Aigrain, *o. c.*, p. 359.
10. Lenain de Tillemont, *o. c.*, p. 676.

nécessaire à beaucoup de personnes. S. Isidore de Séville ne remarque aussi rien de lui, sinon qu'il avait écrit la vie de saint Honorat avec une éloquence agréable et élevée [1]. »

D'ailleurs ce texte est écrit avec un accent de sincérité émouvante, en particulier lors de l'évocation des derniers moments d'Honorat (ch. 33) et aussi dans les lignes où Hilaire explique qu'il passera sous silence les miracles de son parent par respect pour la volonté du défunt (37, 1 et 2).

La *Vita* peut donc être considérée comme une source d'information sûre à la fois pour l'époque où vécut Honorat et pour le monastère de Lérins, devenu un foyer de vie religieuse en Gaule quarante ans environ après la fondation par saint Martin de l'ascétère de Ligugé.

Avec un tact très aristocratique, Hilaire d'Arles tait toute allusion au déferlement des peuples barbares sur l'Empire romain. Indirectement, il indique qu'Arles était alors résidence du préfet du prétoire des Gaules (32, 1). On trouve dans la *Vita* une confirmation du malheur des temps dans l'évocation des multiples misères qu'Honorat s'employait à soulager, en particulier en rachetant les prisonniers (20, 4). Rude époque où les candidats à la vie religieuse ressemblaient à des bêtes fauves (17, 4), époque de grand brassage de populations, où un monastère attirait des jeunes gens venus de tous les points du monde connu alors (17, 2), époque de pèlerinages longs et pénibles, entrepris dans l'enthousiasme, poursuivis en dépit de la précarité et de l'inconfort des moyens de transport (14, 1) ! Au cours de ces pages est évoquée, avec une discrétion non dépourvue de vie, l'importance prise soudain par la petite île de Lérins, devenue rapidement une escale de choix. On se plaît à imaginer cette foule de navigateurs haute en couleur (20, 1), ces arrivées d'argent, de marchandises en quantité considérable, aussitôt distribués à une foule de prisonniers ou de nécessiteux non moins pittoresques (2, 2-3).

La *Vita* nous révèle la mentalité de l'aristocratie gallo-romaine avant l'effondrement de l'Empire. Tout y semble mesuré et jugé selon des critères traditionnels. Comme les

1. *Id.*, p. 485.

règles de cette société à son déclin sont précises ! Il faut savoir se distraire joyeusement, éviter la mélancolie (6, 1), garder toujours une aimable mesure (5, 5), préserver avec soin le patrimoine héréditaire, ne pas le vendre à des étrangers (11, 4). Mais aussi, on sait s'entraider les uns les autres : comme une foule de parents et d'amis fait front commun avec un père éprouvé pour ramener à la raison un jeune homme qui veut échapper aux impératifs traditionnels et lui éviter de gâcher un avenir qui s'annonçait exceptionnel (11, 1) ! De cette société brillante et sérieuse à la fois, Hilaire, fidèle à l'idéal monastique, a omis d'évoquer l'élément féminin. Sans doute la mère d'Honorat était-elle morte prématurément, puisque Hilaire mentionne les proches parents du saint, mais sans faire aucune allusion à sa mère (10, 2).

Certes, on aimerait que la *Vita* nous fournît quelques détails sur la formation des catéchumènes et la liturgie baptismale au milieu du ɪvᵉ siècle. On devine simplement que cette formation était sérieuse et profonde et que prêtres, catéchistes et fidèles rivalisaient pour prêcher d'exemple aux futurs chrétiens (7, 1). D'autre part, Hilaire nous donne des renseignements fort intéressants sur les funérailles chrétiennes qui prenaient facilement des allures de triomphe et, quand la renommée du défunt en fournissait l'occasion, juifs, hellènes et latins unissaient leurs voix pour la célébrer simultanément chacun dans sa langue (14, 2).

L'évocation du court épiscopat d'Honorat nous permet de mieux connaître comment vivait un moine-évêque de ce temps : les passions qui avaient précédé son élection s'apaisèrent quand l'étendue de sa charité se révéla à ses fidèles (28, 1) ; au lieu de thésauriser comme ses prédécesseurs, il s'employa à soulager les malheureux, aidé en cela par nombre de collaborateurs (28, 4). Il passait de longs moments à prier (38, 1), continuait à mener la même vie austère qu'à Lérins (37, 3). Il considérait la prédication comme l'une des tâches essentielles de sa charge et prenait volontiers comme thème de ses sermons la Sainte Trinité ; on continuait à débattre de la formulation de ce dogme (38, 4) surtout en raison de l'arianisme. Il s'efforçait de mener une vie conforme à l'idéal de l'Évangile et, dans son désir de mourir martyr, regrettait que l'ère des persécutions fût close (38, 3).

Évêque d'Arles, siège de la préfecture des Gaules, Honorat, à ses derniers moments, vit venir à lui le préfet du prétoire des Gaules et d'anciens préfets (32, 1). La cité populeuse et cosmopolite se précipita à ses funérailles où lui furent prodiguées les marques d'honneur conformes aux habitudes d'alors : litière mortuaire, veillée de prières à la cathédrale, encens, chants liturgiques, partage de ses vêtements en petits morceaux conformément au goût du temps pour les reliques, ensevelissement dans un tombeau qui devint un objet de vénération pour les fidèles (ch. 35).

Cependant, malgré le prix de ces détails, le plus grand intérêt de la *Vita* est de nous renseigner sur le milieu monastique lérinien au premier tiers du ve siècle.

Là encore certes, la discrétion de l'orateur peut sembler excessive. Quelle indigence d'indications précises sur l'habitat, la nourriture, les vêtements, les travaux et surtout une éventuelle Règle monastique ! Il est cependant possible de tirer du texte plusieurs déductions.

Si l'île, inculte à l'arrivée d'Honorat, devint vite accueillante, c'est que les moines cultivaient la terre. Ils eurent aussi à y construire des bâtiments : église, hôtellerie, entrepôts, lieux de repos et de retraite (17, 1). La prière devait y être fort en honneur (16, 1). Honorat, devenu prêtre (16, 2), y célébrait l'Eucharistie.

Honorat était un père pour ses moines, il s'inquiétait de leur repos, de leur travail, de leur nourriture, de leurs pénitences. La conception de la vie monastique se rapproche donc surtout de celle de saint Basile, selon laquelle l'obéissance est la vertu essentielle, les mortifications corporelles elles-mêmes ne pouvant être entreprises sans la permission de l'abbé. Son autorité est d'ailleurs indiscutée ; il connaît les possibilités, les difficultés de ses fils spirituels qu'il a personnellement recrutés et que sa sainteté a su retenir (ch. 18). Existait-il alors une Règle, rédigée ou non, à Lérins ? On aimerait pouvoir reconstituer cette Règle — si elle a existé — à partir des écrits de saint Césaire d'Arles ou de Fauste de Riez, mais ce serait bien hasardeux. Si Règle il y avait, ses exigences étaient miséricordieusement adaptées au tempérament de chacun par les dispenses accordées avec discernement et compréhension par le fondateur. Un seul point restait impératif : le double précepte de l'amour de Dieu et du prochain (18, 5).

Hilaire ne mentionne aucune des sources où Honorat aurait puisé en fondant son ascétère. Sans doute Honorat et Hilaire, ayant tous deux reçu une formation similaire, ont-ils puisé aux mêmes sources. L'étude de la *Vita* devrait donc permettre de les découvrir et, par la même occasion, de mieux discerner les origines, encore trop peu connues, de la spiritualité monastique en Provence [1]. Voici certaines des œuvres ascétiques dont s'est inspiré l'orateur.

Les lériniens ont certainement lu saint Cyprien. Certains thèmes essentiels de la *Vita* avaient déjà été exprimés par cet auteur : l'effet des aumônes [2] ou la nécessité de racheter les captifs [3]. Le *De zelo et liuore*, aux chapitres 16 et 17, présente à trois reprises des ressemblances nettes avec le *Sermo* [4]; la *Vie de saint Malchus* de Jérôme a été aussi indubitablement connue d'Hilaire qui lui a emprunté une expression caractéristique [5]. Mais Hilaire semble avoir été surtout influencé par ses contemporains. Il a correspondu avec Paulin de Nole et le fait qu'ils abordent des thèmes identiques — Hilaire reprenant sous une forme plus recherchée un mouvement qui se trouve chez Paulin [6] —, qu'ils utilisent des formules similaires [7] semble bien indiquer qu'ils exercèrent l'un sur l'autre une influence certaine.

D'autre part, « les ascètes lériniens... prisaient... particulièrement, pour leur conception de la vie ascétique, les *Confessions* [8] ». P. Courcelle a montré de façon irréfutable à quel point Hilaire a pris comme modèle le livre VIII des

1. Cf. l'article de J. Fontaine, « L'Ascétisme chrétien dans la littérature gallo-romaine d'Hilaire à Cassien », p. 87-115.
2. Cf. la note au ch. 28, § 4.
3. Cf. la note au ch. 20, § 4.
4. Cf. les notes au ch. 17, § 5 et au ch. 37, § 3.
5. Cf. la 4e note du ch. 23, § 6.
6. Cf. la note au ch. 7, § 4.
7. Cf. la 2e note du ch. 28, § 1.
8. P. Courcelle, « Nouveaux aspects de la culture lérinienne », p. 407-408.

Confessions pour décrire sa propre conversion ascétique. On y retrouve, entre autres, la même veine larmoyante, exprimée avec des mots identiques (*imber lacrimarum*), le couple de verbes antinomiques : *uelle et nolle*, l'expression *diuersae tempestates* pour décrire le combat intérieur, les trois verbes : *gaudet, triumphat, exultat* pour proclamer le triomphe de celui qui a gagné le bon combat, les citations bibliques : *dirupisti uincula mea* et *lene iugum* [1].

Hilaire a certainement connu la *Vita Martini* de Sulpice Sévère. L'idéal du moine qui, devenu prêtre ou même évêque, sait garder les vertus monastiques, celui d'Honorat aussi, est devenu le sien [2]. Il existe très probablement une réminiscence de la *Vita Martini* dans l'éloge de la discrétion avec laquelle Honorat pratiquait la pauvreté [3] ou dans le récit de la mort de ce saint [4].

Enfin, Hilaire a fait plusieurs emprunts au *De laude eremi* que venait de lui dédier Eucher en 428 ou 429. Certains ont été relevés par S. Pricoco, d'autres par nous-même. Nous avons signalé en note les passages indiscutablement inspirés du *De laude eremi* [5]. Ils permettent de cerner davantage les contours de la spiritualité lérinienne monastique qui prône le détachement, la recherche de la solitude, la joie, l'amour de Dieu et du prochain.

Mais la *Vita* montre à quel point les lériniens étaient nourris d'œuvres ascétiques grecques : l'écrit dont Hilaire s'inspire le plus est la *Vie d'Antoine* par Athanase — d'ailleurs traduite en latin par Évagre.

Il cite la phrase célèbre de saint Matthieu (19, 21) qui avait décidé de la vocation d'Antoine [6]. Hilaire emprunte, en particulier, à cette *Vie* le mouvement d'un de ses développements les mieux venus [7].

1. *Id.*, p. 402-403.
2. Cf. la note au ch. 16, § 3.
3. Cf. la 2e note du ch. 20, § 4.
4. Cf. la note au ch. 30, § 1.
5. Cf. la 2e note du ch. 8, § 4, et les notes au ch. 10, § 4, au ch. 14, § 3, au ch. 15, § 1 (1re note) et 2 (3e et 4e notes) au ch. 16, § 2 (1re n.) et 3, au ch. 17, § 2 (1re n.) et 3.
6. Cf. la note au ch. 20, § 3.
7. Cf. la note au ch. 27, § 2 (1re n.).

Quant aux préceptes fondamentaux de la vie ascétique : le détachement des parents [1], le respect des vieillards [2], la nécessité de l'*apathéia* [3], ils avaient déjà été abordés par Éphrem et Évagre le Pontique. Bien des emprunts ont dû être faits aussi aux *Ascetica* de saint Basile. En voici un touchant un point fondamental : l'importance de l'hospitalité [4].

Très sensible est l'influence de Clément d'Alexandrie, de son *Pédagogue* [5] et aussi du *Protreptique* [6]. Figurent encore dans le *Sermo* une expression du *Traité de la Virginité* de saint Grégoire de Nysse, qui fera fortune dans la Règle de saint Benoît [7] et la conception exposée par le même dans la *Vie de Moïse* selon laquelle le saint doit progresser sans cesse vers la perfection [8] et jouit d'une immuable beauté [9].

Que conclure de ce relevé de quelques sources de la *Vita* ? Honorat et Hilaire avaient certainement lu de près les œuvres de leurs devanciers, mais il est difficile de préciser lesquelles, car bien des thèmes ont été abordés par plusieurs auteurs. Par exemple, le thème du moine-médecin des âmes est également dans la *Vie d'Antoine* et dans un *Carmen* de Paulin de Nole [10], celui de l'équivalence entre le martyre sanglant et le *martyrium sine cruore* se trouve dans cette même *Vie d'Antoine* et dans la *Vita Martini* [11].

Honorat et Hilaire lurent-ils dans le texte original les ouvrages ascétiques grecs ? Étant donné qu'ils reçurent la meilleure éducation dans un milieu où la culture grecque existait encore, pour notre part, nous le pensons, mais rien ne nous permet de l'assurer dans l'état actuel de nos connaissances.

1. Cf. la note au ch. 8, § 4 (1re n.).
2. Cf. la note au ch. 12, § 1 (2e n.).
3. Cf. la note au ch. 8, § 2 (4e n.).
4. Cf. la note au ch. 9, § 3 (1re n.).
5. Cf. la note au ch. 5, § 1 (1re n.).
6. Cf. la note au ch. 17, § 2 (2e n.).
7. Cf. la note au ch. 17, § 6 (2e n.).
8. Cf. la note au ch. 5, § 1 (2e n.).
9. Cf. la note au ch. 34, § 3.
10. Cf. la note au ch. 15, § 4 (1re n.).
11. Cf. la note au ch. 16, § 1 (2e n.).

V. — Intérêt littéraire de la « Vita Honorati »

Vivifiée par la douleur éprouvée par Hilaire à la mort d'Honorat, cette œuvre se révèle à l'étude comme un parfait spécimen de l'éloquence épidictique. Tandis que déclinaient l'éloquence judiciaire et l'éloquence délibérative, qui avaient perdu beaucoup de leur utilité, et par voie de conséquence, de leur éclat, à une époque où pratiquement tout le pouvoir politique se trouvait entre les mains d'un très petit nombre d'hommes de grande personnalité, les rhéteurs s'attachèrent à étudier les règles du panégyrique [1]. La littérature chrétienne, de son côté, abonda en éloges de saints personnages dans lesquels elle utilisa les « thèmes prévus par les maîtres de la sophistique, Ménandre de Laodicée ou Théon d'Alexandrie, comme devant constituer l'armature de l'éloge [2] » : l'auteur commence par se déclarer indigne de traiter un sujet si redoutable, puis il mentionne « la patrie du héros, sa famille, sa naissance, ses qualités naturelles, son éducation [3], sa vie et enfin, sa mort.

Il existe une division de ce genre dans la *Vita Martini* de Sulpice Sévère où l'auteur envisage successivement les années de préparation vécues par Martin, puis son œuvre, enfin, pour terminer, ses mœurs et son caractère, puisque cette biographie fut écrite avant la mort de son héros. Une telle œuvre aurait pu n'être qu'une juxtaposition de renseignements et d'anecdotes, mais Sulpice Sévère a évité cet écueil en lui donnant une structure très soignée et en assurant son unité par sa façon de présenter la vie de Martin : la personnalité du saint, telle qu'il la possédait dès son enfance, oriente toutes ses actions ultérieures ; « cette ' rétrojection ' est cohérente avec la conception antique de la biographie depuis Aristote [4] ».

Tout en étant très différente, la composition de la *Vita Honorati* est, elle aussi, extrêmement harmonieuse : le *Sermo*

1. E.-R. Curtius, *La littérature européenne et le moyen âge latin*, p. 56.
2. R. Aigrain, o. c., p. 123.
3. *Id.*
4. *S. M.*, p. 452, note 1.

débute par un exorde (ch. 1-3), où l'auteur s'affirme incapable d'évoquer Honorat d'une manière digne de lui ; il se clôt sur une péroraison à peine plus longue (ch. 36-39), dans laquelle Hilaire rappelle qu'il a succédé à son parent comme évêque d'Arles, insiste sur la grandeur de la sainteté d'Honorat et se recommande à ses prières. Le reste du texte se subdivise en sept parties facilement repérables mais qui s'enchaînent avec logique et naturel : la première (ch. 4-9), à peu près deux fois plus longue que l'introduction, raconte la jeunesse d'Honorat, la dernière (ch. 29-35), égale à la première, ses derniers moments. Au cœur de chacune, Hilaire a enchâssé un discours d'Honorat : au ch. 7, Honorat s'exhorte lui-même à quitter le monde pour se consacrer à Dieu ; au ch. 32, il s'adresse un peu plus longuement aux grands dignitaires accourus à son chevet et les invite à ne pas craindre la mort ; le thème de ces deux discours est finalement le même : la grandeur de ce monde est périssable et trop éphémère pour qu'on s'y attache, Dieu est le seul véritable Bien. Ces deux discours ont eux-mêmes une composition très soignée.

La seconde partie rappelle les voyages d'Honorat qui ont précédé la fondation, par ses soins, du monastère de Lérins ; la sixième (ch. 25-28) son apostolat comme évêque d'Arles.

Les trois parties centrales sont consacrées à la vie d'Honorat à Lérins : la fondation du monastère (ch. 15-17), les qualités d'Honorat abbé (ch. 18-22), le récit de la « conversion » d'Hilaire amené dans l'île par son parent (ch. 23-24).

Les chapitres 10 à 14 (II), ou 15 à 17 (III), ou 18 à 22 (IV) équivalent environ aux deux tiers de la première partie, mais les ensembles formés par les chapitres 23-24 (V) ou 25-28 (VI) sont égaux à la moitié de cette même partie, comme si l'auteur avait jugé bon d'accélérer sa narration avant d'aborder le long récit des derniers moments d'Honorat.

Le schéma suivant pourrait résumer ces remarques, les chiffres romains indiquant les divisions apportées au texte par les Bollandistes et reprises dans la présente édition, les nombres 1/2, 2/3, 3/4 indiquant la longueur approximative de chaque partie, celle de la première (ch. 4-9) étant prise comme unité :

	Exorde		ch. 1-3	65 l. 1/2
I	Jeunesse d'Honorat		ch. 4-9	153 l. 1
	premier discours : ch. 7			
II	Voyages		ch. 10-14	93 l. 2/3
III	Lérins	fondation	ch. 15-17	103 l. 2/3
IV	Lérins	Honorat abbé	ch. 18-22	115 l. 2/3
V	Lérins	Conversion d'Hilaire	ch. 23-24	69 l. 1/2
VI	Honorat évêque d'Arles		ch. 25-28	69 l. 1/2
VII	Derniers moments		ch. 29-35	172 l. 1
	deuxième discours : ch. 32			
VIII	Péroraison		ch. 36-39	95 l. 3/4

Nous avons donc une composition mésodique, du même genre que celle des *Bucoliques* de Virgile.

L'essentiel de la *Vita* est bien l'action d'Honorat à Lérins et c'est là ce qui nous intéresse encore le plus à l'heure actuelle dans ce texte.

Le style du *Sermo* est d'une perfection raffinée, digne de celle de la composition. Estimant moins originaux le choix du vocabulaire et les particularités d'ordre grammatical, nous avons choisi de mettre en évidence ce qui nous a paru essentiel : l'abondance et la qualité des figures de style, puis la valeur exceptionnelle des deux personnalités découvertes à travers ce texte.

Le « goût du discours brillant [1] » semble être un trait caractéristique des Gaulois. « Une fois les Gaulois romanisés, le plaisir de jongler avec les formes, qui était le propre de la Rome finissante, trouva dans la France d'alors un terrain favorable : Ausone était originaire de la région bordelaise et Sidoine Apollinaire de l'Auvergne [2]. »

Le *Sermo* reflète ce goût de l'époque et saint Hilaire manie avec une admirable maîtrise toutes les ressources de la rhétorique traditionnelle. Non seulement on trouve à la fin de

1. E.-R. Curtius, *o. c.*, p. 480.
2. *Id.* Précisons que Sidoine, évêque d'Auvergne, était né et avait été élevé à Lyon.

chaque phrase — et même à celle de nombreux membres de phrase — une de ces clausules [1] dont usaient les habiles rhéteurs grecs et latins, mais presque toujours la pensée d'Hilaire utilise pour s'exprimer force figures de style, de la simple reprise de radical : *trahit-retrahit* (2, 2-3) à la métaphore longuement filée, comme celle qui montre la prière d'Honorat parvenant à forcer l'attention de Dieu : *adfectus sui clamor repulsus duritia mea... pulsauit et penetrauit aures* (23, 17-19), en passant par l'anaphore (*beatum se, beatum domum, beata scrinia sua* : 22, 10-11), le groupement ternaire (*gaudet, triumphat, exultat* : 24, 7) ou le parallélisme (*o felix munificentia cui fides ministrauit, o felix fides cui munificentia numquam moram fecit* : 21, 10-12). Nombreuses sont aussi les alliances de mots (*in squalore eremi delicias... ministrabat* : 20, 10-11) et les homéotéleutes (*uestiebantur, instruenbatur, alebantur* : 9, 28-29).

Deux figures de style, à notre avis, sont utilisées avec un rare bonheur : les métaphores et les chiasmes. Si certaines métaphores sont traditionnelles (*carnis animaeque certamina* : 14, 18), d'autres sont d'une poésie originale et délicate, par exemple : *arca pectoris* (22, 14), *discusso culparum nubilo gratiarum serena reuocare* (18, 27-28) ou d'une netteté presque brutale : *educit me secum suam praedam* (24, 6). De nombreuses métaphores utilisant les thèmes de l'eau, du feu, de la lumière, évoquent les réalités de la vie spirituelle : le baptême, l'amour de Dieu ou sa gloire, et nous aurons l'occasion d'y revenir plus loin.

Quant aux chiasmes, ils sont fréquents. On les rencontre souvent sous une forme simple : *sic contumaces subiugat, sic expugnat rebelles* (23, 46-47), parfois aussi sous une forme plus savante. A ce point de vue, la comparaison du texte d'Hilaire (7, 24-26) avec celui de Paulin de Nole [2] est très éclairante. Là où ce dernier accumule des parallélismes un peu lourds, Hilaire, avec l'intuition du styliste accompli,

1. Le problème a été étudié de façon exhaustive par Sam. CAVALLIN, au cours de son article : « Les clausules des hagiographes arlésiens », p. 133-157, et en particulier, p. 149-157.

2. Cf. la note au ch. 7, § 4.

juxtapose une anaphore, un chiasme aux éléments symétriques et un parallélisme aux éléments dissymétriques :

mihi	*salus*	GAVDIVM
mihi	CONIVNX	*sapientia*
mihi	*in uirtutibus*	VOLVPTAS
mihi	*Christus*	THESAVRVS sit.

On aimerait même aller plus loin et signaler qu'aux deux « groupes chrétiens », aux extrémités : *salus/Christus*, au centre : *sapientia/in uirtutibus*, correspondent deux groupes « charnels » selon la terminologie de Péguy, aux extrémités : *gaudium/thesaurus* et surtout *coniunx/uoluptas.*

De même, dans les chapitres 23 et 24, consacrés au récit de la « conversion » d'Hilaire et qui s'inspirent du début à la fin de celui qui se trouve dans les *Confessions* de saint Augustin, nous constatons une utilisation habile de matériaux antérieurs avec une évolution vers une forme rhétorique plus élaborée : Augustin écrit : *Inde ad matrem ingredimur, indicamus : gaudet. Narramus quemadmodum gestum sit : exultat et triumphat* [1]; Hilaire juxtapose les verbes en un groupement ternaire où éclate l'allégresse : *gaudet, triumphat, exultat* (24, 7).

Ainsi, lorsque Hilaire s'inspire de ses devanciers, son imitation n'a rien d'un esclavage. Au contraire, il le fait en améliorant ses modèles. La sûreté de son goût et la force de sa conviction personnelle sont telles qu'on doit alors, comme pour les grands écrivains, employer le terme non pas d' « imitation », mais d' « innutrition ».

Dernière remarque : dans un éloge funèbre austère, parfois même tendu, Hilaire a l'audace de soutenir l'attention de son public en citant à plusieurs reprises de ces jeux de mots, sans doute un peu déplacés dans ce contexte selon nos critères actuels, mais chers à ceux qui appartenaient à une élite aristocratique et généreuse, et savaient que l'humour est une des formes privilégiées que peuvent choisir pour s'ex-

1. S. AUGUSTIN, *Confessions VIII*, 12, 30, éd. de M. Skutella, t. 2, § 179 l. 6-8, Paris 1962, p. 68, *Bibliothèque Augustinienne*, n° 14.

primer l'admiration ou le courage, tel saint Honorat plaisantant, comme Socrate, juste avant d'expirer (33, 21-23).

En effet, ce qui constitue finalement l'exceptionnelle valeur littéraire de notre texte, c'est celle des deux personnalités qui y apparaissent : Hilaire, le narrateur, et surtout Honorat, le modèle.

Passionné, fougeux, emporté même, Hilaire est doué d'une très grande sensibilité, comme Honorat. D'abord rebelle à son invite, il s'est d'autant mieux courbé sous son autorité qu'il avait commencé par lui opposer une vive résistance. Entre eux deux, la confiance est totale, et l'affection chaleureuse. C'est ce qui permet au cadet de profiter au maximum de la formation qu'il reçoit de son aîné, et à l'aîné d'apprécier les qualités réelles d'un cadet qui est loin de posséder sa mansuétude. Aucune divergence entre eux comme celles qui assombrirent les rapports réciproques de saint Martin et de Brice, alors que leurs différences furent peut-êre encore plus accusées.

Beauté physique, sensibilité, intelligence, volonté, générosité, promptitude à répondre aux appels de la grâce, rayonnement qui résulte de semblables qualités, tels sont les dons qu'ils possèdent tous deux.

Mais combien Honorat semble encore supérieur à son cadet ! Quel ascète racé !

On peut noter que jamais Hilaire ne le représente travaillant de ses mains. Il semble que les grands services d'Église dont il s'occupa sans relâche : fondation de son monastère, formation de ses moines, rachat des captifs, accueil des étrangers, correspondance, aumônes, prédication, et encore prières et mortification, aient absorbé toutes ses forces vives. En véritable chef, il paraît s'être surtout occupé de remplir les devoirs propres à sa charge, c'est-à-dire de multiplier son action caritative en choisissant des aides expérimentés, susceptibles de répandre ses bienfaits, même loin de ses regards (21, 13-16).

Avec quelle vie Hilaire évoque la jeunesse d'Honorat dans un milieu indifférent — sinon hostile — au christianisme (ch. 5 à 9) ! avec quelle discrétion il se refuse à révéler ses miracles, car il savait que son parent désirait qu'ils ne fussent pas divulgués (37, 4 s.) ! Chez Honorat, nulle arrogance, et pourtant, quelle dignité ! Il ne semble pas, comme Hilaire, avoir été en butte longtemps à la contradiction ; sans doute a-t-il su si bien tirer parti des offenses elles-mêmes qu'il devait désarmer ses contradicteurs (28, 1-11).

Son existence se déroule de façon toute naturelle et harmonieuse. On la verrait volontiers sous la forme d'un triptyque : le *puer-senex*, l'abbé de Lérins, l'évêque d'Arles. Toute la laideur qui peut l'entourer se mue en beauté : dès son arrivée dans l'aride séjour de Lérins, il y découvre une source d'eau douce ; les postulants qu'il recrute, plus semblables au départ à des bêtes féroces qu'à des hommes, sont métamorphosés en douces colombes (17, 19) ; de même, du seul fait de sa présence, à la tristesse succède la joie (18, 27 s.), aux luttes intestines qui sévissaient en Arles, une concorde si profonde que, lors de sa mort, après son bref épiscopat, tous les habitants accourent à la cathédrale, multiplient les manifestations de douleur et de vénération en usage à l'époque (ch. 35).

Hilaire représente Honorat comme un véritable séducteur (23, 10) ; son père, ses parents, ses amis se lamentent à la pensée de son départ (11, 1 s.) ; partout où il arrive, il est accueilli à bras ouverts (12, 14 s.) ; les évêques, les prêtres désirent l'agréger à leur collège sacerdotal (15, 3-6) ; à Lérins, il groupe autour de lui une pléiade de disciples de grande valeur, tels Eucher (22, 6) et Salvien (19, 9) ; tous les aspirants à une vie consacrée qui ont frappé à la porte de son monastère y ont persévéré, sauf un (33, 16 s.) ; les Arlésiens, d'abord divisés, retrouvent leur unité sous son épiscopat (28, 1 s).

Cette séduction résulte d'abord de qualités humaines. Cette idée est mise en évidence dans le récit admirable de vie et de souffle — inspiré d'ailleurs des *Confessions* de saint Augustin [1] — où Hilaire nous conte comment Honorat parvint à le ramener avec lui au « désert » de Lérins. Honorat déploie alors toutes les ressources de son éloquence, de son intelligence, de son expérience et de son cœur ; il essaie

1. Voir les notes au ch. 23, § 6 et au ch. 24, § 1 et 3.

d'attendrir Hilaire par ses larmes. Le lecteur lui-même s'émeut à ce récit mais le jeune homme reste insensible à tant de charmes et seule, la prière d'Honorat vaincra ses résistances.

Cette page est révélatrice et elle nous invite à dépasser ce qu'il peut y avoir de perfections humaines dans Honorat pour découvrir ce qui fait vraiment la grandeur de sa personnalité : la profondeur de sa vie spirituelle.

VI. — **Spiritualité de la « Vita ».**

Si comblé par la fortune qu'ait été Honorat, c'est à Dieu, source de toute grâce, que revient le mérite du bien qu'il a accompli, et cette *Vita* présente, pour les fidèles, une valeur « exemplaire » : Honorat a voulu vivre en « ami de Dieu » (39, 1) et Hilaire a souhaité plus que tout inciter les chrétiens à se mettre sous son patronage et à suivre — ne fût-ce que partiellement — son exemple.

Il nous montre Honorat docile à répondre, dès son enfance, aux appels successifs de Dieu : son heureux naturel lui a attiré la sympathie générale et, qui plus est, de lui aussi, on pourrait dire que « Jésus, l'ayant regardé, l'aima [1] ». Avec quelle détermination il décide de s'instruire de sa foi, de se faire baptiser, de faire abandon de ses biens aux plus défavorisés, de se consacrer à Dieu ! Son exemple est contagieux et entraîne son frère aîné Vénantius. Tous deux rivalisent de vertu, ils ne refusent rien à Dieu et Dieu ne leur refuse rien (cf. ch. 4 à 12).

Selon la théorie aristotélicienne, reprise par Sulpice Sévère, « toute vie individuelle est déterminée par la nature particulière d'un caractère donné au départ [2] » et l'évolution d'un être n'est que « le développement et, pour ainsi dire, la révélation extérieure, devant l'événement, de cet *ethos* initial [3] », la « constance », c'est-à-dire la persévérance ininterrompue dans le bien, étant la vertu centrale et essentielle. Mais, selon l'idéal de perfection défini par Grégoire de Nysse dans la *Vie de Moïse*, l'être fidèle à la grâce ne cesse de

1. *Mc* 10, 21. 2. *S. M.*, p. 63. 3. *Id.*

progresser dans la voie de la perfection [1]. D'autre part, cet être, affronté à de nouveaux problèmes, assume de plus en plus de responsabilités, ce qui fait s'élargir sans cesse son expérience et son rayonnement. Des personnalités aussi riches que saint Martin et saint Honorat ont su, à la différence du Socrate évoqué par Paul Valéry dans *Eupalinos* [2], naître un et mourir multiple. Déjà la *Vita Martini* avait « défini pour un grand millénaire un idéal cumulatif de perfection chrétienne où les figures accomplies de l'apôtre et du martyr se composent avec celles de l'évêque et de l'ascète [3] ».

Ascète, Honorat le fut par la rigueur de ses pénitences qui usèrent sa constitution d'une étonnante résistance (37, 15 s.) ; son apostolat commença avec son baptême ; dès lors, il ne cessa de diriger spirituellement nombre de jeunes gens et même d'évêques (9, 6 s.), de servir l'Église partout où il passa (15, 3) ; si son épiscopat dura peu, il se révéla très fécond, comme si Honorat, se sentant proche de la mort, voulait se dépêcher de remettre de l'ordre dans l'Église d'Arles : en l'espace de quelques mois, il ramena le calme dans les esprits, distribua aux pauvres les richesses accumulées par des prédécesseurs peu généreux, prononça de nombreux sermons, se trouva un successeur (ch. 28-32 et 36).

Mais c'est peut-être dans les chapitres qui, au cœur de la *Vita*, décrivent l'action d'Honorat comme abbé de Lérins, que nous pouvons trouver les pages les plus éclairantes. Quelle charité envers tous les hommes ! Comme il sait attirer les autres à lui et leur apprendre à surmonter leurs défauts (17, 18-36), et aussi les attacher au Christ, en cherchant, selon le caractère de chacun, les moyens appropriés pour arriver à sa fin (18, 1 s.) ! Et surtout, comme il excelle à rétablir la concorde en développant l'*apathéia* chez ceux qui

1. Cf. la note au ch. 5, § 1 (2e n.).

2. « Je t'ai dit que je suis né *plusieurs*, et que je suis mort *un seul*... Une quantité de Socrate est née avec moi d'où, peu à peu, se détacha le Socrate qui était dû aux magistrats et à la ciguë » (paroles prêtées à Socrate par Paul Valéry, dans *Eupalinos, L'âme et la danse. Dialogue de l'arbre*, Paris 1944, p. 71).

3. J. Fontaine, *La littérature latine chrétienne*, p. 81.

ont été victimes d'une injustice et l'humble repentir chez ceux qui l'ont commise (18, 20-24) ! Chaque injustice ressentie est acceptée comme une occasion providentielle de dépassement de soi-même, de progrès dans la vie spirituelle et il est de la plus haute importance que celui qui en a été la victime sache oublier et n'en garde aucune amertume.

Ce comportement, si bien adapté aux diverses circonstances, était le fruit de sa prière ininterrompue, de son intimité avec Dieu (38, 6 s.). Il chercha vraiment au long de sa vie à devenir un *alter Christus*, à s'identifier à son modèle divin jusqu'à souhaiter ardemment subir le martyre. Comme saint Martin, il fut un martyr *sine cruore* et Hilaire d'Arles évoque, avec une délicatesse infinie, les songes au cours desquels saint Honorat rêvait qu'il réalisait enfin son désir de souffrir pour un Dieu qui se plaisait à attiser ainsi son amour (38, 14 s.).

Honorat semble vivre, en effet, en contact constant avec Dieu. Sa plus grande joie est de prier et, en particulier, de redire sans cesse les Psaumes (38, 5-6). La *Vita* d'Honorat écrite par Hilaire est d'ailleurs enrichie d'une soixantaine de citations ou d'allusions bibliques, alors qu'on n'a relevé jusqu'à présent que quatre réminiscences venues de la littérature païenne. Les épîtres de saint Paul en fournissent presque la moitié. Dieu est présent à chaque moment de l'existence d'Honorat : c'est avec son aide qu'il profite si bien de la formation donnée aux catéchumènes (5, 11-12), trouve le courage de s'opposer à son père (8, 17 s.), convertit Hilaire (23, 29), découvre la joie parfaite (38, 1 s.). Certes, Dieu le Père n'est guère mentionné que pour être opposé au *pater saecularis* qui s'efforce de retenir Honorat auprès de lui (8, 14). Le Saint-Esprit n'est cité nommément qu'à deux reprises, en plus des deux formules trinitaires (38, 23 et 39, 11), mais c'est sa grâce qui s'épanouit en toutes sortes de vertus dans le monastère de Lérins (19, 17), c'est elle qui habite saint Honorat au moment où il va mourir (29, 20). A la différence de ce qui existe dans la *Vita Martini*, le prophétisme d'Honorat est à peine mentionné (21, 6 s. ; 23, 22 ; 33, 18) et encore, il l'est comme une hypothèse délicate à manier.

Au contraire, le Christ est évoqué comme le compagnon et l'ami de toujours. Si l'on excepte les formules toutes faites, comme *beatissimus in Christo* ou *bone Iesu*, le mot *Christus* revient une quarantaine de fois dans la *Vita* : le Christ attire Honorat (6, 9), l'invite à l'éternel royaume (7, 8-9) ; c'est à lui qu'Honorat doit sa liberté (7, 19) ; c'est lui dont le nom revient sans cesse sur ses lèvres (9, 16) ; c'est lui qui l'aide à établir à Lérins comme un « camp de Dieu » (16, 1-3) ; dans le Christ, il trouve son repos (38, 12) ; la présence du Christ se fait sentir au plus profond de son être (38, 6-7). Et même, selon une alliance de mots inattendue, il apparaît, au début de la *Vita*, comme le « père » d'Honorat (4, 9).

A plusieurs reprises, on trouve l'expression *amor Christi* (5, 35 ; 17, 14 ; 18, 28 ; 23, 10). Cet amour du Christ ne se sépare pas de celui du prochain. Il s'agit, pour Honorat, d' « implanter en aimant l'amour du Christ et du prochain » (18, 28-29) dans le cœur de ses moines. Il pratique lui-même dès son jeune âge le détachement des richesses qui caractérise le point de départ de toute vie consacrée, mettant ainsi en application la parole de l'évangile : « Vends tout ce que tu as, donne-le aux pauvres et suis-moi. » Il est symptomatique que l'expression de saint Paul *in caritate non ficta* (*II Cor.* 6, 6) soit la seule citation biblique utilisée à deux reprises dans la *Vita* (10, 18 ; 19, 19-20).

Cette charité d'Honorat déborde sans exception sur ceux qui ont quelque rapport avec lui : qu'il distribue aux pauvres jusqu'à sa dernière pièce d'or (21, 2 s.) ou s'épuise à entretenir une lourde correspondance, il sait se faire le « serviteur universel » (18, 1 s.). Par deux fois, Hilaire insiste sur la qualité de l'accueil qu'il réserve à ses hôtes (ch. 9 et 20). Honorat hait la discorde ; il parvient à faire régner la bonne entente aussi bien dans son monastère de Lérins que dans son évêché d'Arles où, lors de son décès, les lamentations s'expriment en différentes langues (35, 25-26).

Ses qualités de cœur s'exercent envers tous les hommes, il leur ouvre les bras, renouvelant ainsi le geste du Christ sur la croix (17, 13-14). Bref, il est tellement donné aux autres qu'il apparaît à Hilaire comme l'incarnation même de la charité (26, 11-12).

Ce trait de caractère d'Honorat est devenu le thème fondamental de la *Vita*. C'est sur ce point aussi que met l'accent la spiritualité lérinienne : elle donne une place de choix à la « pratique des vertus évangéliques de miséricorde, de paix et d'humilité [1] » essentielles dans la vie chrétienne. Dans notre *Sermo*, ce rayonnement de charité, qu'il s'agisse de Dieu ou de son disciple Honorat, s'exprime par des images qui évoquent deux éléments naturels : l'eau, la lumière. L'origine de ces images est diverse. Des expressions empruntées à la langue courante rappellent la veine larmoyante de l'époque : *fletu* (24, 2) ou *imbre lacrimarum* (23, 26). Mais Hilaire évoque le jaillissement d'autres sources, plus rafraîchissantes : les eaux baptismales (*uitali fonte*, 5, 5 — *nitore fontis*, 5, 14) ; la source de la foi (21, 17-18) ou celle de la Sagesse (23, 13-14 ; 24, 10) ; et, de façon concrète, les eaux miraculeuses que saint Honorat fait jaillir à Lérins (17, 3-6). Surtout, sa charité se répand sur chacun comme une eau bienfaisante et vivifiante : *in omnes profluam caritatem* (24, 15).

Hilaire utilise aussi fréquemment le thème de la lumière et celui du feu pour évoquer saint Honorat. Le participe-adjectif *splendens* revient à plusieurs reprises, et toujours au superlatif : *inter splendidissima illa regni Dei astra* (1, 9-10), *uelut splendidissimam gemmam* (5, 26), *splendidissimum templum* (17, 10-11). On le retrouve aussi pour évoquer Eucher, mais seulement au positif : *splendidus mundo* (22, 5) ou au comparatif : *splendidior in Christo* (22, 5). Un mot de la même racine s'appliquera aux vêtements si élégants du jeune homme avant sa conversion : *uestium splendor* (8, 7).

Hilaire recourt aussi au substantif courant : *lumen* (11, 4 ; 15, 27; 16, 6) ou à ses composés : *illuminatio* (11, 14), *illuminare* (15, 3), *illuminari* (16, 5). Mais on trouve également les mots : *lux* (17, 24), *flamma* (8, 2) ou d'autres vocables plus recherchés : *claritas* (10, 10 ; 16, 7), *emicare* (10, 6), *radiare* (10, 10), *flagrare* (10, 25), *fulgere* (11, 13), *illustrare* (12, 16) ou l'inchoatif : *inardescere* (18, 31). Deux images reviennent sans cesse : Honorat est « enflammé de l'amour »

1. J. FONTAINE, art. « France. I. — Antiquité chrétienne », dans *D. S.* 5 (1964), col. 800 ; voir aussi la col. 801.

de Dieu, du désert, il exerce un grand rayonnement, dû à ses vertus ; Dieu l'a placé dans le monde comme un flambeau, pour éclairer les hommes moins favorisés que lui (11, 12 s.). Il est même, pour ses moines, selon le mot de Salvien, un véritable soleil dont la présence apporte la joie (19, 9 s.).

Il est arrivé à l'auteur d'allier les deux thèmes : par exemple, dans l'expression déjà citée : *nitore fontis* (5, 14). Toute la *Vita* est comme poétisée par ces jeux d'eau et de lumière où la gloire de Dieu se reflète sur de beaux visages diaphanes. On pourrait évoquer l'atmosphère transparente des tableaux de Fra Angelico. Cette clarté est aussi celle qui inonde les bords de la Méditerranée. D'ailleurs, la mer tient une grande place dans la *Vita* : c'est en bateau que voyagent Honorat et Vénantius, c'est sur une île qu'est fondé le monastère de Lérins. Certes, Honorat ne passe pas sous silence les difficultés de la navigation dues aux intempéries (14, 1 s. ; 20, 2 s.) mais, si à propos de la *Vita Martini* on a pu employer l'expression de « chatoiements furtifs [1] », la *Vita Honorati* évoquerait plutôt le « sourire innombrable des vagues marines » (ποντίων τε κυμάτων ἀνήριθμον γέλασμα) [2] et la séduction des rivages lériniens tout vibrants de soleil.

VII. — Diffusion de la « Vita Honorati »

La personnalité d'Hilaire était suffisamment forte pour exercer une influence importante sur l'Église de son temps. Il fut, en particulier, l'ami de l'évêque Germain d'Auxerre qui vint plusieurs fois en Arles [3] ; d'autre part, en 444, il convoqua à proximité de Besançon saint Romain qui avait implanté en 435 le monachisme en Séquanie et lui conféra le sacerdoce [4]. On retrouve dans la *Vita Honorati* et la *Vita Patrum Iurensium*, certains thèmes identiques : par exemple la conception des rapports entre l'humilité monastique et

1. *S. M.*, p. 100.
2. ESCHYLE, *Promothée enchaîné*, v. 89-90, éd. et trad. de P. Mazon, Paris 1946⁴, p. 164 (*C. U. F.*).
3. É. GRIFFE, *o. c.*, t. 2, p. 298-299.
4. *Vie des Pères du Jura*, éd. et trad. de F. Martine (*SC* 142), p. 258 et la note 2 de la page 259. Voir aussi l'introduction du même volume, p. 11.

l'honneur sacerdotal [1]; de même, les miracles de Romain demeuraient cachés comme ceux d'Honorat [2].

Au VIIe siècle, le noble Visigoth Fructueux de Braga, fondateur en Espagne de plusieurs monastères, possède dans sa bibliothèque la *Vita Honorati*, ainsi que la *Vie de saint Germain* et les *Conférences* de Cassien [3].

Certes, la Règle de saint Benoît doit aussi beaucoup au monachisme méridional [4], mais il n'est pas possible actuellement de démêler ce qui vient de Lérins ou ce que son auteur a emprunté aux *Conférences* de Cassien ou aux Règles bien plus tardives de saint Césaire.

La *Vita* a été adaptée par deux fois, l'une en l'honneur de saint Aignan au XIe siècle par un inconnu, sans doute appartenant au milieu d'Helgaud, moine d'Orléans, une seconde fois en l'honneur de saint Bernard au XIIe siècle par Geoffroy d'Auxerre [5].

Si l'on feuillette la description des *Bréviaires manuscrits des Bibliothèques publiques de France* étudiés par V. Leroquais [6], on constate que ceux, relativement nombreux pour

1. *Id.*, ch. 20, p. 260.

2. *Id.*, ch. 41, p. 264.

3. P. Riché, *Éducation et culture dans l'Occident barbare : VIe-VIIIe siècles*, p. 407-408.

4. Cf. l'article de B. Steidle, « Das Inselkloster Lerin und die Regel St. Benedikts », p. 376-387.

5. La première adaptation ne se trouve, à notre connaissance, que dans un ms. (*Reg. lat.* 585). Fruste et maladroit, l'auteur a conservé les deux cinquièmes de son modèle et a pratiqué de larges coupures tout au long du texte, en l'adaptant parfois légèrement au cas de saint Aignan avec une ingéniosité puérile. On peut la présumer composée vers 1200 par un moine de l'abbaye de Fleury ou d'Orléans, voire par le moine Helgaud lui-même. — La seconde est l'un des quatre sermons que composa, en l'honneur de saint Bernard, Geoffroy d'Auxerre, son fils spirituel et ami. Nous avons étudié dans trois mss (*Saint-Omer 130*, *Troyes 663* et *888*) cette œuvre fort connue des milieux cisterciens. De même étendue que la précédente, elle se présente comme une habile mosaïque de quarante-neuf fragments du *Sermo*, amalgamés dans un ordre tout à fait original. L'auteur a sans doute composé vers 1120 cette refonte avec une piété et un soin touchants. Cette comparaison que nous avons déjà développée dans notre thèse fera l'objet d'une étude ultérieure.

6. V. Leroquais, *Les Bréviaires manuscrits des Bibliothèques publiques de France*. Honorat est cité aux t. 1, p. 102 ; t. 2, p. 312, 432, 462 (Bréviaire de Marseille) ; t. 3, p. 76 (Bréviaire d'Arles), p. 211, 405.

le midi de la France, où figure la fête de saint Honorat, ne comportent que très rarement des leçons un peu longues pour cette fête. Il y a donc peu de chance que des bréviaires aient conservé des extraits appréciables de la *Vita Honorati*. Il y aurait lieu d'examiner sur ce point les manuscrits latins 1018 et 1091 de la Bibliothèque nationale de Paris, bréviaire d'Arles datant du XIIIe siècle. Nous n'avons pas eu le loisir de le faire.

Une légende latine de saint Honorat (*B. H. L.* 3976) fut composée probablement au XIIIe siècle et apportée de Rome en Provence par un moine [1]. Raymond Féraud, moine de Lérins, en termina la traduction provençale en 1300 [2]. B. Munke a relevé certaines ressemblances avec notre *Vita* [3], mais si légères qu'on peut se ranger à l'avis de W. Schäfer pour lequel il n'existe aucune influence littéraire entre le *Sermo* et ces adaptations [4].

La *Vida de sant Honorat* de Féraud reproduit les anachronismes de son modèle latin [5] et ressemble plutôt à un roman proche des *Quatre Fils Aymon* qu'à une biographie historique. *Sic transiit gloria Honorati.*

DEUXIÈME PARTIE

I. — Démarche suivie pour l'établissement du texte

L'authenticité du *Sermo de vita Honorati* et son attribution à Hilaire d'Arles n'ont jamais été mises en doute ; le texte en est reproduit par un nombre important de manuscrits et

1. « Die Vita Sancti Honorati nach drei Handschriften herausgegeben von Bernhard Munke » dans *Beihefte zur Zeitschrift für Romanische Philologie*, 32 (1911), p. 30.
2. Wilhelm SCHÄFER, « Das Verhältnis von Raimon Ferauts Gedicht ' La vida de sant Honorat ' zu der Vita sancti Honorati », *id.*, p. 136.
3. B. MUNKE, *o. c.*, p. 27-28.
4. W. SCHÄFER, *o. c.*, p. 143 : « Der *Sermo* des Hilarius steht zeitlich wie inhaltlich den anderen Bearbeitungen so fern, dass wir von einer direkten literarischen Beeinflussung nicht sprechen können. »
5. Adolph KRETTEK, « Die Ortsnamen der ' Vida de sant Honorat ' von Raimon Feraut und ihrer lateinischen Quelle », *id.*, p. 165.

d'éditions. L'édition de Sam. Cavallin — celle où nous avons commencé à étudier le *Sermo* — cite plus de vingt manuscrits [1]. Nous avons utilisé nous-même les reproductions photographiques de quinze manuscrits et de dix éditions. Quatre de ces manuscrits contiennent, en fait, des adaptations du *Sermo* en l'honneur de saint Aignan ou de saint Bernard ; ils ne seront pas cités ici pour ne pas alourdir exagérément l'apparat [2].

Notre attention a été attirée sur divers groupes de manuscrits : ceux qui, selon Sam. Cavallin, présentaient un intérêt particulier (*A*, *C*, *E*, *G*, *O*, *R*, *V*) ; ceux dont l'existence avait été signalée dans l'important article de S. Pricoco [3]; le manuscrit *H* conservé dans un lieu proche de celui où avait été imprimée l'édition originale.

Le risque était grand de se perdre au milieu de tant de documents. C'est pourquoi, après avoir rassemblé toutes les variantes, nous avons cherché à distinguer les diverses familles de textes. Or, nous avons découvert dans les marges de *A* et dans l'apparat critique de Quesnel quinze leçons citées comme appartenant à la tradition lérinienne. Nous avons donc compté combien chaque témoin comportait de ces leçons et cette démarche nous a permis de distinguer une première famille appelée par nous « lérinienne » : *B* et *O* (onze leçons), éditions de Génébrard et de Barralis (quinze leçons) ; un ensemble éloigné de cette tradition : *C*, *E*, *R*, *D*, *P* et *H* (chacun quatre leçons) ; un groupe intermédiaire : *G* (huit leçons), *V* (sept), *A* (six).

En examinant la valeur de ces quinze leçons lériniennes, nous avons jugé que, dans neuf cas, cette tradition était la meilleure, dans deux cas seulement, la moins bonne et que, dans quatre cas, le problème ne pouvait se trancher avec netteté.

D'autre part, nous n'avons eu qu'une connaissance très fragmentaire du ms. *I* (*Caiel.* de l'édition Cavallin) brûlé

1. *Vitae Sanctorum Honorati et Hilarii episcoporum Arelatensium recensuit Sam. Cavallin*, Lund 1952, p. 17-29.

2. Cf. *supra*, p. 42, n. 5.

3. S. Pricoco, « Quaedam de Hilarii Arelatensis sermone 'De uita Honorati' », p. 175-182.

lors d'un incendie récent, mais les dix-neuf passages cités dans l'apparat critique de Cavallin montrent qu'il appartenait à la plus pure tradition lérinienne et, sur un point, il est plus exact que Génébrard et Barralis.

Un examen plus approfondi des variantes de *G*, *A* et *V* nous a permis de discerner la parenté existant sur bien des points entre ces trois manuscrits, mais de rattacher cependant *G* de préférence à la tradition lérinienne, désignée par le sigle λ, tout en affirmant l'originalité respective de *A* et *V*.

Nous avons pu aussi établir entre les manuscrits *C*, *D*, *E*, *R*, *P* et *H* certaines distinctions. *D*, *E* et *R* présentent de très nombreuses ressemblances et appartiennent à des milieux d'origine cistercienne ; nous les avons désignés par le sigle γ ; tandis que *P* et *H* étaient aussi les seuls à présenter certaines variantes, *C* donnant un texte nettement original lui aussi.

Quant aux autres éditions, nous ne les avons pas mentionnées dans l'apparat critique; leur étude constituant cependant un exemple intéressant de la façon dont se sont transmis les textes depuis le XVIe siècle, nous donnerons nos conclusions à ce sujet à la fin de cet exposé.

Cavallin a attribué au manuscrit *C*, le plus ancien (VIIIe-IXe siècle), qu'il était le premier à étudier, une place prépondérante. La mise en évidence de quinze leçons sûrement lériniennes nous a orientée pour notre part vers une méthode différente : classer les manuscrits selon la présence plus ou moins constante de ces leçons. Nous avons tenté par là de reconstituer la tradition primitive, celle de Lérins. En fait, celle-ci apparaît comme représentée actuellement surtout par deux éditions des XVIe et XVIIe siècles.

On arrive donc à découvrir une double tradition dans la transmission du *Sermo* : l'une que l'on pourrait qualifier de « méridionale » : λ comprenant *GBOI Gen. Bar.* (le consensus *Gen. Bar.* désigné par Λ), *A*, *V*, et la seconde que l'on pourrait qualifier de « septentrionale », comprenant *C*, γ (γ = *ERD*) et *PH*.

II. — La tradition « méridionale »

1° *La tradition lérinienne* : λ.

La famille lérinienne est sans doute la plus sûre. Elle est représentée par trois manuscrits seulement : *G*, *B* et *O*, dans l'ensemble les plus récents. L'étude approfondie des éditions « lériniennes » dues à Génébrard et Barralis s'avère donc indispensable.

G Gratianopolitanus. Bibliothèque municipale de Grenoble 1171 [1]. Début du XIIe. Parchemin. Écrit en gothique primitive. D'origine cartusienne.

Ce passionnaire comprend une quarantaine de vies de saints présentées selon l'ordre du calendrier. Le *Sermo* figure aux ff. 74v-83r entre une « Vie de saint Maur » (*B. H. L.* 5772) et une « Vie de saint Furseus » (*B. H. L.* 3210). Pour une leçon commune à *A* et à *G*, il en existe au moins deux, sinon trois communes à *G* et à la tradition lérinienne. Le texte, très soigné, ne présente pratiquement pas de barbarismes. Curieusement, *beatissimus* est remplacé chaque fois par *beatus*.

B Chisianus. Bibliothèque vaticane, *Chisianus C. V.* 146 [2]. XVIe-XVIIe siècle. Papier.

Réunion effectuée à la Bibliothèque Chigi de onze mss différents. Entre deux groupes de textes très divers se trouve un recueil d'inspiration lérinienne comprenant le *Sermo* (ff. 64-93v) et le *De laude eremi* d'Eucher, encadré de poèmes à la gloire de Lérins. Quelques additions marginales de deux mains : B^2 et B^3. Écriture du XVIe siècle inclinée à droite. Au bas du premier folio, un invitatoire écrit par la main B^2.

S. Pricoco avait bien saisi les affinités de *B* avec la famille λ et surtout avec le *Parisiensis* 2990 (*O* de la présente édition) ainsi que la tendance des corrections apportées par B^3 qui s'efforce de rapprocher *B* de λ [3]. Ce ms. comporte environ cent quarante corrections ou variantes dont douze seulement de B^3. B^2 tend à améliorer

1. *Catalogue général des Manuscrits des Bibliothèques Publiques de France*, t. 7, *Grenoble*, Paris 1889, p. 339-342.
2. Notice établie grâce aux renseignements aimablement fournis par Marcella Piacentini Levi Della Vida et Adriana Marucchi.
3. Cf. l'article cité *supra*, p. 44, n. 3.

la latinité du style et à rapprocher *B* de *O*. Ce *codex*, bien lisible, présente donc, bien qu'il date du XVIe siècle, un grand intérêt.

O Parisiensis. Bibliothèque Nationale, Paris, *latinus 2990* (antérieurement *Colbertinus* 6556 puis *Regius 4594³*) [1]. Désigné par le sigle *Par.* par Cavallin. XVIe siècle. Papier. Écriture humanistique penchée à droite. L'encre ayant traversé le papier, de nombreux mots sont pratiquement illisibles. Transcrit sans doute en partie en 1520.

Le *Sermo* (ff. 1-43v) figure en tête de ce recueil qui ne contient que des œuvres d'inspiration lérinienne. Il est suivi du *De laude eremi* d'Eucher. Aucune variante. Ce *codex* est celui qui se rapproche le plus de *I* ; encore plus que le précédent, il nous aide à reconstituer partiellement le texte original.

I Caietaneus. Biblioteca Alessandrina, Rome, *Caietaneus 102*. Désigné par le sigle *Caiet.* dans l'édition Cavallin. Appartint au cardinal Constantino Gaetano. XIVe-XVIIe s. Parchemin.

Il comprend un premier recueil formé d'œuvres profanes variées et de vies de saints en italien, un second du XVIIe siècle où se trouve, entre autres, un ensemble de textes d'inspiration lérinienne, recueillis à Lérins même d'après une indication du titre (*excerptae apud Lyrinum*).

Notre *Sermo* figure ff. 804-816v entre un texte sur Vénantius, frère d'Honorat (*B. H. L.* 8520) et un autre sur saint Porcaire martyr et ses compagnons (*B. H. L.* 6901) [2].

Sam. Cavallin cite *I* trente-sept fois dans son apparat critique [3] et, presque toujours, ce manuscrit comporte une leçon identique à celles de Génébrard et de Barralis. Dans pratiquement tous ces cas aussi, il s'agit de leçons données seulement par ces trois textes. Donc ces deux éditions reproduisent avec une grande fidélité les manuscrits lériniens. C'est dire le prix de l'édition de Barralis, et encore plus de celle de Génébrard qui apparaît comme le reflet le plus fidèle que nous possédions actuellement, à notre connaissance, de cette tradition, la plus proche sans doute de l'original.

1. *Catalogue général des Manuscrits Latins. Paris, Bibliothèque Nationale* III [2693-3013], Paris 1952, p. 373-374.

2. La notice de ce ms. a été établie grâce à l'ouvrage d'A. PONCELET, *Catalogus codicum hagiographicorum latinorum Bibliothecarum Romanarum praeter quam Vaticanae prodiit in appendice ad Analecta Bollandiana*, Bruxelles 1909, p. 193-195.

3. Cf. l'édition Cavallin.

Gen. Édition attribuée, avec raison semble-t-il, à Gilbert Génébrard qui en a signé la dédicace, longtemps considérée comme l'édition originale en raison même de son titre (*Oratio funebris... et... De laudibus Eremi Nunc primum è Lerinensi bibliotheca producti*). Publiée à Paris en 1578.

Ce petit volume contient juste notre *Sermo* aux pages 5 à 36, le *De laude eremi* d'Eucher, ainsi qu'une lettre du même à Salvien et son *Instructio ad monachos.* La disposition typographique de ce volume rappelle encore celle des manuscrits : par exemple, les pages sont numérotées au recto. Ce texte ne comporte ni division en chapitres, ni notes ni références bibliques ni aucune annotation marginale.

Gilbert Génébrard (1537-1597) fut l'un des hommes les plus savants de son temps, connaissant le grec, l'hébreu et la théologie. Il publia près de trente ouvrages et en écrivit une vingtaine d'autres restés à l'état de manuscrits [1].

D'après l'apparat critique de Cavallin [2], Génébrard possède en commun avec *I* une leçon de plus que Barralis.

Bar. La *Chronologia Sanctorum et aliorum virorum illustrium ac Abbatum Sacrae Insulae Lerinensis a Domno Vicentio Barrali Salerno...* fut publiée à Lyon en 1613.

Notre *Sermo* ouvre le livre I de ce volume qui en compte deux. Précédé d'une élogieuse introduction de six lignes, il figure aux pages 1-15. Dans les marges se trouvent quinze références bibliques et quelques notes résumant le texte au fur et à mesure de son déroulement. Aucun apparat critique.

L'auteur naquit sans doute à Salerne près de Naples. Moine de la Congrégation du Mont Cassin, il était en 1595 à Lérins où il commença à réunir les documents historiques qui lui permirent de composer son ouvrage. De Lérins, il retourna en Sicile et mourut à Palerme [3].

Établie d'après les manuscrits de Lérins, cette édition est fort voisine de la précédente.

2° *A Parisiensis*, Bibliothèque nationale, Paris, *latinus 5295* (autrefois de la chapelle des évêques d'Arles, puis

1. B. Heurtebize, art. « Génébrard (Gilbert) » dans *D. T. C.* 6¹ (1915), col. 1183-1185.

2. Cf. l'édition Cavallin.

3. Cf. P. Calendini, art. « Barralis (Vincent) » dans *Dictionnaire d'Histoire et de Géographie Ecclésiastiques*, t. 6 (1932), col. 896-897.

Colbertinus 1870 et, plus tard, *Regius C 3844,4*)[1]. XIe siècle. Parchemin. Écrit à longues lignes en minuscule caroline.

Il contient cinq vies de saints de la région d'Arles. Le *Catalogus Bibliothecae Regiae* de 1744 mentionne deux textes maintenant absents : au début, la *Vita Sancti Trophini, Arelatensis Episcopi* ; à la fin, une liste des évêques d'Arles, de Trophime à Pierre, successeur de Rostaing († 1303)[2].

Notre *Sermo* figure aux ff. 26-41. Ce *codex* est enrichi de plusieurs variantes tracées d'une écriture cursive, beaucoup plus tardive, placées dans la marge. Quatre d'entre elles sont indiquées comme appartenant à la tradition lérinienne, ce qui est du plus haut intérêt.

Ce *codex* présente un texte qui lui est propre sur bien des points ou qu'il a en commun avec *V* ou même avec *G* et *V*. Il a influencé les éditeurs modernes de Quesnel à Migne. Sam. Cavallin porte sur *A* un jugement sévère et énumère une quarantaine de ses leçons qu'il considère comme fautives[3]. Or, dans leur quasi-totalité, elles n'altèrent pas de façon sensible le sens du texte. La sévérité de Cavallin s'explique si l'on remarque que *A* est, avec *G* et *V*, le manuscrit qui s'écarte le plus de *C* et de la tradition γ pour lesquels il a délibérément opté.

3° *V Reginensis*. Bibliothèque vaticane, *Reginensis latinus 645* (1337 Montfaucon ; 1333 Alexandre Petau)[4]. Appartint à la reine de Suède ; entré à la Bibliothèque vaticane en 1690. XIe s. Parchemin. Écrit en minuscule caroline du Xe-XIe s., ronde, très claire, avec les ligatures habituelles. Écrit probablement en Provence, sinon en Italie.

Le *Sermo* (ff. 1v-40) n'est suivi que de la *Sancti Hilarii Arelatensis uita a discipulo eius scripta* = *B. H. L.* 3882.

Ce *codex* contient malheureusement de très nombreuses fautes : solécismes, barbarismes et même non-sens. Mais il nous a été très

1. *Catalogus codicum hagiographicorum Latinorum antiquiorum saeculo XVI qui asseruantur in Bibliotheca Nationali Parisiensi* [par les Bollandistes], Bruxelles 1889, I, p. 567-568.

2. *Catalogus codicum manuscriptorum Bibliothecae Regiae, Pars tertia, Tomus quartus*, Parisiis, 1744, p. 73.

3. Cf. p. 22-23 de l'édition citée *supra*, p. 44, n. 1.

4. Notice établie grâce aux renseignements fournis par Marcella Piacentini Levi Della Vida. Cf. A. Poncelet, *Catalogus codicum hagiographicorum Latinorum Bibliothecae Vaticanae*, Bruxelles 1910, p. 395.

utile pour distinguer les rapports qui existent entre *A*, *G* et la tradition λ : *G*, celui des témoins de cette tradition qui s'en écarte le plus, a été finalement influencé davantage par le texte arlésien représenté par *A* que par γ, *A* se trouvant situé entre *V* et *G*.

III. — La tradition « septentrionale »

1° *C Carnotensis*. Bibliothèque municipale de Chartres 5 (16) [1]. VIIIe-IXe s. Parchemin. Écrit à deux colonnes en minuscule caroline. De la bibliothèque du chapitre de Chartres où il portait la cote 14. Ce manuscrit, le plus ancien de tous ceux du *Sermo*, a été très probablement copié à Saint-Denys du temps de l'abbé Fardulphe.

Il contient des vies de saints. La *Vita Honorati* (ff. 167-177) se trouve placée entre une *Vita S. Symeonis scripta ab uno de discipulis suis nomine Antonio* (= *B. H. L.* 7958) et une *Vita S. Mytriae ciuitatis Aquinsium* (= *B. H. L.* 5973). Ce *codex* a été presque entièrement brûlé au cours de l'incendie de la bibliothèque en 1944, ce qui nous prive d'une partie de son texte. D'autre part, le manuscrit présentait des interversions. C. de Smedt, qui a pu les repérer avant la dégradation du manuscrit les signale avec précision et en propose une explication [2]. *C* contient pas mal de leçons critiquables et même souvent des barbarismes.

Si ce *codex* a été copié à une époque où l'influence de la tradition lérinienne était encore fort sensible, il présente beaucoup de fautes et nous n'avons pu lui accorder la même confiance que Sam. Cavallin, qui fut séduit par son caractère vénérable.

2° *La famille cistercienne* désignée par le sigle γ :

E Reginensis, Bibliothèque vaticane, *latinus 1025* [3]. Désigné par le sigle P^1 dans l'édition de Cavallin. XIe s. Parchemin. Écrit à Angers [4] en minuscule caroline, ayant appartenu à

1. *Catalogue général des manuscrits des Bibliothèques Publiques de France*, t. 11, *Chartres*, Paris 1889, p. 2-3.

2. C. DE SMEDT, « Catalogus codicum hagiographicorum bibliothecae ciuitatis Carnotensis » dans *Analecta Bollandiana* 8 (1889), p. 87-89.

3. Cf. A. PONCELET, *Catalogus codicum hagiographicorum latinorum Bibliothecae Vaticanae*, Bruxelles 1910, p. 402-404. Notice établie aussi grâce aux renseignements aimablement fournis par Franca De Marco.

4. Indication aimablement fournie par M. le Professeur Bernhard Bischoff.

l'église de la Sainte-Trinité de Vendôme, puis à Pierre Michon Bourdelot, médecin de la reine de Suède, celle-ci le lui acheta en 1653.

Ce *codex* contient surtout des vies de saints. Le *Sermo* s'y trouve aux ff. 188v-197v entre un texte consacré à saint Albin : *De Normannis praedonibus uirtute S. Albini deuictis* (= *B. H. L.* 236) et un autre consacré à saint Julien : *Passio uel miracula sancti ac beatissimi Iuliani mart. edita a Gregorio Turonensium praesule peculiari patrono suo* (= *B. H. L.* 4542, 4541).

Ce *codex*, l'un de ceux qui s'écartent le plus de la tradition lérinienne, est aussi très différent de *A*. Calligraphié avec soin, il offre un texte fort correct au point de vue grammatical et il se révèle un précieux témoin de la tradition la plus récente du *Sermo*.

R Montepessulanus. École de Médecine de Montpellier 22. Provient de la bibliothèque Bouhier (A 72) [1]. XIIe-XIIIe s. Parchemin. Écrit sur deux colonnes en gothique primitive. Originaire de l'abbaye cistercienne de Larivour, ancienne fille de Clairvaux sise à deux lieues de Troyes, dont le nom latin est *Ripatorium*.

Ce *codex* contient une cinquantaine de vies de saints fêtés tout au long du mois de janvier. Précédé de la *Passio SS. geminorum Speusippi, Eleusippi et Meleusippi* (= *B. H. L.* 7829), notre *Sermo* est suivi d'une *Vita S. Sulpicii* (= *B. H. L.* 7928). On lit en tête de ce volume : *Codex saepius laudatus a Bollando* ; il s'agit du *codex* que Bollandus désigne par *Rip*. Il nous fournit le texte le plus éloigné des versions primitives mais le plus proche des adaptations du *Sermo* en l'honneur de Saint Aignan et de saint Bernard [2].

D Arsenalensis. Bibliothèque de l'Arsenal, Paris (conservé à la Bibliothèque nationale : 397 (590 T. L. [3]). XVe-XVIe s. Batarde de lecture difficile.

Recueil de textes variés. Le *Sermo* (ff. 21v-31v) se trouve entre un imprimé et deux œuvres d'Eucher, d'inspiration lérinienne.

1. *Catalogue général des mss. des Bibliothèques Publiques des Départements*, t. 1 (1849), *L'École de Médecine de Montpellier*, p. 292-293, et H. Moretus, « Catalogus codicum hagiographicorum latinorum Bibliothecae Scholae Medecinae in Vniuersitate Montepessulanensi » dans *Analecta Bollandiana*, t. 34-35 (1915-1916), p. 240-243.

2. Cf. *supra*, p. 42, n. 5.

3. H. Martin, *Catalogue des Manuscrits de la Bibliothèque de l'Arsenal*, t. 1 (1885), p. 265-266.

Le texte présente presque deux cent cinquante corrections ou additions placées soit dans le texte soit dans les marges : les variantes sont précédées de deux points, les additions ou corrections, de guillemets. Elles sont presque en totalité d'une main différente de celle du copiste et nous l'avons désignée par D^2. Elles tendent dans une écrasante majorité à aligner le texte sur λ. *D* présente de nombreuses ressemblances avec *R*, des points communs avec λ, mais se sépare très souvent de *C* et *A*.

Ce manuscrit, malaisé à déchiffrer en raison de l'écriture et des fréquentes abréviations, offre toujours un sens satisfaisant, et c'est là un témoin très sérieux auquel ses différentes annotations confèrent une valeur plus grande encore.

3° *Les manuscrits P et H* :

P Cameracensis. Bibliothèque municipale de Cambrai 865 (768) [1]. Appartint au chapitre de la cathédrale, puis au chanoine Preudhomme [2]. xᵉ-xɪᵉ s. Parchemin. Écrit en minuscule caroline.

Ce *codex* est un recueil de vies de saints. La dixième pièce est notre *Sermo* (ff. 102-110ᵛ) qui figure entre une *Vita S. Marculfi* (= *B. H. L.* 5267) et une *Vita S. Albini* (= *B. H. L.*234).

Ce *codex* comporte à plusieurs reprises des mots dépourvus de sens ou des barbarismes. Bollandus, qui en a eu connaissance, n'a pas souvent adopté ses leçons.

H Treuerensis. Bibliothèque municipale de Trèves 1152 (971) [3]. xɪɪᵉ-xvᵉ s. Écrit sur deux colonnes en minuscule gothique primitive. Autrefois à l'abbaye Saint-Matthias, passé à la bibliothèque municipale en 1804.

Il comprend plus de quatre-vingts vies de saints rangées selon l'ordre du calendrier. Le *Sermo* figure en n° 43 (ff. 159-167 ; xɪɪᵉ s.) entre une *Vita S. Felicis pres.* (= *B. H. L.* 2885) et une *Vita uel uisio S. Fursei* (= *B. H. L.* 3210).

Ces deux mss, *P* et *H* s'éloignent grandement de la tradition lérinienne, mais beaucoup moins de la tradition γ avec

1. A. Molinier, *Catalogue général des Manuscrits des Bibliothèques de France, Départements*, t. 17, *Cambray*, Paris 1871, p. 352-353.

2. Cf. p. 18 de l'édition Cavallin.

3. *Catalogus codd. hagiogr. latinorum Bibliothecae Ciuitatis Treuerensis*, p. 209-213.

laquelle ils ont en commun, en particulier, l'omission de la fin du ch. 33, § 3 à partir de *quid illud quod*. Ils présentent une addition commune au ch. 17, § 6, expliquant qui est Circé.

H se sépare rarement de *P* sur des points importants, mais il est moins fautif. *P* et *H* présentent même un certain nombre de fautes caractéristiques qui leur sont propres à tous deux. C'est pourquoi il existe sans aucun doute une tradition voisine de γ, à laquelle se rattachent probablement d'autres *codices* cités par Sam. Cavallin comme appartenant à la famille *P*.

IV. — Les différents éditeurs du « Sermo »

La première édition est celle du chartreux Laurent Surius [1] au tome premier de son volumineux recueil de vies de saints, *De probatis sanctorum historiis...*, Cologne 1576. On trouve dans les marges de cette édition dix-sept références scripturaires, des résumés des divers points du texte et onze variantes précédées d'un astérisque, sans indication d'origine mais empruntées toutes à la tradition cistercienne, alors que le texte lui-même est très « lérinien », très proche de *O* en particulier.

Cette édition, qui donne l'impression d'être le fruit d'un travail sérieux, fut suivie de celles de Génébrard (Paris 1578) et de Barralis (1613), déjà citées.

L'édition de Bollandus, très remarquable aussi, présente un aspect différent : elle appartient au second des deux volumes des *Acta Sanctorum Januarii*, préparés par Jean Bolland mais refondus suivant la méthode et avec la collaboration de son jeune confrère jésuite Godefroid Henskens [2]. Le *Sermo*, précédé et suivi de textes relatifs à saint Honorat, est divisé pour la première fois en huit parties, suivies chacune d'un apparat critique, et subdivisé en trente-neuf chapitres. Douze références bibliques sont données en

1. S. Autore, art. « Surius Laurent » dans *D. T. C.*, t. 14, 2e partie, 1941, col. 2842-2849.
2. Cf. H. Delehaye, *L'œuvre des Bollandistes à travers trois siècles 1615-1915*, p. 22-27.

marge. Les témoins étudiés vont de la pure tradition lérinienne (*Gen* et *Bar.*) au groupe qui en est le plus éloigné : les *codices P* et *R*.

On doit accorder beaucoup moins d'éloges aux éditions plus récentes. Jean Adam (1608-1684) [1], jésuite lui aussi, a reproduit à Paris en 1673 le texte de Jean Bolland sans aucune autre indication dans un petit volume qui comporte aussi trois opuscules d'Eucher. Au contraire, l'oratorien Pasquier Quesnel (1634-1719) [2], ami du janséniste Arnauld et grand adversaire de la Compagnie de Jésus, a publié à Paris en 1675, à la suite des œuvres de S. Léon, une édition que l'on pourrait qualifier d' « anti-bollandiste », car il ne manque pas une occasion d'y prendre le contrepied de son illustre devancier. Il s'est largement inspiré du ms. *A*. Pour la première fois, les citations bibliques sont imprimées en italique.

Les trois éditeurs suivants ont été très influencés par son travail. Salinas, chanoine régulier du Latran [3], publia les œuvres de Vincent de Lérins et d'Hilaire d'Arles à Rome en 1731, leur adjoignant des notes tantôt critiques tantôt explicatives. Il eut connaissance du ms. *V*, mais son travail manque de rigueur. Les frères Ballerini [4], à Venise en 1756, éditent le *Sermo* à la suite des œuvres de saint Léon, comme Quesnel dont ils désirent reprendre le travail, mais en s'inspirant de leurs devanciers et sans recourir, semble-t-il, directement aux manuscrits. Quant au t. 50 de la Patrologie de Migne (Paris 1846), il reproduit le texte des Ballerini, le moins satisfaisant, en y ajoutant quelques fautes.

Enfin, à Lund, en 1952, Sam. Cavallin donne la première édition vraiment scientifique, précédée d'une volumineuse introduction [5]. Un important apparat critique — presque

1. C. Sommervogel, *Bibliographie de la Compagnie de Jésus*, t. I, Bruxelles Paris 1890, p. 43. Le volume est cité au n° 14 des œuvres d'Adam.

2. Cf. J. Carreyre, art. « Quesnel et le Quesnellisme » dans *D. T. C.*, t. 13, 2e partie (1937), col. 1460-1535.

3. Cf. E. Amann, art. « Salinas (Jean) » dans *D. T. C.*, t. 14, (1939), col. 1039-1040.

4. Cf. C. Verschaffel, art. « Ballerini (les frères Jérôme et Pierre) » dans *D. T. C.*, t. 2, 2e partie (1910), col. 131-132.

5. Cf. *supra*, p. 44, n. 1.

toujours exact — figure en bas de pages. D'excellents index complètent l'ouvrage. Malheureusement, Cavallin a accordé trop de crédit au manuscrit *C* et pas assez à la tradition lérinienne, en particulier au précieux manuscrit *I*, gravement mutilé depuis. Cependant, il a établi la première édition critique digne de ce nom, étudié les clausules avec beaucoup de soin et mis en évidence l'habileté avec laquelle Hilaire a utilisé ce procédé artistique. Notre propre texte diffère pourtant du sien sur environ deux cent cinquante points.

V. — Particularités de notre apparat critique

1° L'ordre de citation des manuscrits et des éditions est le suivant : on a placé d'abord la famille lérinienne [1], puis les autres en les classant selon leur degré décroissant de parenté avec la première. A l'intérieur d'une même famille, on a adopté l'ordre chronologique en commençant par les textes les plus anciens. On est finalement parvenu à l'ordre suivant : 1) famille lérinienne (λ) : *G B O I Gen. Bar.* ; 2) *A* ; 3) *V* ; 4) *C* ; 5) famille dite « cistercienne » (γ) : *E R D* ; 6) *P H*.

Nous utilisons, selon les cas, pour désigner les différentes mains des *codices*, les indications X, X^1, X^2, quand on peut distinguer ces mains, et X^{ac}, X^{pc} dans le cas contraire.

2° Les problèmes particuliers que posent les manuscrits *D* (additions marginales) et *C* (mutilation) nous ont amené à adopter certaines conventions permettant d'abréger l'apparat critique.

Quand le ms. *D* (ou un autre manuscrit) comporte une correction conforme à la leçon adoptée, nous l'indiquons ainsi :

dominus [+ D^2] : deus *D*

ou, si la main n'est pas reconnaissable :

dominus : deus D^{ac}

Si la bonne leçon d'un ms., par exemple *A*, omise par le premier copiste, est donnée sous forme d'une addition, nous écrivons :

dominus [+ *add.* A^2] : *om.* *A*

Quant au ms. *C*, il comporte, dans son état actuel, d'une part, des passages complètement illisibles (le haut et le bas de chaque colonne), d'autre part des passages partiellement lisibles, aucun

1. Les manuscrits lériniens perdus mentionnés dans les marges du ms. *A* ou dans l'édition de Quesnel sont désignés par le sigle *L*.

STEMMA

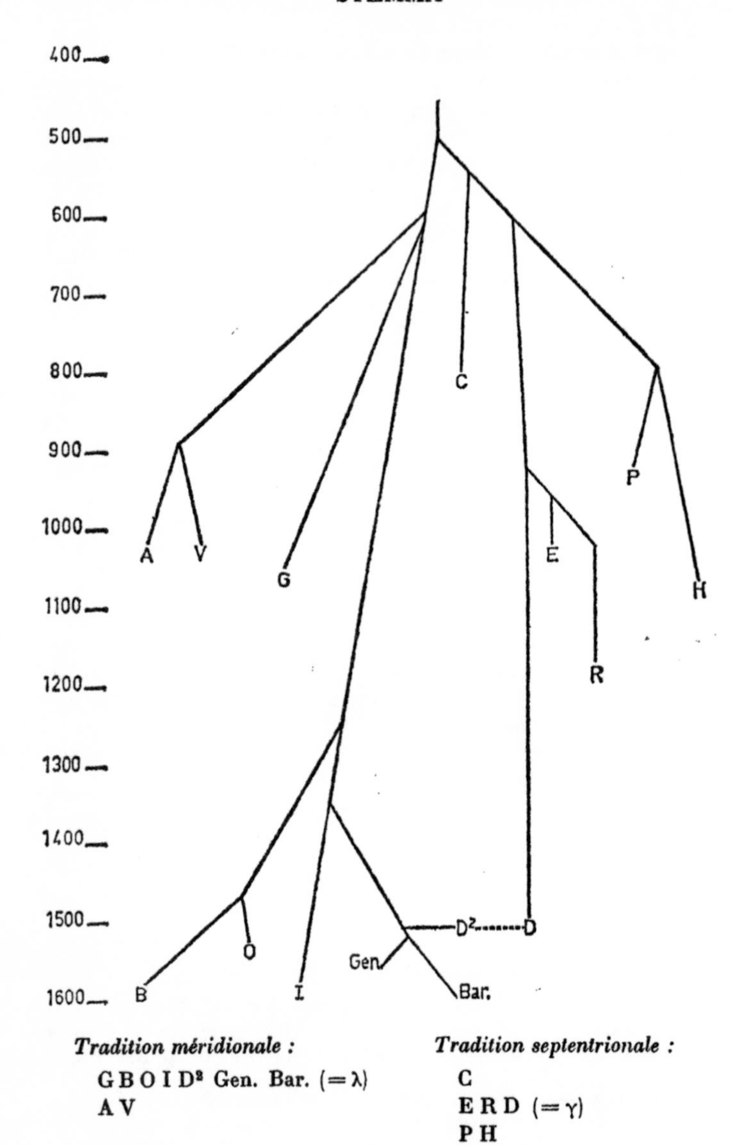

Tradition méridionale :

G B O I D² Gen. Bar. (= λ)

A V

Tradition septentrionale :

C

E R D (= γ)

P H

ensemble de texte n'étant totalement déchiffrable. Nous devrions pouvoir y suppléer grâce à l'apparat critique de Cavallin établi d'après le manuscrit encore intact. Malheureusement, cet apparat n'est pas exhaustif. Par chance, nous disposons d'une excellente photographie de la première page du *Sermo* reproduite à la page 20 (Tab. II) de l'édition Cavallin. Le texte (f. 167r) est écrit sur deux colonnes de trente et une lignes chacune. Supposant toutes les pages de ce *codex* composées de la même façon, nous avons numéroté les lignes de 1 à 31 pour la colonne de gauche, de 32 à 62 pour celle de droite, et nous donnons chaque fois les mots qui sont au début et à la fin des passages illisibles ainsi que l'endroit où ils se trouvent dans le manuscrit *C*. Par exemple :

et per terras — lacrimas 174r, 55-62 *C n. l.* (C n. l. = *C non legitur*).

a) Pour les passages ou les mots totalement illisibles, mais attestés par les lectures de Sam. Cavallin, nous employons le sigle *C**. Par exemple :

utique [+ *C**] : itaque *V* ‖ talem : talis C* *PH*

b) Dans le cas où le texte est partiellement lisible, nous avons cité normalement le ms. *C* quand nous avons pu le lire. Par exemple :

num : numquid *C PH*

c) Enfin, si le lemme n'est ni lisible dans *C* ni expressément mentionné dans l'apparat de Cavallin, nous avons ajouté l'indication *C°* à la fin des variantes.

Un problème analogue s'est posé pour le ms. *I*, partiellement endommagé depuis sa lecture par Sam. Cavallin. Nous avons désigné par *I** des leçons que nous ne connaissons que par cet éditeur.

BIBLIOGRAPHIE

Sigles utilisés

B. H. L.	: Bibliotheca Hagiographica Latina.
C. C.	: Corpus Christianorum, Turnhout.
C. I. L.	: Corpus Inscriptionum Latinarum, Berlin.
C. S. E. L.	: Corpus Scriptorum Ecclesiasticorum Latinorum.
C. U. F.	: collection des Universités de France (Société d'Édition « Les Belles Lettres », Paris).
D. A. C. L.	: Dictionnaire d'Archéologie Chrétienne et de Liturgie, Paris.
D. S.	: Dictionnaire de Spiritualité, Paris.
D. T. C.	: Dictionnaire de Théologie catholique.
P G	: Patrologia Graeca (J.-P. Migne), Paris.
P L	: Patrologia Latina (J.-P. Migne), Paris.
PRICOCO, *Q.*	: PRICOCO S., *Quaedam de Hilarii Arelatensis sermone « de uita Honorati »* dans *Estratto dell' Annuario dell' Instituto Magistrale Turini-Colonna*, 1968-69, Catania 1969.
P. W.	: PAULY-WISSOWA-KROLL, Realencyclopädie der classischen Altertumswissenschaft, Stuttgart.
S.	: CAVALLIN Sam., *Vitae sanctorum Honorati et Hilarii episcoporum arelatensium*, Lund 1952.
S C	: collection « Sources Chrétiennes », Paris.
S. M.	: Sulpice Sévère, *Vie de saint Martin*, édit. de Jacques FONTAINE, 3 volumes, Paris 1967-1968-1969, *SC* nos 133-135.

Cette bibliographie ne comporte ni édition de textes anciens latins ou grecs ni renvoi à des articles de dictionnaires ou à des catalogues ou des descriptions de manuscrits, toutes indications de cet ordre ayant été données au cours de notre travail. Seuls ont été mentionnés ci-après les ouvrages et les articles qui nous ont aidée à l'élaborer, même si nous ne les avons pas expressément cités.

AIGRAIN R., *L'hagiographie. Ses sources. Ses méthodes. Son histoire*, Paris 1953.

ALLARD P., *Julien l'Apostat*, t. 3[3], Paris 1903.

ALLIEZ [L.], *Les îles de Lérins, Cannes et les rivages environnants*, Paris 1860.

AUBIN P., *Le problème de la « conversion », étude sur un terme commun à l'hellénisme et au christianisme des trois premiers siècles*, Paris 1963.

AUVRAY L., « Une source de la *Vita Roberti regis* du moine Helgaud » dans les *Mélanges d'Archéologie et d'Histoire de l'École Française de Rome*, 7 (1887), p. 459-471.

AXELSON B., « Arelatensia in uitas sanctorum Honorati et Hilarii marginalia critica » dans *Vigiliae Christianae*, vol. 10 (1956), p. 157-159.

AYZAC Félicie D', *Histoire de l'abbaye de Saint-Denys*, 2 vol., Paris 1861.

BARDY G., *La conversion au christianisme durant les premiers siècles*, Paris 1949, collection *Théologie* 15.

BASTIAENSEN A. A. R., « Le cérémonial épistolaire des chrétiens latins », dans *Graecitas et Latinitas Christianorum Primaeua, Supplementa*, fascicule 2, Nimègue 1964, p. 1-5.

BENOIT F., « Les cimetières suburbains d'Arles dans l'Antiquité chrétienne et au Moyen Age », dans les *Studi di Antichità cristiana*, Città del Vaticano, Roma, Paris, 11 (1935), p. V-VII et 1-73.

— « Les chapelles triconques paléochrétiennes de la Trinité de Lérins et de la Gayole », dans la *Rivista di Archeologia cristiana*, Città del Vaticano, 25 (1949), p. 129-154.

— « L'Hilarianum d'Arles et les missions en Bretagne (Ve-VIe siècles) », dans *Saint Germain d'Auxerre et son temps*, publication de la Société des Sciences historiques et naturelles de l'Yonne, Auxerre 1950, p. 181-189.

— « Le premier baptistère d'Arles et l'abbaye Saint-Césaire », dans *les Cahiers Archéologiques, Nouvelles recherches sur la topographie paléo-chrétienne d'Arles du IVe au VIe siècles*, 5 (1951), p. 31-59.

— « Arles » dans *Villes épiscopales de Provence : Aix, Arles, Fréjus, Marseille et Riez de l'époque gallo-romaine au moyen âge*, Paris 1954, Ve Congrès international d'Archéologie chrétienne, p. 15-21.

BESSE J.-M., « Les premiers monastères de la Gaule méridionale » dans la *Revue des Questions Historiques*, N. S., 27 (1902), p. 394-464.

BUFFIÈRE F., *Les mythes d'Homère et la pensée grecque*, Paris 1956.

CAVALLIN Sam., « Les clausules des hagiographes arlésiens » dans *Eranos* 46 (1948), p. 133-157.

— « Die Lobrede des Heiligen Hilarius auf das Leben des Heiligen Honoratus » dans *Floridus Liber, Festschrift Paul Lehmann*, Berlin 1950, p. 83-93, *Mittelalt. Studien*.

CHASTAGNOL A., « Observations sur le consulat suffect et la préture du Bas-Empire » dans la *Revue Historique*, 219 (1958), p. 221-253.

— *Le Bas-Empire*, Paris 1969.

— « Communication sur le diocèse civil d'Aquitaine au Bas-Empire » dans le *Bulletin de la Société Nationale des Antiquaires de France*, séance du 28 octobre 1970, Paris 1972, p. 272-292.

CONSTANS L. A., *Arles antique*, Paris 1921.

COURCELLE P., *Histoire littéraire des grandes invasions germaniques*, Paris 1964³.

— « Nouveaux aspects de la culture lérinienne » dans la *Revue des Études Latines*, 46 (1968), p. 379-409.

— *Recherches sur les « Confessions » de saint Augustin*, Paris 1968², nouvelle édition augmentée et illustrée.

CURTIUS E.-R., *La littérature européenne et le moyen âge latin*, trad. française de Jean Bréjoux, Paris 1956.

DANIÉLOU J. et MARROU H., *Des origines à saint Grégoire le Grand*, t. 1 de la *Nouvelle Histoire de l'Église*, Paris 1963.

DELEHAYE H., *Sanctus. Essai sur le culte des saints dans*

l'Antiquité, Bruxelles 1927, reproduction anastatique 1954, *Subsidia hagiographica*, nº 17.

— *L'œuvre des Bollandistes à travers trois siècles*, 1615-1915, Bruxelles 1959², *Subsidia hagiographica*, nº 13 A².

Demougeot É., *De l'unité à la division de l'Empire romain, 395-410. Essai sur le gouvernement impérial*, Paris 1951.

Duchesne L., *Fastes épiscopaux de l'ancienne Gaule*, t. 1, *Provinces du Sud-Est*, Paris 1907².

Félibien M., *Histoire de l'abbaye royale de Saint-Denys en France*, Paris 1706.

Festugière A.-J., *Les moines d'Orient*, t. 1, *Culture ou sainteté, Introduction au monachisme oriental*, Paris 1961.

Fliche A. et Martin V., *Histoire de l'Église*, t. 3, *De la paix constantinienne à la mort de Théodose* par J.-R. Palanque, G. Bardy, P. de Labriolle, Paris 1945.

Fontaine J., *La littérature latine chrétienne*, Paris 1970, coll. *Que sais-je ?*, nº 1397. Nouvelle édition : *La letteratura latina cristiana*, Bologne 1973.

— « L'ascétisme chrétien dans la littérature gallo-romaine d'Hilaire à Cassien » dans *Problemi attuali di scienza e di cultura. Atti del Colloquio sul thema : La Gallia Romana*, Roma, *Academia Nazionale dei Lincei*, 370ᵉ année (1973), p. 87-115.

Formigé J., « Le baptistère d'Aix » dans *Villes épiscopales de Provence, Aix, Arles, Fréjus, Marseille et Riez de l'époque gallo-romaine au moyen âge*, Paris 1954, Vᵉ Congrès international d'Archéologie chrétienne, p. 13-14.

Gaudemet J., *Les institutions dans l'Antiquité*, Paris 1967.

Gorce D., *Les voyages, l'hospitalité et le port des lettres dans le monde chrétien des IVᵉ et Vᵉ siècles*, Wépion-sur-Meuse, Paris 1925.

— *La Lectio diuina des origines du cénobitisme à saint Benoît et à Cassiodore*, Paris 1927.

Griffe É., *La Gaule chrétienne à l'époque romaine*, t. 1, *Des origines chrétiennes à la fin du IVᵉ siècle*, Paris 1964² ; t. 2, *L'Église des Gaules au Vᵉ siècle*, 1966².

Gross K., « Plus amari quam timeri, eine antike politische

Maxime in der Benediktinerregel » dans *Vigiliae Christianae*, vol. 27, nº 3, septembre 1973, p. 218-229.

HOARE F. R., *The Western Fathers*, Londres 1954.

HUBERT J., « Introduction » dans *Villes épiscopales de Provence, Aix, Arles, Fréjus, Marseille et Riez de l'époque gallo-romaine au moyen âge*, Paris 1954, Vᵉ Congrès international d'Archéologie chrétienne, p. 1-5.

KOCH H., *Quellen zur Geschichte der Askese und des Mönchtums in der alten Kirche*, Tübingen 1933.

KRETTEK A., « Die Ortsnamen der *Vida de sant Honorat* von Raimon Feraut und ihrer lateinischen Quelle » dans *Beihefte zur Zeitschrift für Romanische Philologie*, 32 (1911), p. 163-204.

LECLERCQ J., « Études sur saint Bernard et les textes de ses écrits. VII. Les souvenirs inédits de Geoffroy d'Auxerre sur saint Bernard » dans *Analecta Sacri Ordinis Cisterciensis* 9 (1953) p. 151-170.

LENAIN DE TILLEMONT L.-S., *Mémoires pour servir à l'histoire ecclésiastique des six premiers siècles*, t. 12, Paris 1707 ; t. 15, Paris 1711.

LENTHÉRIC C., *La Grèce et l'Orient en Provence. Arles. Le Bas-Rhône. Marseille*, Paris 1878.

LEROQUAIS V., *Les bréviaires manuscrits des Bibliothèques publiques de France*, 5 vol., Paris 1934.

MARROU H.-I., *Saint Augustin et la fin de la culture antique*, Paris 1938, *Bibliothèque des Écoles Françaises d'Athènes et de Rome*, fascicule 145.

— *Histoire de l'éducation dans l'Antiquité*, Paris 1948, nouvelle édition.

MOHRMANN Christine, *Études sur le latin des chrétiens*, t. 1, *Le latin des chrétiens*, Rome 1958 ; t. 2, *Latin chrétien et médiéval*, Rome 1961.

MORIS H., *L'Abbaye de Lérins. Histoire et monuments*, Paris 1909.

MUNKE B., « Die *Vita sancti Honorati* nach drei Handschriften herausgegeben » dans *Beihefte zur Zeitschrift für Romanische Philologie*, 32 (1911), p. 1-133.

MUSSET L., *Les Invasions. Les vagues germaniques*, Paris 1965, *Nouvelle Clio. L'Histoire et ses problèmes*, nº 12.

PALANQUE J.-R., « La date du transfert de la Préfecture des Gaules de Trêves à Arles » dans la *Revue des Études Anciennes*, 36 (1934), p. 359-365.

— « Les dissensions des Églises des Gaules à la fin du IVe siècle et la date du concile de Turin » dans la *Revue d'Histoire de l'Église*, 21 (1934), p. 481-501.

— « Sur la liste des préfets du prétoire du IVe siècle » dans *Byzantium* 9 (1934), p. 703-713.

PIGANIOL A., *L'Empire chrétien* dans l'*Histoire générale* de Gustave Glotz, Paris 1947.

PRICOCO S., «Quaedam de Hilarii Arelatensis sermone de uita Honorati » dans *Estratto dell'Annuari dell'Instituto Magistrale Turini-Colonna. 1968-69*, Catania 1969, p. 175-182.

— « Modelli di santità a Lerino. L'ideale ascetico nel *Sermo de Vita Honorati* di Ilario d'Arles » dans *Siculorum Gymnasium*, N. S. a. XXVII, n. 1, Catania Gennaio-Giugno 1974, p. 54-88.

PUNIET P. DE, « La liturgie baptismale en Gaule » dans la *Revue des Questions Historiques*, N. S., 28 (1902), p. 382-420.

RICHÉ P., *Éducation et culture dans l'Occident barbare VIe-VIIIe siècles*, Paris 1962.

ROGER M., *L'enseignement des lettres classiques d'Ausone à Alcuin*, Paris 1905.

ROUGÉ J., *Recherches sur l'organisation du commerce maritime en Méditerranée sous l'Empire romain*, Paris 1966, *École Pratique des Hautes Études, VIe section. Centre de Recherches Historiques. Ports. Routes. Trafics. XXI.*

ROUSSELLE-ESTÈVE A., *Saint Benoît d'Aniane et Cassien. Étude sur la Concordia Regularum*, dans *Annales du Midi*, t. 75, no 62 (1963), p. 145-160.

SCHÄFER W., « Der Verhaltnis von Raimon Ferauts Gedicht *La Vida de sant Honorat* zu der *Vita sancti Honorati* » dans *Beihefte zur Zeitschrift für Romanische Philologie*, 32 (1911), p. 134-162.

STEIDLE B., « Das Inselkloster Lerin und die Regel St. Benedikts » dans *Benediktinische Monatsschrift*, Beuron 27 (1951), Heft 9/10, p. 376-387.

STEIN E., *Histoire du Bas-Empire*, t. 1, *De l'État romain à l'État byzantin* (284-476), éd. française de J.-R. PALANQUE, 2 vol., Paris 1959.

WASZINK J. H., recension de l'édition des « Vitae Sanctorum Honorati et Hilarii episcoporum Arelatensium » de Sam. Cavallin dans *Vigiliae Christianae* 8 (1954), p. 116-117.

Note additionnelle

Au moment où s'achevait l'impression de la présente édition, paraissaient, dans le numéro de mars 1977 des *Vigiliae Christianae* (t. 31, p. 55-59), quelques réflexions judicieuses de Lenmart HÅKANSON, relatives à l'édition de Sam. Cavallin parue vingt-cinq ans plus tôt.

M. Håkanson propose, entre autres, un texte nouveau sur trois points. Au ch. 5 (l. 14 de notre édition), il préfère à la leçon lérinienne *ad fontes* le génitif *fontis*, et au ch. 18 (l. 5) la leçon lérinienne *quanta* à celle des mss *C* et *P* : *quantae*. Nous avions nous-même préféré ces leçons. — Cependant, nous ne partageons pas les vues de l'érudit suédois quand il envisage d'ajouter une négation, *non*, devant *computaret* au ch. 16 (l. 17). Hilaire s'est efforcé, dès le ch. 9 § 4, de nous montrer un Honorat *adulescens* donnant déjà des leçons aux évêques ; ce serait vraiment illogique qu'il le présentât comme simplement l'égal des évêques quand il l'évoque, à son retour de Grèce, fondateur d'un monastère plein d'avenir et personnalité marquante de son temps.

CONSPECTVS SIGLORVM

Codices

G —	Gratianopolitanus 1171 (Bibliothecae Ciuitatis Gratianopolitanae)	saec. XII ineuntis
B —	Chisianus CV 146 (Bibliothecae Vaticanae)	saec. XVI-XVII
O —	Parisiensis latinus 2990 (olim Colbertinus 6556, deinde Regius 4594[3]) (Bibliothecae Nationalis Parisiensis)	saec. XVI
I —	Caietaneus 102 (ex Cav.) (Bibliothecae Romanae dictae Alexandrinae)	saec. XVII
A —	Parisiensis latinus 5295 (olim Arelatensis, deinde Colbertinus 1870, deinde Regius C. 3844.4) (Bibliothecae Nationalis Parisiensis)	saec. XI
V —	Reginensis latinus 654 (Bibliothecae Vaticanae)	saec. XI
C —	Carnotensis 5 (16) (Bibliothecae Ciuitatis Carnotensis)	saec. VIII uel IX ineuntis
E —	Reginensis latinus 1025 (olim Petri Bourdelot) (Bibliothecae Vaticanae)	saec. XI
R —	Montepessulanus 22 (olim Ripatorius, deinde Boherianus A. 72) (Bibliothecae Scholae Medicinae)	saec. XII uel XIII
D —	Arsenalensis 397 (590 T. L.) nunc in Bibliotheca Nationali Parisiensi asseruatus	saec. XV uel XVI
P —	Cameracensis 865 (olim 768) (Bibliothecae Civitatis Cameracensis)	saec. X uel XI
H —	Treuerensis 1152 (olim 971) (Bibliothecae Ciuitatis Treuerensis)	saec. XII-XV

Editores.

Gen. Gilberti Genebrardi esse dicta ed., Parisiis anno 1578
Bar. Vincentii Barralis Salerni ed., Ludguni anno 1613

L : codices Lerinenses deperditi, a Quesnel et *A* citati
Λ : consensus Genebrardi et Barralis editionum.
λ : consensus codicum GBOI et Λ
γ : consensus codicum ERD
*C** : *C ex Cav.*
*I** : *I ex Cav.*

SERMO SANCTI HILARII
DE VITA SANCTI HONORATI

<Praefatio>

1, 1. Agnoscitis, dilectissimi, diem publicis fidelium maeroribus consecratum qui mihi, quamdiu hos caducos uitae huius dies Dominus indulserit, semper quidem acerbitatibus grauis, plenus tamen consolatoria laude adue-
5 niet. Hodie enim ille sanctae recordationis ecclesiae huius antistes, uirtute, sacerdotio, nomine Honoratus pater, corpore exutus... quicquid ad clausulam elocutionis adie-

incipit uita beati honorati arelatensis episcopi fundatoris cenobii lerinensis edita a beato hylario episcopo qui ei in regimine successit *G* Sermo sancti hilarij episcopi arelatensis de uita et morte beatissimi honorati patris praecipui monachorum lerinensium *B* SERMO DIVI HILARII episcopi arelatensis et monachi lerinensis de uita et morte beatissimi honorati eiusdem ciuitatis episcopi, monachorum lerinensium patris praecipui *O* De Sancto Patre Nostro Honorato primo abbate Lerinensi et episcopo Arelatensi. Sermo sancti Hilarij episcopi Arelatensis et monachi Lyrinensis *I** SERMO SANCTI HILARII ARELATENSIS EPIscopi De uita Sancti Honorati *Gen.* Sermo Luculentus sancti Hilarij Archiepiscopi Arelatensis de uita Sancti Honorati eius praecessoris et primi fundatoris sacri Monasterij Lerinensis ex Manu Scriptis Lerinensibus, praefuit Arelatensi Ecclesiae temporibus Theodosij iunioris et Valentiniani III. Imperatoris, cum Romanam Ecclesiam regeret Coelestinus et post eum Sixtus anno Dominici Natalis 426. et sequentibus. 16. Ianuarij, fundato antea coenobio Lerinensi circa annum Domini 375. *Bar.* INCIPIT SANCTI HONORATI ARELATENSIS EPISCOPI CVIVS DEPOSITIO AGITVR XVII KALENDAS FEBRVARII *V* INCIPIT VITA SANCTI HONORATI EPISCOPI *C* Eodem die [e. d. *exp. E*] sermo sancti hylarii [episcopi *add. R*] habitus [h. *exp. E*] in depositione sanctae memoriae domini honorati episcopi *ER* Sermo beati hilarij arelatensis de uita et obitu praedecessoris et consanguinei sui sancti honorati episcopi bene notabilis *D* SERMO HABITVS SANCTI HILARII IN DEPOSITIONE SANCTAE MEMORIAE DOMINI HONORATI EPISCOPI *P* Incipit uita sancti honorati episcopi quod [q. *ut uid.*] est XVI kalendas februarii. Sermo habitus sancti hilarii in depositione sanctae memoriae domini honorati episcopi *H*

SERMON DE SAINT HILAIRE SUR LA VIE DE SAINT HONORAT

< Préface >

Comment parler d'Honorat

1, 1. Vous reconnaissez, mes bien-aimés, le jour voué officiellement à la tristesse pour les fidèles; pour moi, aussi longtemps que le Seigneur me concédera ces jours éphémères de la vie présente, ce jour, certes, lourd à jamais d'amertume, reviendra pourtant avec une plénitude de louange consolatrice. Car c'est aujourd'hui que ce prélat de notre Église, de sainte mémoire, le vénérable Honorat[1] — et « honoré », il le fut du fait de sa vertu, de son sacerdoce, de son nom — dépouillé de son corps... toute

1, 1 agnoscitis : -cite *C* || 2 maemoribus : memoriis γ || quamdiu : deus *add. H* || hos caducos : caducas *O* || 3 dominus [+ D^{2mg}] : deus γ *om. PH* || indulserit : -gerit *R* || 4 tamen om. *A* || consolatoria laude : honoris et dignitatis *G* et [*uacat H*] dignitatis *A* [Codex Lyrinensis hoc legit : plenus tamen consolatoria laude adueniet *add.* A^{2mg}] *V C* γ PH* || adueniet [+ *corr.* B^{1mg} + *L ex* A^2] : aduenerit *B* aduenit *ER* C^o || 6 antistes : antistitis *V* || uirtute [+ A^{2mg}] : *om. A* || sacerdotio : -tii *H* sacerdotio et B^{sl} || nomine : *ante* nomine *add.* et B^{sl} Λ || pater *om.* λ || 7 exutus : est *add. V C R* || elocutionis adiecero : locutionis a. *G* a. eloquutionis *O*

1. Honorat : le même mot latin : *Honoratus* se traduit en français par « Honorat » ou « honoré », mais le nom propre n'évoque plus immédiatement pour nous la notion d'honneur, ce qui oblige le traducteur à juxtaposer les deux termes : le nom propre et le participe. Dans le milieu lérinien, la recherche de la perfection semble s'être accompagnée d'un certain goût pour des jeux de mots propres à amener un sourire sur les lèvres de ces « chercheurs de Dieu », si austères par ailleurs. Le même jeu de mots sur le nom d'Honorat se retrouve au début du ch. 16, § 1. Au ch. 33 (§ 5), nous voyons Honorat, juste avant de mourir, avoir encore le courage de badiner selon son habitude, en jouant sur le double sens de l'adjectif *grauis*.

cero, absurdum poterit iudicari. 2. Si enim dixero : ad astra migrauit, ille etiam dum in terris moraretur, inter
10 splendidissima illa regni Dei astra numeratus est. Addam : Christo adstitit ? Quando autem ei in uita sua ille non adstitit, cuius omnis uita illam Heliae uocem habuit : *Viuit Dominus cui adsto hodie* [a] ? Dicam : terrena deseruit, cuius, ut apostolus ait, *conuersatio* semper *in caelis* [b]
15 fuit ? 3. Similiter itaque, quantum certe animus meus habet, quicquid de tali uiro dicendum occurrerit, ipsa sui magnitudine congruo exitu caret. Compugnant maeroribus gaudia : talem reminisci dulce est, tali carere supplicium.

2, 1. Duplex itaque materia me prouocat : illinc me laudum suarum gratia ad sermonem trahit, hinc ad singultus retrahunt damna communia. Ignoscite itaque si, diripientibus sibi duobus his adfectibus mentem meam,
5 oris mei officium tamquam duobus dominis famulatum

10 splendidissima illa regni dei astra : s. r. d. a. O^{ac} [illa *add.* O^{zsl}] i. s. r. d. a. D^{ac} s. i. regna d. a. *P* i. s. a. d. *G A V* || 11 adstitit : assistit *D* adsistit *P* asistit *H* adstat λ [*praeter G*] *ER* || ei : *om. O* ei hic *V C* γ *PH* || ille *om. A* || 12 heliae : helie *G* γ *H* haeliae *C* || 13 adsto : asto *GBO Bar. A* γ *H* || dicam — deseruit [+ *add.* B^{2mg}] : *om. B* || deseruit : deseseruit *H* || 15 certe animus meus : certo a. m. B^{ac} γ a. m. certo *O* a. m. *A* || 16 quicquid — occurrerit *om. C* || sui : sua Λ || 19 talem : talis C^{*pc} *RD* P tali *E H* || 20 supplicium : -ci P

2, 1 itaque [+ *add.* A^{2mg}] : *om. A* || materia : duplex stagnat materia *add.* A^{2mg} -ries *C** || illinc : illic PH^{ac} || 3 retrahunt : trahunt *A* || 4 diripientibus : desipientibus *PH* || sibi duobus *om. Bar.* || his [+ *add.* D^{2mg}] : *om. D* || adfectibus : effect- *C* || mentem meam : meam mentem *H* || 5 oris : orisque *H*

1, a. Cf. *III Rois* 18, 15
b. Cf *Phil.* 3, 20

1. Le concept de sainteté a souvent été rapproché de celui de constellation de deux façons que nous trouvons justement ici l'une après l'autre. A leur mort, les saints sont représentés s'élançant vers le ciel : par exemple, l'épitaphe d'Hilaire se termine ainsi : *Hic carnis spolium liquit a[d] astra uolans* (*C. I. L.*, XII, 949 a). Ou bien, c'est le saint lui-même qui, une fois mort, est assimilé aux astres, réminiscence des conceptions païennes. Cyrille

parole ajoutée pour finir ma phrase pourra être estimée hors de propos. 2. Supposons que je dise : « Il est allé rejoindre les astres[1]. » Mais, au temps même de son séjour sur terre, il fut mis au nombre des astres les plus resplendissants du royaume de Dieu. Ajouterai-je : « Il a pris place auprès du Christ » ? Mais à quel moment, au cours de sa vie, ne s'est-il pas tenu en sa présence, lui dont la vie entière a réalisé la parole d'Élie[2] : « Il est vivant, le Seigneur, devant qui je me tiens aujourd'hui[a] » ? Dirai-je : « Il a quitté les choses terrestres », lui qui, selon l'expression de l'Apôtre, « a toujours eu sa demeure dans les cieux[b] » ? 3. C'est pourquoi, de la même façon, dans la mesure du moins où j'en suis capable, tout ce que je pourrai dire d'un homme d'une telle valeur, s'avère en fin de compte inadéquat en raison de l'envergure même de sa personnalité. La joie le dispute aux chagrins : d'un tel homme, la souvenance est douce; d'un tel homme, l'absence est une torture.

Hilaire partagé entre le désir de louer Honorat et sa douleur

2, 1. C'est pourquoi je me sens partagé entre deux sujets : si le charme de son éloge m'incite à parler de lui, la perte qui nous est commune me retient et m'incite aux sanglots. Pardonnez-moi donc si, mon esprit étant écartelé par ces deux sentiments, ma bouche est comme un serviteur qui refuse à deux maîtres le service qu'il doit

de Jérusalem encourage les nouveaux baptisés en décrivant en ces termes leur entrée dans le royaume de Dieu : « Comme des astres de l'Église, vous entrerez, corps resplendissants, âmes rayonnantes » (*Procatéchèse*, XV, 5, *PG* 33, 360). Quant à Paulin de Nole, il représente les tombeaux des saints brillant comme des astres lumineux dans un ciel nocturne : *ut astrorum nocturno lumina caelo* (*Carm.* 19, 19, *C. S. E. L.* 30, 1894, p. 119).

2. Élie n'est pas le fondateur de la vie monastique au sens strict, mais il en a été considéré comme l'authentique précurseur. Dans sa *Vita Sancti Pauli*, saint Jérôme présente comme une opinion soutenue par certains l'origine prophétique de la vie monastique. Saint Nil appelle Élie : « Le maître de toute ascèse » (*Ep.* 181, *PG* 79, 152 C). Élie était un modèle pour les moines par sa pureté de cœur, sa virginité et aussi sa vie d'oraison, car il fut le visionnaire de l'Horeb et du Thabor (cf. C. Peters, art. « Élie » dans *D. S.* 4, 1960, col. 567-572).

congruum negat. Quicquid recordatio in laudis partibus suggerit, totum hoc sibi inter damna numerans dolor uindicat. 2. Quamquam etsi adesset mihi serenitas mentis et famulatu idoneo menti lingua seruiret, num abundan-
10 tius laus eius proferri sermonibus meis poterat quam in uestris sensibus manet ? Nemo est, ut puto, cui non illius uiri gratia maior occurrat quam possit opulentissima cuiuslibet proferre facundia. 3. Quia ergo, ut scriptura loquitur, *memoria iustorum cum laudibus* [a] semper est nec
15 potest quisquam meritorum illustrium uiros non cum laude memorare, proferam, ut facultas datur, aliqua ex his quae de illo dilectionis uestrae corda meditentur. Adiuuabunt utique sensus uestri conatus meos et quod sermone meo expediri difficile est uestra sibi pectora pro-
20 priis cogitationibus eloquentur.

3, 1. Scriptura quodam loco continet : *Sapientia in exitu canitur* [a] ; hoc est dicere : Sapientis conuersatio in conuersationis fine laudatur. Vnde et in alio loco : *Ne laudes*, inquit, *hominem in uita sua* [b], et iterum : *Ante*
5 *mortem ne laudaueris quemquam* [c] : tamquam si diceret : « Lauda post mortem. » In uiuentis enim laudibus, et laudato locus uanae exultationis offertur et laudatori uel

6 congruum [+ *add.* D^{2mg}] : *om.* γ || 7 hoc *om.* *G* || numerans : munerans H^{ac} communia *O* || 8 uindicat : uendicat λ A^{pc} *V R* uincat *C ut uid.* || adesset : adesse *V* || serenitas mentis : m. s. *O* || 9 menti : mentis *V* || num : numquid *C* γ *PH* || 10 poterat : posset *G* poterit *A* || quam : quae *O* || 12 occurrat : -rit A^{ac} occuriat *R* || 15 quisquam : quicquam *G* || uiros : uiri huius *G V* || 16 memorare : -rari *G V* || 17 uestrae : uestra *V* || 17-20 corda — eloquentur 167r, 58-62 *C n. l.* || meditentur : -tantur *GO V C*ER PH* || 18 utique [+ *C** D^{2mg}] : itaque *V* γ || quod : quicquid O^{ac} *C** γ *PH* || 19 sermone : -ni *A* γ *PH* || expediri : -dire *A* ERD^{2mg} *PH* -dere *D*

3, 1 scriptura quodam loco continet : ut scriptum est *A* || 1-2 sapientia — canitur *om.* *PH* || 2 conuersatio : concesatio *P* || 3 conuersationis : -tione *V* consummationis γ *PH* || in alio : ialio *E* $C°$ || 4 inquit : -quid *V C* E* (*qui ita scribere solent*) *om.* *A* || 5 ne : non *ER* || laudaueris : laudes *A* || tamquam si : tamquam *G* ac si *A* || diceret : dicat *A* || 7 laudato [+ A^{xmg}] : -datoribus A^{ac} -datoris A^{pc} *V* || exultationis : -tioni *A* || 7-8 offertur — adsentationis *om.* *V*

à chacun. Tout ce qu'en lui la mémoire me montre digne d'être loué, la douleur s'en empare sans en rien laisser qu'elle ne considère à l'égal d'une perte. 2. A supposer même par ailleurs que mon esprit eût trouvé la sérénité et qu'à mon esprit ma langue obéît comme il convient, sa louange pourrait-elle jamais s'exprimer dans mes paroles avec plus d'abondance qu'elle ne demeure en vos pensées ? Il n'est personne, à mon sens, qui ne se représente la valeur de cet homme exceptionnel plus grande que ne saurait l'exprimer l'éloquence la plus magnifique de quelque orateur que ce soit. 3. Ainsi donc, puisque, selon la parole de l'Écriture : « La mémoire des justes s'accompagne toujours de louange [a] », et que personne ne peut rappeler sans les louer les hommes aux mérites éclatants, je vais vous exposer, comme je le puis, quelques-uns de ces traits que vous méditez en pensant à lui au plus intime de votre affection. Votre pensée, de toute manière, viendra en aide à mes efforts, et ce qu'il est malaisé à mes paroles de formuler, votre cœur se le dira avec ses propres réflexions.

Pourquoi Hilaire parle

3, 1. On trouve dans l'un des textes de l'Écriture [1] : « C'est à la fin que l'on chante la sagesse [a]. » Ce qui veut dire : « C'est à la fin de sa vie qu'on loue la vie du sage. » Aussi dit-elle ailleurs : « Ne loue personne de son vivant [b]. » Et encore « Ne loue personne avant sa mort [c] ». C'est comme si elle disait : « Attends sa mort pour le louer. » Car si on loue un homme de son vivant, celui qui est loué y trouve une occasion de vaine gloire, celui qui loue se fait traiter

2, a. Cf. *Prov.* 10, 7
3, a. Cf. *Sag.* 1, 20
b. Cf. *Sir.* 11, 2
c. Cf. *Sir.* 11, 30

---

1. L'étude de l'Écriture est essentielle dans la vie monastique. L'abondance des citations indique « que l'ascète fait de la lecture des Livres saints sa lecture préférée, sinon exclusive » (D. Gorce, *La lectio divina des origines du cénobitisme à saint Benoît et Cassiodore*, p. 325).

maxime nota adsentationis adfigitur. 2. Multis autem modis utile est laudare defunctum : pr imum quia, dum
10 abest cui gratificari laudatione possimus, necesse est ut ad largitorem gratiae Deum laus tota referatur ; deinde quia sola uirtutis admiratio residet ubi suspicio adsentationis aufertur. Defuncti itaque laus, in sancta fidelium congregatione prolata, plena est aedificationis, uacua iac-
15 tantiae. Merita quoque in hoc eius qui laudatur accrescunt, quod plures sua laude proficiunt.

3. Nec uerebor ne nimis forsitan fauorabiliter de meo loqui credar quia, praeterquam quod nihil non inferius dici suis uirtutibus potest, nemo est qui illum non suum
20 computet, suum senserit suumque crediderit. 4. Non tamen ego ingenii fiducia neque fretus eloquio ad adtingendam tanti uiri uitam manum mitto, quam si quis priscae eloquentiae auctor adtingeret, non solum facundia non ornaret, sed uictus materiae mole succumberet.
25 5. Vester me amor prouocat, uester adfectus de illo aliquid loquendi fiduciam subministrat. Animabitur, ut credimus, ipsius merito sermo quamuis tepentis ingenii et quod iacet uerbis, eleuabitur rebus et effusa in illum caritate uestrorum pectorum condietur.

8 uel *om.* *A* γ || maxime *om.* *A* || adfigitur : afficitur *C* || multis : multi *PH* || 9 autem modis : modis autem *G A V C* γ *PH* modis *BO* [autem *add.* B^{3mg}] enim modis *I** || 10 abest : est *A* [*ante* est *add.* ab A^{1sl}] C^{o} || 11 deum [+ *corr.* D^{2sl}] : dominum γ *om.* *A* || 12 admiratio [+ *add.* B^{2mg}] : *om.* *B* || suspicio : -pectio *C* -pitio *BO V ER PH* || adsentationis : -nes C^{ac} || 14 iactantiae : iat- *B* || 15 in hoc eius qui : eius in hoc qui [quod *G*] *G I** Λ || 16 quod : quia B^{ac} || sua : eius *C* || 16-20 proficiunt — suumque 167^{v}, 27-34 *C n. l.* || 18 praeterquam *om.* *G* || quod [+ *add.* D^{2mg}] : *om.* *G A V* γ *PH* || 19 dici suis : s. d. *O* d. possit s. *B* || illum non : non illum λ || 20 computet : -putauerit *G* *om.* *I** Λ || 21 tamen : enim *O* || ego ingenii : i. e. R^{ac} || 21-22 adtingendam tanti uiri : -dum t. u. *E* t. u. adtingendam *O* || 23 eloquentiae : eloquie *V* || adtingeret : -gerit *C* || 23-24 facundia non : non *O* facundia *V* nihil facundia *C* γ [non *add.* D^{2mg}] *PH* || 25 de illo aliquid [+ *corr.* B^{2mg}] : a. de i. *G* de illo *BO* || 26-27 ut credimus ipsius : i. ut c. λ D^{pc} || 27 merito : -ti *V* -tis *O A* || sermo *om.* *C ut uid* || tepentis [+ *L ex Quesnel*] : repentis ERD^{ac} C^{o} || ingenii : -nio *H* || 28 quod : qui *G V* || effusa : effulsa *V* || illum : illo *PH* || caritate : -tas *A* || 29 pectorum : domicilio *add.* *A*

hautement de flatteur. 2. Mais, pour bien des raisons, il est utile de louer un défunt : en premier lieu, dès lors que n'est plus là celui que nous pouvons gratifier d'un éloge, c'est au dispensateur de la grâce, Dieu, que revient nécessairement toute la louange ; ensuite, seule demeure l'admiration due à la vertu là où est écarté le soupçon de flatterie. C'est pourquoi l'éloge d'un défunt, prononcé dans la sainte assemblée des fidèles, est riche d'édification mais exempt de suffisance ; de plus, le mérite de celui qu'on loue s'accroît du fait qu'un plus grand nombre de personnes tire profit de son éloge.

3. Je ne craindrai pas, d'autre part, de passer, en parlant de lui, pour favoriser peut-être trop l'un des miens [1] : outre qu'on ne peut rien dire qui ne soit inférieur à ses vertus, il n'est personne qui ne considère Honorat comme sien, ne l'ait reconnu pour sien, ne l'ait cru sien. 4. Cependant, en ce qui me concerne, ce n'est point du fait de l'assurance que me donne mon talent, ni fort de mon éloquence que j'entreprends d'esquisser la vie d'un si grand homme ; car, s'il était possible à quelque illustre représentant de l'ancienne éloquence de faire cette esquisse, non seulement l'agrément de son style ne saurait rien y ajouter mais, vaincu lui-même par l'ampleur du sujet, il succomberait sous la tâche. 5. C'est votre amour pour Honorat qui m'interpelle, votre affection qui m'incite à parler de lui avec confiance. La vie sera insufflée — ainsi le croyons-nous — par la valeur d'Honorat lui-même à mes paroles, bien que mon esprit manque de chaleur [2] ; ce qu'il y a de terre-à-terre dans l'expression se trouvera rehaussé par les faits, et la tendresse profonde qui jaillit pour lui de vos cœurs en relèvera la saveur.

1. Hilaire mentionne ici pour la première fois sa parenté avec Honorat.

2. On trouve ici une de ces « déclarations d'incapacité », clichés fréquents aux ve et vi^e^ siècles, qui ont une double origine : biblique (Salomon, saint Paul) et antique. Ce procédé était cher aux rhéteurs païens. Saint Jérôme utilisa ces formules pour la « *captatio beneuolentiae* » (cf. E.-R. Curtius, *La littérature européenne et le moyen âge latin*, p. 507-509).

<PARS PRIMA : S. HONORATI GENVS, SANCTA ADOLESCENTIA.>

4, 1. Et illud notum est omnibus oratoriae disciplinae, quorum laudandam receperint uitam, patriam prius et originem praedicare, ut quod in propriis uirtutibus deest, in patrum gloria praecessisse uideatur. Nos autem *in* 5 *Christo omnes unum sumus* [a] et fastigium nobilitatis est *inter Dei filios computari* [b], nec addere nobis quicquam ad dignitatem terrenae originis decus nisi contemptu suo potest. Nemo est in caelestibus gloriosior quam qui repudiato patrum stemmate, elegit sola Christi paternitate 10 censeri.

2. Praetermitto itaque commemorare auita illius saecularium honorum insignia et, quod concupiscibile ac

4. 1 et illud notum est [+ D^{2mg}] : est i. n. *C* γ *P* et i. n. *A V* H^{ac} || 2 receperint : susceperint *G* C^{o} || 4-5 in Christo omnes : o. in c. *A V* in c. *O* Λ || 5 nobilitatis est : e. n. *B* Λ || 6 inter : in *V* || dei filios : filios dei *L ex Quesnel* *O* dei famulos γ [al. filios D^{2mg}] *PH* || nobis quicquam : q. n. *C* ERD^{ac} *PH* || 7 dignitatem : hanc *add.* *C* γ *PH* || terrenae originis : terrarum *G* || contemptu : contemtu B^{ac} C^{o} || suo : siue suorum *add.* *C* || 8 est : enim *add.* *G* C^{o} || gloriosior : clarior *C* γ *PH* || 8-15 quam — fastiditam 167^{v}, 59 - 168^{r}, 5 *C n. l.* || repudiato [+ C^{*}] : -tum *V* repulso *A* || 9 stemmate : stemate *A V R* || elegit sola : s. e. Λ || 11 commemorare *om.* *G.* || illius : illi C^{*} ERD^{ac} *P* illorum *V*

4, a. Cf. *Gal.* 3, 28
b. Cf. *Sag.* 5, 5

1. De 1707 (LENAIN DE TILLEMONT, *Mémoires...*, t. 12, p. 674) à 1954 (F. R. HOARE, *The Western Fathers*, p. XXVI-XXVII), aucune indication nouvelle n'a pu être recueillie concernant le lieu de naissance de saint Honorat : « Ce que nous pouvons en dire, c'est que saint Loup de Troyes, qui était de Toul et qui avait du bien à Mâcon, épousa la sœur de saint Hilaire, qui était du même pays que saint Honorat et son parent. Il semble qu'il pouvait être de Lorraine ou de Bourgogne » (LENAIN DE TILLEMONT, *o. c.*, p. 675, note 2). LENAIN DE TILLEMONT avance deux autres raisons permettant de préciser ce point, mais qui sont fondées sur des interprétations erronées de notre texte. Quant à la troisième raison : le grand éloignement entre son pays d'origine et Arles, il n'est pas possible non plus de la prendre en considération, car Lérins et Arles sont présentés au ch. 25, § 5, de la *Vita*, comme

< I. — ORIGINE DE SAINT HONORAT, SA JEUNESSE SAINTE. >

La famille d'Honorat

4, 1. Et telle est la règle connue de tout orateur formé à l'éloquence : entreprend-on de louer la vie d'un homme, on commence par mentionner son pays [1] et ses origines, afin que les imperfections de ses vertus personnelles semblent avoir été comblées par avance par la gloire de ses pères. Pour nous, nous sommes « tous un dans le Christ [a] » ; la plus haute des noblesses, c'est d'être « compté parmi les fils de Dieu [b] », et notre dignité ne peut s'accroître en rien par l'honneur de notre origine terrestre, si ce n'est par l'indifférence éprouvée à son égard. Nul n'est plus heureux au séjour des cieux que celui qui, après avoir répudié le noble lignage de ses pères, a choisi de se réclamer de la seule ascendance du Christ [2].

2. C'est pourquoi je ne m'attarde pas à rappeler les marques distinctives des honneurs du siècle qui furent

deux points fort éloignés l'un de l'autre (*tam e longinquo*). Enfin, les riches propriétaire terriens de l'époque pouvaient fort bien posséder des domaines dans toutes les parties de l'Empire romain. Le seul point que l'on puisse considérer comme exact, c'est que saint Honorat s'embarqua de Marseille au moment de son départ vers des terres lointaines; on peut donc en conclure qu'il était originaire des Gaules. — Hilaire ne donne aucune indication concernant la date de naissance d'Honorat. Selon la *Vita*, Honorat mourut âgé mais non pas parvenu à une extrême vieillesse, à la différence de Caprais, par exemple. Honorat mourut très probablement en 430 ; il fonda, pense-t-on, son monastère à Lérins entre 400 et 410 ; ses longs voyages purent durer une dizaine d'années ; or, il était encore un jeune homme quand il les entreprit : il pouvait avoir alors vingt-cinq ans; il est donc vraisemblable qu'il naquit vers 365 environ. Il serait donc à peu près contemporain de saint Augustin.

2. L'expression présente un caractère insolite. En effet, dans quelle mesure peut-on parler de la paternité du Christ, lui qui est d'ordinaire représenté comme Fils et frère aîné d'une multitude de frères ? Dans la mesure où, recevant ses disciples du Père (*Jn* 17, 6), il peut leur communiquer la Vie, car le Père lui a donné d'avoir la Vie en Lui-même (*Jn* 5, 26) (cf. Marie-Françoise BERROUARD, art. « Enfance Spirituelle » dans *D. S.* 4, 1960, col. 682-705). Cette expression semble ici amenée par l'idée contenue dans l'expression *patrum stemmate* à laquelle elle s'oppose.

paene summum habet mundus, usque ad consulatus prouectam familiae suae nobilitatem, maiore generositate
15 pectoris fastiditam ; nec placuisse illum sibi de superuacuis suorum honoribus, qui pro amore ueritatis iam suos non optabat.

5, 1. Ad illud potius meus sermo festinat, qua fide baptismum in adolescentiae annis proprio concupierit arbitratu, quam maturo consilio sanus mortem expauerit, qualiter ante baptismum uita cariturum se esse per-
5 spexerit, qua siti uitam suam desiderauerit uitali fonte renouari, quam dulcis ei infantia, quam modesta pueritia, quam grauis adolescentia fuerit, quam omnes etiam aetatum gradus gratia semper et uirtute transcenderit,

13 habet mundus : habuit m. GB^{pc} m. habet OD^{pc} m. habuit Λ *corr.* B^{2mg} habeat m. ERD^{ac} *PH* || consulatus : -latum GB^{pc} Λ || 14 prouectam [+ *C**] : profectam *G A* profectum *V* || generositate : -tatem *P* || 16 pro amore : per amorem *omnes praeter* λ D^2

5, 1 meus sermo : s. m. *R* || 2 adolescentiae : adolentiae *E* || concupierit : -puerit *V* || 3 arbitratu : -to *C* || expauerit : -ueret *P* || 4 qualiter [+ B^{3mg} *I**] : quia ea *G V* quia *O corr.* B^2 qui eam *ER H* quia eam *C P* || uita : uitam *P* || cariturum se : cariturum *A V* carituram *C ED PH* || perspexerit : -xerat *G C ER PH* -xerat et B^{ac} prospexerat *V* || 5 qua : quasi *V* || uitali fonte *om. A* || 6 dulcis ei [+ D^{2mg}] : dulcissima γ || 7 etiam [+ *add.* D^{2mg}] : *om. C* γ *PH* || 8 gratia semper et : -tiae s. et *A* gratia s. ac *G* supera γ || transcenderit : -deret *V*

---

1. Honorat appartenait à une famille consulaire. Depuis Constantin jusqu'à Justinien (306-527), les consuls sont nommés directement par l'empereur, sans même que le sénat soit consulté. Cette dignité, considérée comme la première après celle de l'empereur, se réduisait à un vain titre et à des honneurs ruineux (cf. G. Bloch, art. « Consul » dans *Daremberg et Saglio*, t. 1, 1962, p. 1465 s.). A partir du IVe siècle, le consulat reprend du lustre. Pourtant sa seule fonction consistera dans l'organisation des jeux (voir A. Chastagnol : « Observations sur le consulat suffect et la préture du Bas Empire », p. 221-253).

2. Par amour pour la vérité, Honorat estime les honneurs à leur véritable valeur, c'est-à-dire peu de chose. Il y renonce allégrement pour briguer un bien autrement précieux : l'union à Dieu. *Suos* représente donc les honneurs et non pas les membres de sa famille : une telle pensée serait alors de sa part un manquement grave à la charité.

3. L'intrépidité d'Honorat se manifeste dans le fait qu'il désire le baptême *in adolescentiae annis*. Selon Sulpice Sévère, le désir d'être baptisé malgré la volonté paternelle apparaît chez saint Martin à l'âge de dix ans,

celles de ses ancêtres et — dignité enviable et tenue presque pour le bien suprême aux yeux du monde — la noblesse de sa famille, élevée jusqu'aux consulats [1], et devenue, pour son cœur plus généreux encore, un objet de dédain : il ne se complaisait pas dans les vains honneurs des siens, lui qui, par amour pour la vérité, ne les désirait plus pour lui-même [2].

Son baptême

5, 1. Voici bien plutôt où j'ai hâte d'en venir : avec quelle foi, aux années de son adolescence [3], il désira personnellement le baptême ; grâce à quelle maturité de jugement — tout bien portant qu'il fût — il eut peur de la mort, comment il vit bien qu'avant le baptême il resterait privé de la Vie ; avec quelle soif il désira voir sa vie renouvelée par la source de Vie ; quels furent la douceur de ses premières années, la sagesse de son enfance, le sérieux de son adolescence ; combien en grâce et en vertu il fut toujours plus avancé même que ceux de son âge et fut toujours trouvé se surpassant lui-même [4],

et celui de mener une vie consacrée, à l'âge de douze ans. On retrouve ici le thème, célèbre à l'époque dans les vies de saints, de l' « enfance d'exception », développement de la parole d'Isaïe (49, 1) : *Deus ab utero uocauit me* (cf. *Vita Martini* 2, 3-4, *S. M.*, p. 254-255 et 441-445).

4. *maior se* : *se* ne se trouve que dans les versions lériniennes ; et encore, il est omis dans *G* et rajouté dans *B*. S. Pricoco (*Q*, p. 178) estime qu'il faut l'omettre et comprendre qu'Honorat fut toujours trouvé plus grand qu'il était habituel, étant donné son âge : *ut superior sententia* (*quam omnes aetatum gradus gratia semper et uirtute transcenderit*) *satis perspicue ostendit*, comme la phrase précédente le fait clairement apparaître. Nous nous étions rangée à cet avis jusqu'à ce que nous fussent signalés deux textes de S. Grégoire de Nysse relatifs à Moïse proposé comme modèle parce qu'il ne cessa jamais de progresser dans la vie spirituelle et d'y devenir toujours supérieur à lui-même : Διὰ τοῦτό φαμεν καὶ τὸν μέγαν Μωϋσέα ἀεὶ μείζω γινόμενος μηδαμοῦ ἵστασθαι τῆς ἀνόδου : « C'est pourquoi nous disons du grand Moïse que, devenant toujours plus grand, il n'arrête nulle part son ascension » (Grégoire de Nysse, *Vie de Moïse*, § 227, *SC* 1[3], p. 262-263) ; et Ὁ γὰρ διὰ τοσούτων ἀναβάσεων παρὰ πάντα τὸν βίον ὑψούμενος οὐκ ἠπόρησε γενέσθαι πάλιν ἑαυτοῦ ὑψηλότερος : « Celui, en effet, qui s'est élevé par tant d'ascensions durant toute sa vie n'a pas manqué de devenir toujours supérieur à lui-même » (*id.* § 307, p. 314-315). J. Daniélou, éditeur de ce texte, a étudié (*id.*, p. 25-31) cette conception de la perfection, il en a montré la nouveauté, la conversion devenant alors non « pas seulement le principe, mais une atti-

maiorque se semper inuentus sit, ut prorsus diuino
10 quodam paedagogio educatum putes.

2. Eruditur sine aliqua suorum instantia, seruat iuuante Deo baptismum praeter ullam hominum sollicitudinem et, quod his maius est, recenti adhuc et illibato nitore fontis sine admonitore conuertitur. Sine admoni-
15 tore, dixi, et ubi illud est quod patria obstabat, quod obluctabatur pater, quod propinquitas tota renitebatur ?

3. Intrauerat enim gratia sua omnium sensus, et cum *eum* sibi Christus *adsumeret* [a], certatim in suis omnibus mundus tenebat. Alios dulcedo ipsius obligauerat, alios
20 collegii blandimenta deuinxerant, alios in uariis iuuenum exercitiis admiratio saecularium uirtutum tenebat. Quot illi uitae prioris gratiae fuerant, tot a conuersione uinculis retrahebatur. Commune quoddam familiae decus praeripi omnes timebant. 4. Et uere quis umquam illum, habitus
25 non quasi proprius, accepit ? Quos aliquando amicatus non ornauit ? Itaque uelut splendidissimam gemmam et com-

9 se *om.* GB^{ac} *A V C* γ *PH* || ut *om.* *G V C* D^{ac} *PH* || 10 paedagogio : praesagio *G A V* codex Lerinensis paedagogio A^{2mg} || educatum putes : edocatum potes *C* || 11 eruditur : enim *add.* *H* || 12 ullam... sollicitudinem : ulla... -dine *P* || 14 fontis : ad fontes *L ex Quesnel* λ *corr.* D^{2sl} et hic habet nitore ad fontes sine A^{2mg} || 15 illud est : e. i. GB^{ac} || 16 obluctabatur : oblect- *A V C* || propinquitas tota : eum t. p. *G* propinquitas *C* || renitebatur : retinebat *G* C^{*} γ *PH* retinebatur *V* enitebatur D^{2mg} || 17 sua : eius *C* || 17-19 omnium -- ipsius 168r, 28-31 *C n. l.* || 18 eum sibi : sibi eum *corr.* D^{x} || omnibus *om.* *O* || 19-20 alios dulcedo — deuinxerant *om.* *P* || 19 ipsius [+ C^{*} D^{2mg}] : sua γ *H* || obligauerat [+ D^{2mg}] : alliga- γ || 20 blandimenta [+ D^{2sl}] : -mentum γ -mento *H* || deuinxerant [+ D^{2mg}] : -xerat γ *H* || 21 quot : quod *C P* quo H^{ac} || 22 tot a : tota *PH* || conuersione : -satione A^{ac} || 23 retrahebatur : trahebatur R^{ac} || praeripi : praecipi *R* sibi *add.* *G* B^{3} Λ || 24 illum habitus : h. i. *O* || 25 proprius : -pius *B* -prium *A* || amicatus *conieci* : amictu *P* amictus *alii*

5, a. Cf. *Rom.* 14, 3

tude permanente, un constant dépouillement de soi, à travers les dépouillements successifs qui seront autant d'ouvertures à des grâces nouvelles » (p. 31). Or telle est bien la conception d'Hilaire, cf. notre *Sermo* ch. 26, § 4 : *Semper in summitate uirtutum positus, semper quo crescere posset, inuenit.* Le

de telle sorte que, par là, on le considère comme formé à l'école de Dieu [1].

2. Il est instruit de la foi sans y être incité par les siens ; il reste fidèle avec l'aide de Dieu aux engagements de son baptême, sans que personne y veille ; mieux encore, dans l'éclat tout frais et encore intact de la fontaine baptismale, sans que personne l'y pousse, il se convertit. « Sans que personne l'y pousse », ai-je dit et que fait-on des obstacles venus de son pays, de l'opposition farouche de son père [2], des efforts de tous ses proches pour le retenir ?

3. C'est qu'il avait par ses dons gagné l'affection de tous et, bien que le Christ « le prît à son service [a] », le monde luttait pour le garder au milieu de tous les siens. Les uns se trouvaient pris aux liens de sa douceur, d'autres enchaînés par les charmes de sa compagnie, d'autres demeuraient attachés par leur admiration pour ses qualités humaines dans les diverses activités propres à la jeunesse. Tous les dons qu'il avait pu manifester dans sa vie passée étaient autant de chaînes qui le retenaient de se convertir. Tous redoutaient de se voir arracher pour ainsi dire l'honneur de la famille. 4. Et vraiment qui le reçut jamais chez lui sans être considéré par lui comme l'un de ses proches ? En est-il qu'il n'ait pas honoré un jour pour avoir été lié d'amitié avec eux [3] ? Aussi, de

sens du texte au ch. 5 ne fait donc pas de doute ; nous avons préféré conserver le *se* de la version lérinienne qui l'explicite sans ambiguïté.

1. Clément d'Alexandrie, vers la fin du IIe s., a consacré tout son *Pédagogue* à développer cette notion devenue courante aux premiers siècles du christianisme (cf. en particulier VII, 53-54, *SC* 70, p. 206-209).

2. La division des familles était fréquente au milieu du IVe siècle ; ainsi saint Martin se convertit au christianisme : *patre in malis perseuerante* (*Vita Martini* 6, 3, *S. M.*, p. 264-265).

3. *Amicatus* : tous les textes comportent *amictus* sauf *P* qui donne *amictu*, manifestement corrompu. Mais ce mot ne permet pas de donner à la phrase un sens satisfaisant. Tout ce passage traite des relations d'Honorat avec ses parents et ses amis et l'on pourrait être tenté de proposer le texte suivant : « Quos amicus non ornauit ? » : « De qui ne fut-il pas l'ornement comme ami ? » C'est-à-dire : « Est-il quelqu'un qui ne se soit pas trouvé rehaussé par son amitié ? » Des mots aussi simples eussent sans doute été transcrits sans fautes par les scribes. Nous avons conjecturé le participe passé du

mune omnium decus eripi sibi simul patria, simul familiares, simul parentes putabant. Neque enim immutanda haec omnia et reformanda in melius, ut uidimus, sed
30 quasi moritura esse credebant.

5. Et inde illud erat quod, quia omnia quae adorsus erat strenue eum pater agere perspexerat, a baptismate, quamdiu potuit, auertit, timens ne totus simul, sicut consecutum est, religionis amore raperetur. Inualuit tamen
35 desiderium et amor Christi, et baptismum, discussis patris dissimulationibus, pueritia fidelis inuasit.

6. Ita enim se adhuc cathecuminus inter prima fidei rudimenta formauerat, lasciuiam pro reuerentia accipiendi quandoque baptismatis respuens, clericos ut patres
40 honorans, et puerili interdum censu pauperem iuuans : quicquid habere adhuc illa aetas et plus utique pro nouitate habendi amare poterat, miseratione prodigus offerebat, iam tunc in paruo praemeditans cuncta contemnere et sua simul uniuersa largiri.

27 eripi : praeripi *D* || sibi *om. PH* || patria : patri C^{ac} patris C^{pc} || simul familiares : s. -lias *C* *om. A E* || 28 enim *om. Bar.* || 30 esse *om. C* γ *PH* || 31 inde : unde *V* || illud erat : e. i. *O* || quia : q. ad *I** Λ q. eum *O* quem *C*ERD*^{ac} *PH* || adorsus : -ortus *Gen. V C* γ *PH* || 32 erat : fuerat *O* || eum *om. O Bar. C ERD*^{ac} *PH* || 33 totus : toto *A V C PH* a toto D^{2mg} ex toto *G* codex Lerinensis totus A^{2mg} || 35 discussis : -cursis *A* -cussit *P* || patris [+ *corr.* B^{3mg}] : primis *B* *om. O* || 35-39 patris — respuens 168^{r}, 57-62 *C n. l.* || 36 dissimulationibus : dissuasionibus B^{3mg} *O* Λ || 37 enim : autem *G* || se adhuc : adhuc se *O* Λ *et corr.* B^{x} || 39 baptismatis : undam *add. A* || clericos : -cus *C* uericos *V ut uid.* || 40 et : ut *add. AV* || puerili : -riliter *V* || censu : censo *C* || 41 habere : -ret *ERD*^{ac} || adhuc illa : i. a. *O* || et *om. G* || utique [+ *add. infra lineam* D^{2}] : *om.* γ || pro *om. R* || 42 habendi amare : quam h. amore *G* || 43 tunc [+ *add.* D^{2sl}] : *om. D* || 43-44 contemnere et : componere ac *V*

---

verbe rare *amico, -are*, qui signifie « amicum reddo » selon Du Cange (*Glossarium*, Paris 1937, I, p. 223, s. u. 2 *amicare*). Le *Thesaurus Linguae Latinae* (t. 1, Leipzig 1940, col. 1898, l. 74-82) donne à *amicari* le sens de *amicitia sociari* : être lié d'amitié.

concert, son pays, son entourage, ses parents s'estimaient-ils dépouillés en quelque sorte d'une pierre précieuse du plus vif éclat et de leur honneur à tous. Ils se figuraient, en effet, que ses qualités, loin de se transformer et d'atteindre une plus haute perfection — ainsi que nous l'avons vu — étaient comme destinées à disparaître.

5. Et c'est pourquoi son père, l'ayant vu travailler avec énergie à la réalisation de toutes ses entreprises, le détourna du baptême aussi longtemps qu'il le put, dans la crainte que l'amour de la religion — comme il arriva par la suite — ne le saisît d'un seul coup tout entier. Cependant se renforcèrent en lui le désir et l'amour du Christ, et après avoir réduit à néant les manœuvres paternelles, son enfance pleine de foi fondit sur le baptême.

6. En effet, encore catéchumène [1], au moment où l'on commençait à l'instruire de la foi, il s'était formé de cette façon : il rejetait tout écart de conduite par respect pour le baptême qu'il allait recevoir, vénérait les clercs comme des pères, employait parfois son argent de poche de jeune garçon à secourir les pauvres. Tout ce que l'on pouvait encore posséder à cet âge et à quoi la nouveauté de la possession devait donner d'autant plus d'attrait, lui, par commisération, le donnait sans compter et, tout jeune, concevait déjà le projet de se détacher de tout et de faire don aux autres de tous ses biens d'un seul coup [2].

1. L'expression évoque les mots célèbres de la *Vita Martini* : *Martinus adhuc catechumenus hac me ueste contexit* : « Martin qui n'est encore que catéchumène m'a couvert de ce vêtement » (*Vita Martini*, 3, 3, *S. M.*, p. 258-259). — A partir du IVe siècle, l'afflux des convertis impose de procurer aux nouveaux venus une préparation solide et sérieuse au baptême et on voit se reprendre la coutume de célébrer le baptême solennel à Pâques. Les cérémonies et les exigences varient à l'époque selon les régions. On n'a pratiquement pas de témoignage sur la façon dont le baptême était administré dans l'Église gallicane jusqu'au VIIe siècle (P. DE PUNIET, art. « Baptême » dans *D. A. C. L.*, 2, 1910, col. 251-346 et particulièrement col. 325-330).

2. C'est ici la première indication d'un thème fondamental, inspiré de *Matth.* 19, 21, cher à la tradition monastique depuis S. Antoine (*Vita Antonii*, 2) et familier aux sermonaires des IVe et Ve siècles (cf. *infra*, ch. 20, § 3).

6, 1. His itaque et talibus exercitiis ad baptismum se cathecumini fides robusta proripuit. Hinc iam prouidus pater et terrenae pietatis suspicione sollicitus, uariis eum oblectationibus prouocare, studiis iuuentutis illicere, diuersis mundi uoluptatibus irretire et quasi in collegium cum filio adolescente iuuenescere, uenatibus ludorumque uarietatibus occupari, et tota ad subiugandam illam aetatem saeculi huius dulcedine armari. 2. Nec immerito eum saecularis pater sibi a Christo praeripi timebat, quem inter reliquos ornatissimos iuuenes uelut unicum complectebatur.

7, 1. Verum illi maior inter haec omnia erat custodiendi baptismatis cura. Fastidiebat adolescens quo grandaeuus oblectabatur pater, tali se semper adhortatione compellans : delectat haec uita, sed decipit. Alia in ecclesiis praecepta recitantur, alia ibi in auribus meis mandata sonuerunt ; illic modestia et continentia et quies et pudor traditur, hic effrenata luxuria nutritur ; ibi *pie-*

6, 1-2 se cathecumini : c. se *R* se -minum *P* || 2 iam : tam *E* iam tam *D* iam tamquam *C* || 3 terrenae : tenerae *BO* Λ D^{2mg} *om. H* || eum : cepit *add.* D^{2mg} *ut uid.* || 4 prouocare : -catis B^{ac} || 5 uoluptatibus : uanitatibus *A* || in *om. H* || 6 iuuenescere : nitebatur ac *add. G* || ludorumque : et ludorum *G*B^{ac} *A V C* γ *PH* atque l. D^{pc} || 7 occupari : -pare *A V C P* || 7-8 tota... dulcedine : -tum... d. *P* -tam... -dinem *V* || subiugandam : -dum *A* || 8 armari : cupiens *add. G* || 8-9 eum saecularis : s. e. *D* || 9 pater sibi a Christo [+ D^{1}] : sibi Christo pater *V* sibi a Christo γ *PH* || 10 complectebatur : complectabatur *V* conplabatur H^{ac} contemplabatur H^{pc}

7. 1 illi major inter haec omnia : illi inter h. o. m. *G* m. illi inter h. Λ C^{o} || 1-5 maior — praecepta 168v, 25-31 *C n. l.* || 2 adolescens : adolenscens *E* aduliscens *P* || quo [+ A^{2mg}] : quod B^{ac} *A V P* || 4 compellans : -lens *V PH* || decipit : despicitur *G V* || 5 ecclesiis : -sia *G* || ibi *om. A* || mandata : -to *O* || 6 et quies [+ *add.* B^{3mg}] : *om. GBO* || 7 traditur : trahitur *A V* C^{o}

1. Le goût de la chasse, pratiquée depuis longtemps par nécessité, se répandit à Rome dès le début du IIe siècle avant J.-C. Des empereurs, comme Trajan et surtout Hadrien, s'y adonnèrent avec fougue et leur exemple acheva de mettre la chasse à la mode, si bien que même des femmes s'y livraient (cf. A. Reinach, art. « Venatio » dans *Daremberg et Saglio*, t. 5, 1963, p. 680-700).

2. Pour exprimer ce genre de réflexion, saint Justin avait déjà utilisé le même mouvement de texte : « Autrefois, nous prenions plaisir à la débauche,

L'opposition de son père

6, 1. C'est ainsi que, par ces pratiques et d'autres du même ordre, sa foi robuste de catéchumène s'élança au baptême. Dès lors, son père, en homme prévoyant et alarmé par les soupçons d'une tendresse toute terrestre, cherchait à l'entraîner par des réjouissances variées, à le séduire par les passions de la jeunesse, à l'attirer dans les filets des divers plaisirs du monde et à se faire lui-même jeune comme pour devenir le compagnon de son fils adolescent ; il le poussait à passer son temps à chasser [1] et à se divertir de multiples façons, et il se faisait une arme de toute la douceur de ce siècle pour subjuguer sa jeunesse. 2. Ce n'était pas sans raison que ce père selon le siècle craignait de se voir arracher par le Christ celui que, parmi tous les autres jeunes gens les plus doués, il regardait, dans son affection, comme unique au monde.

Méditation d'Honorat

7, 1. Quant à Honorat, au milieu de toutes ces distractions, il n'en avait qu'un souci plus grand de conserver la grâce de son baptême. L'adolescent n'éprouvait que dégoût pour ce qui faisait les délices du grand âge de son père et il ne cessait de s'encourager ainsi lui-même : « Cette vie a des charmes mais elle déçoit. Tout autres sont les préceptes lus aux assemblées des fidèles, tout autres les instructions qui y ont retenti à mes oreilles ; là-bas on enseigne l'humilité, la continence, le calme, la réserve [2] ; ici s'entretient une licence effrénée ; de ce côté, la piété est à l'honneur, ici

aujourd'hui la chasteté fait nos délices. Nous nous livrions à la magie, aujourd'hui nous nous consacrons au Dieu bon et non engendré. Nous aimions et recherchions plus que tout l'argent et les domaines, aujourd'hui nous mettons en commun tout ce que nous avons, nous le partageons avec les pauvres... » (*I Apol.*, XIV, 2-3, éd. L. Pautigny, Paris 1904, p. 24-27). L'admiration suscitée par les vertus des chrétiens a été un facteur déterminant dans la conversion de beaucoup. « En plein IVe siècle, Julien l'Apostat propose aux prêtres païens l'exemple de la charité chrétienne, non pas sans doute pour les convertir, mais, au contraire, pour ramener si possible les chrétiens au paganisme (cf. *Ep.* 84 et 89). Cet aveu de l'influence exercée par le spectacle de la sainteté de l'Église est des plus significatifs » (G. Bardy, *La conversion au christianisme durant les premiers siècles*, p. 154, n. 1).

tas uiget, hic *exercitatio corporalis* [a] ; illic ad aeternum regnum Christus inuitat, hic diabolus ad temporale sollicitat. 2. *Omne quod in mundo est, uanitas et concupiscentia oculorum ; et mundus transit et concupiscentia eius : qui autem fecerit uoluntatem Dei, manet in aeternum* [b], sicut et ipse manet in aeternum.

3. Festinemus ergo erui ab his laqueis, dum adhuc minus tenemur ! Difficile diu illigata soluuntur ; facilius est tenera euellere quam robusta succidere. *In monte saluam* fac *animam tuam* [c], ne forte apprehendant te mala conuersationis istius ! Cito serpit uoluptatis uenenum : seruanda est Christo per Christi gratiam sumpta libertas.

4. Alii aurum argentumque mirentur ; dominantur, ut uideo, metalla dominantibus. Alii praedia atque mancipia non sine animi sui captiuitate possideant ! Alii honoribus gaudeant et honorem diuinae in se imaginis premant ! 5. Mihi satis est mancipium non esse uitiorum ; mihi salus gaudium, mihi coniunx sapientia, mihi in uirtutibus uoluptas, mihi Christus thesaurus sit, qui pensabit mihi gaudia caduca melioribus, dabit et in hac uita studiis disciplinae me et oblectari et ornari et inter haec dignum fieri caelestibus regnis.

8 uiget : uegit *C* || exercitatio corporalis : exercitium corporale *H* || 9 regnum [+ *add.* B^{1mg}] : *om.* *B* || temporale : temperalem *R* tempus *H* || 10 omne : omnem *V* || uanitas : est *add.* *GB λ C D* || 11 oculorum : est *add.* *O* || transit : transiit *V* transibit *C γ PH* || 13 sicut — aeternum *om.* *D* || ipse : ille *A* deus *V C PH* || in aeternum *om.* *O* || 14 adhuc *om.* *O* || 15 difficile diu illigata : d. d. ligata *A* diu illigata tardius *γ* || 16 est *om.* *O ERD*^{ac} *PH*^{ac} *C*^{o} || euellere : diuellere *C* uellere *ERD*^{ac} || 17 saluam fac : salua *PH* || mala [+ B^{2mg}] : malae *GB A V C P* || 18 conuersationis [+ B^{2mg}] : -tiones *C* cogitationes *GB A V* || istius [+ B^{2mg}] : tuae *G* *om.* *B* || 19 per : et per *P* || Christi : eius *A* || sumpta : sumpma *R* || 20 mirentur : mirantur *G* || 21 uideo : uided *C* || mancipia : mantipia *V* || 23 gaudeant : gaudent *A*^{pc} || diuinae in se : in se d. *G* || 24 mihi satis — uitiorum *om.* *O* || 24-25 mihi satis — coniunx 168^{v}, 58-62 *C n. l.* || mancipium : mantipium *V* || 25 mihi *om.* *D* || uoluptas : uoluntas *A V* || 26 qui pensabit mihi [+ *add.* A^{2mg}] : q. pensauit m. *G* pensauit m. *A V C* pensabit m. *γ P* *ante* pensabit *add.* qui D^{2mg} compensabit m. *H* || 26-27 gaudia caduca : c. g. *B*^{ac} *D*^{pc} haec g. c. *V* g. c. et *O* || 27 et *om.* *O* || studiis disciplinae me [+ $B^{x}I^{*}$]: s. me d. D^{2} d. s. me *O* s. d. *GB*^{pc} *A D*^{pc} d. s. *B*^{ac} *C γ PH* || 28 et *om.* *O* || oblectari : me *add.* *B* *eras.* B^{x} me oblaetari *O* || caelestibus : bonis *add.* *deinde eras.* *B*

les exercices physiques [a] ; là-bas le Christ invite à l'éternel royaume, ici le diable tente de vous attirer à un royaume temporaire. 2. 'Tout ce qui existe au monde est vanité et concupiscence des yeux ; et le monde passe et sa concupiscence ; mais qui aura fait la volonté de Dieu demeure éternellement [b]', comme lui-même demeure éternellement.

3. Hâtons-nous donc d'échapper à ces liens, tandis qu'ils ne nous tiennent guère encore. Il est difficile de délier des nœuds faits depuis longtemps, il est plus facile d'arracher de jeunes plantes que de couper de gros arbres. 'Assure le salut de ton âme dans la montagne [c]', de peur que ne viennent à te gagner les maux de cette vie. Rapidement s'insinue le venin du plaisir ; il faut garder pour le Christ une liberté acquise par la grâce du Christ.

4. Que d'autres soient éblouis par l'or et l'argent [1] : à ce que je vois, les puissants sont eux-mêmes sous la puissance des métaux précieux. Que d'autres possèdent domaines et esclaves, non sans être intérieurement asservis. Que d'autres trouvent leur joie dans les honneurs et repoussent l'honneur de porter en eux l'image de Dieu. 5. Quant à moi, il me suffit de n'être pas l'esclave des vices. A moi, le salut pour joie ! A moi, pour épouse, la sagesse ! A moi, le plaisir dans la pratique des vertus ! A moi le Christ pour trésor ! Lui remplacera pour moi les joies éphémères par des joies meilleures ; dans mon ardeur à suivre sa règle de vie, il m'accordera de trouver même en cette vie agréments et avantages et de devenir, par là, digne des célestes royaumes. »

7, a. Cf. *I Tim.* 4, 8
b. Cf. *I Jn* 2, 16-17
c. Cf. *Gen.* 19, 17

---

1. Un même mouvement anime les § 3 et 4 et la lettre 38, § 6 de PAULIN DE NOLE qui écrit : « Sibi habeant litteras suas oratores, sibi sapientiam suam philosophi, sibi diuitias suas diuites, sibi regna sua reges ; nobis gloria et possessio et regnum Christus est, nobis sapientia in stultitia praedicationis, nobis uirtus in infirmitate carnis, nobis gloria in crucis scandalo » (*C. S. E. L.* 29, 1894, p. 329). Les rapprochements entre Hilaire d'Arles et Paulin de Nole — mort en 431 — sont assez fréquents sans que l'on puisse dire lequel s'est inspiré de l'autre. Cf. la 2e note du ch. 28.

8, 1. Nec longas talis meditatio moras pertulit, sed illico in flammam conuersionis nutrita huiusmodi fomentis scintilla prorupit. Iugum dominicae seruitutis subdita ceruice suscipiens, iugum libertatis excussit, intelligens summum esse captiuitatis genus licentiam iuuentutis. 2. Rediguntur ad breues capillos luxuriantes comae ; transfertur ad nitorem mentis uestium splendor ; ceruicis lacteae decus palliis rigentibus occupatur. Transit laetitia in serenitatem ; membrorum uigor animi uigore mutatur ; uirtus corporis in uirtutem spiritus migrat. Pallescit ieiunio speciosa facies et, prius succi plena, fit plena grauitatis.

3. Et quid plura ? Ita repente totus ex alio alius ostenditur, ut non aliter genitor ipsius quam orbatus filio pater lamentaretur. Et uere plena mortificatio corporis, sed uita

8, 2 illico : se *add.* *C* γ *PH* || in flammam conuersionis : c. in f. *G* in f. conuersationis *Bar.* *E H* in flamma conuersationis *A* in flammam *D* || 3 prorupit [+ D^{2mg}] : proripuit *C ER PH* conuersanis [conuersationis *corr.* D^{x}] proripuit *D* || 6 rediguntur : nota pro A^{xmg} *ut uid.* || breues capillos : breuis c. *P* breuem capillum *C* || 8 decus : decor *G* || rigentibus : reg- *C* || 9 serenitatem [+ D^{2mg}] : seueritatem *L* *ex Quesnel* *I** Λ *V* grauitatem γ in securitatem est melius A^{2mg} sanitatem *H* sanitate *P* || 10 uirtus corporis in uirtutem spiritus : uigor corporis in uigorem spiritus no el uirtus c. in u. s. D^{xmg} *ut uid* || 10-14 spiritus — pater 169r, 26-31 *C n. l.* || 11 succi plena : uel etiam quae prius erat rubicunda sanguine fit plena grauitatis *add.* D^{xmg} *deinde eras.* || 12 grauitatis : -te *G A V* || 13 ex alio alius [+ *C**] : alius ex alio *G A V* || 14 ipsius [+ D^{2mg}] : suus *D* || filio [+ *C**] : filium *G A V* || pater *om.* *O D* || 15 lamentaretur : -taret *C** *P* || uita : uitae *PH*

---

1. Jusqu'au IVe siècle, *conuersio*, comme 'Επιστροφή, exprime une rencontre avec une personne vivante : Dieu, vers laquelle on se tourne, le moment décisif lors d'une « conversion » au sens moderne du terme qui devra durer toute la vie (cf. P. Aubin, *Le Problème de la « conversion »*. Avant-propos de J. Daniélou, p. 5-6). Christine Mohrmann (*Étude sur le latin des chrétiens*, t. 2, p. 341-345) a étudié longuement l'évolution du sens de *conuersio* et de *conuersatio*, le premier qui signifie changement, puis pénitence, puis « conversion » au sens moderne et enfin, entrée en religion, le second « commerce », puis manière de vivre, puis vie monastique. Au VIe siècle, l'évolution était achevée et saint Benoît emploiera dans sa Règle *conuersatio* à la fois dans le sens d' « entrée en religion » et de « vie monastique ».

Sa conversion

8, 1. Une telle méditation ne lui permit pas de supporter de longs délais, mais sur-le-champ l'étincelle ainsi alimentée grandit jusqu'à l'enflammer de désir pour la conversion [1]. En même temps qu'il courbait la nuque sous le joug du service du Seigneur, il secoua le joug de sa liberté, prenant conscience que la licence de la jeunesse est le comble de l'esclavage. 2. Voici coupée court l'opulente chevelure bouclée [2] ; à l'éclat de ses vêtements se substitue le rayonnement de son âme ; son cou à la blancheur de lait [3] se couvre d'une bure aux plis roides [4] ; la joie exubérante se change en sérénité [5] ; la force des membres se transforme en force intérieure ; les qualités physiques se muent en qualités spirituelles. Le beau visage commence à pâlir sous l'effet du jeûne. Naguère plein de santé, il devient plein de gravité [6].

3. A quoi bon en dire plus ? Il se montra soudain tout entier si différent de lui-même que celui qui l'avait engendré se lamentait comme un père qui aurait perdu son fils. Et en vérité, il était mort pleinement à lui-même selon le corps mais sa vie était toute spirituelle. Cette

2. Dès le milieu du IIe siècle, à la cour de Marc Aurèle, beaucoup d'hommes portaient les cheveux presque ras : c'était la coiffure des Stoïciens et de ceux qui adoptaient des dehors austères, ce fut aussi celle des chrétiens. Thascius Cyprianus, en se faisant chrétien, fit couper ses longs cheveux (cf. PRUD., *Peristephanon*, XIII, 30, *C. U. F.*, t. 4, p. 187). Voir H. LECLERCQ, art. « Chevelure » dans *D. A. C. L.* 3 (1913), col. 1307-1320.

3. Cf. VIRG., *Énéide* 8, 660-661 : ... *Lactea colla/Auro innectuntur.*

4. Le pallium était le manteau distinctif des esclaves et des philosophes qui l'avaient adopté par anticonformisme (cf. TERTULLIEN, *De pallio*, ch. 5). Au IVe siècle, il est devenu le vêtement distinctif des moines : saint Martin l'avait adopté à l'imitation des moines d'Orient, chez lesquels les récits de Postumianus nous le montrent en usage dans le premier livre des *Dialogues* ; il évoquait un style de vie ascétique et pauvre. Dans les Canons d'Orléans (511), *accipere pallium* signifiait « prendre l'habit » (cf. *S. M.*, p. 799).

5. C'est le signe d'une *apathéia* parfaite, celle d'un personnage divin étranger aux passions humaines ; c'est aussi le signe de la tranquillité du cœur. Cf. ÉVAGRE LE PONTIQUE, *Traité pratique ou le moine*, ch. 33 (*SC* 171, p. 574).

6. Cette qualité du sénateur romain, de l'homme qui appartient aux classes dirigeantes et qui justifie la confiance que l'on place en lui, a déjà été célébrée chez saint Martin par Sulpice Sévère (*V. M.* 25, 6, *S. M.* p. 310-311 et page 1067, note 1).

illic spiritus erat. Tota hinc parentum persecutio suscitatur. 4. Tunc solum et primum patri contumax fuit, cum Dei patris filius esse contendit, ordinata iam tunc in Deo, sicut Salomon praecepit, caritate. Ita enim propheta
20 memoratus sub Dei uoce pronuntiat : *Ordinate in me caritatem* [a]. Ordinauit plane eam ille et sub caritatis dispositione perspexit primo *Deum*, tum *proximum diligendum* [b]. 5. Condemnari itaque se senectus patris aetatis illius conuersatione credebat : occurrit, renititur, comminatur ;
25 nec tamen ullo horum pueritia Deo freta concutitur.

9, 1. Adsistit tironi suo Dominus consolator nec distulit unum ei ex germanis suis in collegium suscitare ; qui, exemplo ipsius ad conuersionem uocatus et senior iuniorem secutus, in ipso breui, quo uixit, tempore, sicut colle-
5 gio illum, ita etiam uirtute comitatus est.

2. Hinc iam inter illos certamina grata propositi, cuius

16 illic [+ C^*] : illi B^{ac}*O A V C* || hinc : hic *A C ER PH* || 17-18 contumax fuit cum dei patris filius : contumeliosum filium *G* C^o || 18 deo [+ B^{3mg}] : eo B^x*O* || 19 praecepit : -cipit *O C P* || ita : inta *V* || 19-20 propheta memoratus sub dei uoce : memoratus *G* || 21 plane eam ille : ille plane *H* || 22 tum : tunc *G A ER PH* || 23 condemnari : -nare *P* || patris [+ *add.* D^{2mg}] : aetatis *R* *om. ED* || aetatis : senectus *R* || conuersatione : conuertione B^{ax} conuersione A^{pc} *C* || 24 occurrit : et *add. D* C^o || comminatur *om.* I^* Λ || 25 ullo horum : illorum *H* uiolentia *add.* H^{xsl} C^o

9, 1 tironi : tinori B^{ac} throno *PH* || consolator : -tur C^* *ER* || distulit [+ D^{2sl}] : dissimulat *A V C* γ *PH* tunc simulat *G* || 2 suis *om. O* || in *om. H* || 3 ipsius : illius *G* || conuersionem : conuersationem *Bar.* || 4 quo : qui *ER* || sicut : sic *C* || 5 est *om. Bar.* || 6 hinc : hic *V C ER PH* || grata : sancta *G* || propositi : posita *H*

8, a. Cf. *Cant.* 2, 4
b. Cf. *Mc* 12, 30-31

---

1. Au *saecularis pater* (ch. 6, 2) s'oppose un Dieu qui est Père de l'homme. Saint Martin, lui aussi, avait fait le même choix : *Caelestem patrem anteuerteras terrero parenti* (Paulin de Nole, *Ep.* 5, 6 cité dans *S. M.*, p. 26-27). Cf. aussi Évagre le Pontique, *Traité pratique*, ch. 95 (*SC* 171, p. 700).

2. On trouve ici aussi une réminiscence de *De laude eremi* d'Eucher : *Primo deum tuum, exin proximum diligendo* (1, éd. S. Pricoco, Catania 1965, p. 47, l. 22-23).

3. Ces termes de *tiro*, *tirocinium* furent d'abord utilisés pour le baptême. Ils furent ensuite utilisés à propos de l'entrée dans la vie religieuse, la pro-

attitude suscita de la part de ses parents une totale opposition. 4. Alors pour la première et seule fois de sa vie, il fut rebelle à son père quand il affirma être fils d'un Dieu Père [1], ayant ordonné dès lors, selon la sentence de Salomon, ses affections en Dieu. Telle est, en effet, la parole que le prophète en question place dans la bouche de Dieu : « Ordonnez l'amour en moi [a]. » Oui, il l'a vraiment ordonné et, conformément à l'économie de l'amour, il vit clairement qu'il fallait « aimer d'abord Dieu, puis le prochain [b] [2] ». 5. C'est pourquoi son père, en sa vieillesse, se croyait condamné par le genre de vie de ce jeune fils : il s'oppose, il résiste, il menace ; aucune de ces manœuvres ne parvient à ébranler une jeunesse qui prend appui sur Dieu.

Premiers pas d'Honorat et de Vénantius dans la vie consacrée

9, 1. Le Seigneur consolateur assista sa nouvelle recrue [3] et ne tarda pas à lui donner comme compagnon l'un de ses propres frères. Pour lui, l'exemple d'Honorat avait été un appel à la conversion et, plus âgé, il suivit son cadet ; pendant le peu de temps qu'il vécut, il se joignit à lui pour partager non seulement sa compagnie mais aussi sa vertu.

2. De là, déjà, entre eux, une rivalité [4] agréable (au Seigneur) pour la réalisation de leur dessein [5] : c'était à qui

fession monastique étant assimilée à un second baptême ; les *tirones* étaient les novices (cf. *S. M.*, p. 342-343 et 1343).

4. Ce désir de rivaliser à qui progresserait le plus dans la vie ascétique n'est pas particulier à Honorat et Vénantius, mais il se retrouve chez beaucoup de moines. « Comme l'humain se mêle à tout, le vieux désir de faire mieux que les autres dresse ici de nouveau sa tête... L'esprit de compétition, si cher aux Grecs, reprendra tous ses droits » (A. J. Festugière, *Les Moines d'Orient*, t. 1, p. 72).

5. Cette vie vertueuse constitue une étape vers une haute vie mystique : *benignitas* (déjà louée chez S. Martin, cf. *S. M.*, p. 1050 et sa note 2), entraînement au coucher sur la dure, aux veilles, au silence, à l'étude de la Bible (la *lectio diuina*), à la prière : l'ascèse ininterrompue et la prière perpétuelle étant les deux fondements de l'*opus Dei* monastique (*S. M.*, p. 1081) dans l'humilité de la vie quotidienne.

mens ad pietatem mollior, cuius esset cibus durior ; cuius sermo blandior, cuius amictus asperior ; quis loqui rarius, quis orare crebrius posset ; quem minus detineret lectus,
10 quem magis lectio ; quem minus moueret iniuria, quem magis misericordia ; quis daret promptius quod sibi detraxisset ; 3. quis libentius hospiti stratum cilicii et ceruical illud consueti lapidis offerret ; quis peregrinum promptius ante eleemosynae dispensationem lacrimis foueret, et
15 adfectu prius Christum quam aduenam conuiuio pasceret ; cui in ore rarior mundus, cui frequentior Christus ; quis in illa sublimitate uirtutum sibimet ipsi minor uideretur et, quo magis merito ascenderet, hoc magis compunctione decresceret.
20 4. Priuatus quidam iam tunc in conuersatione eorum episcopatus gerebatur. Mentior nisi plurimi episcoporum didicere ab illis, dum excipiuntur, excipere ; nam si qui rigorem illum propositi non expauerunt, plus illinc humanitatis animo quam refectionis corporeae secum tulerunt.

7 esset *om. A* || 7-8 cuius sermo blandior : cui s. b. γ *om. G* || 8 cuius : cui γ || 8-11 asperior — misericordia 169^{r}, 56-62 *C n. l.* || quis : qui *ER* PH^{ac} || 9 crebrius posset [+ *C**] : posset crebrius *D* crebrius possit PH^{ac} crebrius *G A V* || detineret : detineat D^{2mg} || lectus : lectulus *C** γ *PH* || 10 magis lectio : l. m. D^{ac} || 11 sibi : aliquis *add. O* || 12 hospiti : -tis *P* C^{o} || 13 lapidis : -des *C* || 14 ante : antea *P* C^{o} || eleemosynae : elemosine *G A ED PH* eleemosinae *BO* elemosinae *V* aelymosinae *C** || dispensationem : -satio *V* || 15 adfectu [+ D^{2mg}] : affecte *V* aspectu *D* || conuiuio *om. P* || 16 in ore : honore *ER PH* honore *exp. D et* in ore *scripsit* || 18 hoc [+ *C**] : eo *BO* Λ || compunctione : -nem *V* || 19 decresceret [+ *C**] : descenderet λ decrescet *D* scendet D^{2} *infra lineam* || 20 quidam [+ *C**] : -dem *A* || iam tunc : t. i. *V* t. *A* || 20-21 iam — gerebatur *om. C* || 21 nisi : si non *GD* C^{o} || 22 excipere : excipe *E* || qui : quis A^{ac} C^{o} || 23 propositi [+ *add.* B^{1mg}] : -sitionis *C* *om. B* || illinc : illic *PH* C^{o} || 24 animo [+ *I** *C** D^{2mg}] : in animo *A* animae γ *om. O* || quam : nam *P* || corporeae : corpore *BO* Λ *PH* in corpore *A* corpora *RD*

1. Cette *apathéia* est la vertu suprême, elle nous associe à la passion du Christ, elle est la vertu fondamentale du monachisme, spécialement celle du novice, associée à l'obéissance et à l'humilité (*V. M.*, 26, 5 - 27, 1, *S. M.*, p. 314, 1098 et 1099).

2. Cf. S. Basile, *Grandes Règles* 20 (*PG* 31, 970-976) et *Regulae breuius tractatae*, 155 (*PG* 31, 1184).

des deux aurait le cœur le plus tendre pour aimer Dieu, la nourriture la plus rude, la parole la plus affable, le vêtement le plus grossier ; à qui pourrait parler le plus rarement, prier le plus assidûment ; à qui passerait le moins de temps au lit, le plus de temps à une lecture ; à qui serait le moins touché par un affront [1], le plus touché par la pitié ; à qui serait le plus prompt à donner ce dont il se serait lui-même dépouillé ; 3. à qui offrirait le plus volontiers à son hôte [2] pour lit sa natte et pour oreiller la pierre utilisée d'ordinaire à cette fin ; à qui serait le plus prompt à offrir à un voyageur le réconfort chaleureux de ses larmes avant de lui faire l'aumône et rassasierait le Christ de son amour, avant d'offrir à un étranger un repas [3] ; à qui parlerait le moins souvent du monde, le plus souvent du Christ [4] ; à qui, dans cette sublimité de vertus, se regarderait lui-même comme inférieur et, à mesure qu'il s'élèverait en mérite, se ferait d'autant plus petit [5] qu'il prendrait davantage conscience de son néant.

4. Dès lors, ils exerçaient par leur forme de vie une sorte d'épiscopat à titre privé. Je veux bien passer pour menteur si bon nombre d'évêques, en même temps qu'ils étaient reçus par eux, n'ont appris d'eux à recevoir : en effet, ceux d'entre eux qui ne furent pas effrayés par la rigueur de leur dessein, les quittaient, ayant retiré de leur contact plus de chaleur humaine pour leur âme que de

3. Le texte s'éclaire si l'on se rapporte à un passage similaire où QUODVULTDEUS commente ainsi le passage de la Genèse où Lot accueille deux anges (*Gen.* 19, 1-22) : *Discite, christiani, sine discretione exhibere hospitalitatem, ne forte cui domum clauseritis, cui humanitatem negaueritis, ipse sit Deus* (variante : *Christus*) (*Sermo aduersus quinque haereses*, 4, 9, *PL* 42, 1104; éd. R. Braun *C. C., Series latina* t. 60, p. 269). Donc, d'après le *Sermo*, l'hôte doit être considéré comme s'il était le Christ, et il faut pour ainsi dire le « nourrir d'amour » avant de lui proposer les mets habituels.

4. Cf. S. BASILE, *Grandes Règles*, 5, 1-2, *PG* 31, 920-921. Cf. aussi *V. M.* 25, 4 et 5 (*S. M.*, p. 310-311).

5. L'humilité est une des vertus fondamentales du moine, une des quatre grandes vertus célébrées par Sulpice Sévère chez saint Martin avec la *benignitas*, la *caritas* et la *patientia* (*S. M.*, p. 1050). Normalement, à mesure qu'il se rapproche de la perfection, le moine doit se sentir de plus en plus indigne devant Dieu et devant les hommes. Saint BENOÎT traitera longuement des degrés successifs de cette vertu au chapitre VII de sa *Règle*.

25 5. Ornabant itaque omnem simul patriam, et quantum apud animos multorum manet, custodiebantur aliorum ab illis corpora, aliorum spiritus ; prout quisque indigens erat, aut uestimentis aut doctrina aut sumptibus uestiebantur, instruebantur, alebantur. 6. Nullus illuc peregri-
30 nationis labore defessus non tamquam ad patriam et patrimonii sui rura peruenit, nullus illinc ad ulteriora discedens non tamquam iterum a domo sua pedem mouit et iterum sibi relinquere ciues suos uisus est, iterum propinquos.

<Pars secvnda : Cvm Venantio fratre peregrinationes, hvivs obitvs.>

10, 1. Interea amor in illos omnium crescebat, multiplicatur, disseminabatur, et fama in ulteriora quaeque ferebatur totaque iam erga illos patria obsequiis et amore et honore certabat. Peruenire illis ad ignobilitatem et pau-
5 pertatem non licebat : quanto magis eorum uita abscondebatur, tanto magis fama emicabat. Et alter alterum laudi obicere et gloriae exponere et ad unum communem uirtutum apicem referre. Sed dum unusquisque se sub umbra alterius obscurare uolebat, tamquam repercussa
10 claritas utrimque radiabat.

25 omnem simul : omnes s. *B* s. omnem D^{ac} C^{o} || 26 custodiebantur : -bant *P* C^{o} || 27 corpora aliorum : corporaliorum *V* || 28 aut uestimentis *om. BI Bar. A V* γ *PH* C^{o} || instruebantur alebantur : a. i. *G A V* || 29 illuc [+ *I* C**] : illic *O A V PH* || 30-32 non tamquam — discedens [+ D^{2mg}] : *om. D* || 31 rura : iura *G Bar.* C^{o} || illinc : illic *PH* || ulteriora [+ *C**] : alteriora *A* altiora *V* || discedens : descendens *V*

10, 2 disseminabatur *om. Bar.* || in ulteriora quaeque : q. in u. *A V* 3 iam *om.* B^{ac}*O* Λ || 4 et honore *om.* Λ || illis : illos *O* V^{pc} *ut uid.* || 6 et alter : alter *C* γ *PH* || 6-11 alterum — illorum 169v, 26-31 *C n. l.* || 7 gloriae [+ B^{3}] : ad unu gloriae *B* || 8 uirtutum : uirtutem *C* ER PH* || apicem [+ *add.* D^{2mg}] : *om. C** γ *PH* || 8-9 unusquisque se ... obscurare : unusquisque ... obscurari *omnes praeter* λ || 10 utrimque : utrinque B^{2mg}*O* Λ utrumque *GB A V C** γ *P* || radiabat : irradiabat *A*

réconfort pour leur corps. 5. Aussi étaient-ils ensemble l'ornement de tout leur pays et, comme beaucoup se le rappellent encore, ils gardaient de tout mal le corps des uns, l'âme des autres [1] : selon les nécessités de chacun, ils employaient vêtements ou savoir ou argent à vêtir, instruire, nourrir. 6. Aucun homme, épuisé par la fatigue du voyage, ne parvint jusque-là sans se sentir comme dans son pays ou dans les domaines de ses pères ; aucun, au moment de s'en éloigner pour gagner d'autres lieux, ne partit sans penser quitter une seconde fois sa propre demeure, et sans paraître abandonner une seconde fois ses propres concitoyens, une seconde fois ses proches.

< II. — Voyages en compagnie de son frère Vénantius ; la mort de ce dernier. >

Renommée des deux frères

10, 1. Cependant, l'attachement de tous pour eux croissait, se multipliait, se propageait et leur renommée [2] s'étendait de plus en plus loin. Déjà leurs compatriotes étaient unanimes à leur témoigner à l'envi déférence, attachement, honneur. Impossible pour eux de devenir inconnus et pauvres : plus leur vie était cachée, plus leur renommée rayonnait. Tous deux rivalisaient à qui rejetterait sur l'autre les louanges, le désignerait comme digne de gloire et rapporterait à un seul la sublimité commune de leurs vertus. Mais tandis que chacun voulait chercher l'obscurité à l'ombre de l'autre, leur rayonnement, comme réfléchi, les mettait doublement en lumière.

1. Il existe dans l'Église deux sortes d'aumônes : les dons matériels et l'enseignement de la doctrine. Au siècle suivant, saint Césaire d'Arles dira excellemment : « S'il n'y a pas de quoi nourrir le corps, que l'âme soit restaurée par la parole de Dieu. C'est l'aumône de l'âme, autrement dit la nourriture de la doctrine qu'il convient surtout aux évêques de distribuer ». (Césaire d'Arles, *Sermons au peuple*, 1, 8, *SC*, 175, p. 237).

2. Comme le firent avant lui Élie, les moines esséniens et S. Antoine, Honorat fut obligé de quitter l'endroit où il avait tout d'abord établi sa retraite (cf. Festugière, *Les moines d'Orient*, t. 1, p. 42 s.).

2. Iam quae illorum grauitas, quam senilis maturitas, quam rara feminarum uisitatio, etiam proximarum ! Et quae inter tot uirtutes totius uanitatis fuga, quam blanda consolatio et quam sollicita custodia erga eorum salutem
15 qui se doctrinae eorum mancipauerant ! Angelica ab illis uita in terris ducebatur *in multa patientia, in uigiliis, in ieiuniis, in castitate, in scientia, in longanimitate, in suauitate, in spiritu sancto, in caritate non ficta, in uerbo ueritatis, in uirtute Dei* [a].

20 3. Pauebant interea illi gloriam suam, et odorem bonae conuersationis longe lateque diffusum, licet ad Dei laudem referrent, sibi tamen uanitatis periculum inferre metuebant, *percepisse* se in uita sua *mercedem suam* [b] reputabant ; humanam conuersationem et gratiam fastidientes,
25 heremi amore flagrabant.

11, 1. Inito itaque consilio, et quodammodo passi honoris sui persecutionem, ad peregrina contendunt. Iterum patria consurgit, iterum propinqui reluctantur. Spoliari

11 quae *om.* H^{ac} || 12 feminarum : -narem *V* || proximarum : propinquarum B^{3mg} || 13 totius : tocius *V om.* Λ || 14 et *om. RD* || 15 se doctrinae eorum : e. se d. *corr.* B^{x} se d. *O* se eorum d. *Bar.* || mancipauerant : -cipauerunt *A* -cipabant *C* -ciparant γ -cipant *PH* || 16 uita in terris : uita in terra *A* uita interim *R* in terris uita *D* || ducebatur : doce- *C* || 16-17 uigiliis ... ieiuniis : ieiuniis ... uigiliis *H* i. ... uigilibus *D* || 17 castitate : caritate *C* || 20 interea illi : illi interea γ interim illi C^{*} || 21 licet : et licet *V* C^{o} || 23 percepisse : praecepisse *E* C^{o} || percepisse — reputabant *om.* B^{ac} || se *om.* $B^{pc}C$ || suam [+ D^{2mg} C^{*}] : *om. Bar.* γ || reputabant : putabant ERD^{ac}
11, 2 peregrina [+ D^{2mg}] : -nandum γ || 2-3 iterum patria consurgit *om. H* || 2-6 peregrina — non illic 169ᵛ, 56-62 *C n. l.*

10, a. *II Cor.* 6, 4.6
b. Cf. *Matth.* 6, 2.5 et *II Pierre* 2, 13

---

1. Cf. Cassien, *Institutions cénobitiques*, 11, 18 (*SC* 109, p. 444).
2. La direction spirituelle est une des réalités les plus importantes de la vie monastique dès ses origines (cf. I. Hausherr, art. « Direction spirituelle chez les chrétiens orientaux » dans *D. S.*, 3, 1957, col. 1008-1060 et particulièrement col. 1058, 1061 et 1062).
3. Le désir de vivre sans réserve l'appel évangélique amène l'ascète à se

2. Déjà quel sérieux en eux, quelle maturité propre à la vieillesse ! Qu'elles étaient rares, les visites des femmes [1], même de leur proche famille ! Comme ils fuyaient toute vanité, si vertueux fussent-ils ! Quelle délicatesse pour consoler ! Quel soin attentif dans leur vigilance à l'égard du salut de ceux qui s'étaient soumis à leur enseignement [2] ! C'est à la façon des anges [3] qu'ils vivaient sur terre « dans une grande patience, dans les veilles, les jeûnes, la chasteté, l'étude, la longanimité, la douceur, l'Esprit-Saint, la charité non feinte, la parole de vérité, la force de Dieu [a] ».

3. Et cependant, ils prenaient peur de leur propre gloire, et tandis qu'ils voyaient répandu si loin le parfum de leur vie vertueuse, tout en en rapportant la gloire à Dieu, ils appréhendaient de s'exposer au risque de tomber dans la vanité ; ils estimaient avoir reçu leur récompense de leur vivant [b] ; lassés du genre de vie et de la faveur des hommes, ils brûlaient de l'amour du désert [4].

Leur volonté de s'expatrier

11, 1. Aussi, après avoir pris leur décision et souffert en quelque sorte persécution du fait des honneurs qu'on leur rendait, ils gagnent l'étranger. A nouveau leurs compatriotes s'insurgent, à nouveau leurs proches manifestent leur opposition. Ils redoutent, mais à présent avec plus

couper du monde et l'état auquel l'âme aspire alors est proche de la vie des anges. « Cette parenté donne un sens particulier à l'ascèse des veilles, des jeûnes, de la chasteté : dans la vie angélique, on ne dort, ni ne mange, on est vierge ; elle en dit aussi la fin : *angeli semper uident faciem Patris* (*Matth.* 18, 10). C'est à cette contemplation incessante et sublime que tend la prière du moine » (P. Doyère, art. « Érémitisme en Occident » dans *D. S.* 4, 1960, col. 954).

4. L'amour du désert est un des traits fondamentaux de la spiritualité lérinienne : un an avant qu'Hilaire prononçât notre *Sermo*, Eucher lui avait dédié son *De laude eremi*, admirable petit traité dont nous nous bornons à citer ici deux phrases : ... *eremum colat qui uitam cupit, quia amoeni incola mortem parauit* (*De laude eremi*, 6, éd. de S. Pricoco, Catania 1965, p. 50, li. 74-75). *O laus magna deserti, ut diabolus, qui uicerat in paradiso, in eremo uinceretur !* (*id.* 23, p. 62, l. 248-249). Hilaire reprend même ici des expressions identiques à celles qu'avait employées Eucher : *Eremi tamen ardore* (variante *amore*) *flagrabat* (*id.* 22, p. 61, l. 236-237).

se, sed nunc sanius, lumine suo metuunt. Quod illic, Iesu
5 bone, certamen fidei atque amoris fuit ! qui tunc consilio-
rum, qui precum, qui lacrimarum ambitus ! Quis non illic
sibi officium propinqui uindicauit, aut cuius lacrimae non
cum lacrimis patris certauerunt ? 2. Amittere enim se
omnis patria in iuuenibus illis patres sentiebat. Et uere
10 erat in illis senectus non annis cana sed gratiis, non cariosa
artubus sed moribus uetusta. 3. O quanta, Domine, dis-
pensatio procurationis tuae ! qui *lampades* tuas fidei *igne*
fulgentes [a] non loco fixas stare pateris, sed praefers eas
illuminationi diuersorum locorum, inspirans migrandi
15 uoluntatem et fugiendi gloriam ; quae utique multipli-
canda erat ipso per susceptam peregrinationem uirtutis
augmento.

4. Diripitur itaque dudum quidem uario misericor-
diarum opere uexata, adhuc tamen larga substantia ; et
20 aequaliter ad patrimonium propinquus atque extraneus
auctionator admittitur. Ita nullus in lucris dumtaxat

4 se sed nunc sanius [+ *C**] : sese hoc simul *BO* Λ *A* D^{2mg} || suo metuunt [+ *C**] : quo m. *V* omnes m. *A* m. omnes *BO* Λ conietinuit *G ut uid.* || quod : id *V* omnes *add.* D^{2mg} || illic *om. H* || 5 amoris : meroris GB^{ac} || 5-6 qui — ambitus *om. O* || tunc : nunc *PH* || 6 lacrimarum : lucr- *A* || ambitus : fuit *add. D* || non illic sibi : illic non sibi *O* non illius ibi *PH* || 7 uindicauit : uend- *BO* Λ *V RD* || 7-8 non cum — se *om. E* || 8 lacrimis patris : lucr- p. *A* p. lacrimis *G* || enim *om.* Λ || 9 iuuenibus : iuuenilibus *V R* uenientibus *P* || patres [+ B^{xmg}] : patris *P* patri *C ut uid.* parentes *B* || sentiebat : -bant *G V C* || 10 in illis [+ D^{2sl}] : illic *A V C* γ *PH* || gratiis : grata *V* || 10-11 cariosa artubus : a. c. *G* c. astibus *C* curiosa artubus *P* cariora astubus *A* || 11 uetusta : uenusta *A V C ER PH* uenusta alias uetusta D^{ac} || o *om.* γ *PH* || 12 lampades : -das *G V C ER P* || tuas [+ D^{2sl}] : tuae *ED PH* *om. R* || 13 fulgentes : fulgente H^{ac} fulgente. si *P* || praefers : profers [per D^{2sl}] γ || 14 illuminationi [+ D^{2mg}] : illuminationis *P* ad illuminationem γ || inspirans : hispirans *V* || 16 per *om. O* || susceptam : suscepta *O* suo certam *P* suam certam *H* || peregrinationem : -nis *O* || 17 augmento : augumento B^{2mg} || 18 itaque *om. A* || quidem *om.* Λ || 19 uexata : lassata *C* || tamen [+ *add.* D^{2mg}] : terrena *D et eras.* D^2 || 20 propinquus : proximus *G A V C* || 21 auctionator : auctus donatura *G* || admittitur : amittitur *A V* H^{ac} || 21-24 ita nullus — nunc 170ʳ, 29-32 *C n. l.* || lucris : rebus *G*

11, a. Cf. *Cant.* 8, 6

de raison, d'être dépouillés de leur lumière. Quelle lutte alors, bon Jésus, entre la foi et l'amour ! De quels conseils, de quelles prières, de quelles larmes on les assiège alors ! Qui, à cette occasion, ne revendiqua pour lui-même le rôle d'un proche parent ou ne joignit, dans cette lutte, ses larmes à celles d'un père ? 2. Car tous leurs compatriotes sentaient qu'ils perdaient des pères en la personne de ces jeunes gens. En vérité, de la vieillesse, ils avaient non pas le rayonnement des cheveux blanchis par les ans [1], mais celui de ses vertus, non pas la dégradation des forces physiques [2], mais le comportement même d'un homme d'âge. 3. Oh ! qu'elles sont grandes, Seigneur, les dispositions de ta Providence ! Tu ne permets pas que tes deux flambeaux, resplendissants du feu [a] de la foi, restent immobiles à leur place, mais tu les brandis en avant pour qu'ils illuminent diverses contrées, en leur inspirant la volonté de quitter leur pays et de fuir la gloire ; or, leur gloire devait grandir de toute façon, par l'accroissement même de leur vertu dans cette décision de gagner l'étranger.

4. Voici dilapidée soudain leur fortune entamée depuis longtemps déjà par différentes œuvres de miséricorde [3], mais cependant demeurée jusque-là considérable : sans aucune distinction, parents et étrangers sont autorisés à se porter acquéreurs de leur patrimoine vendu aux

1. *Vetusta* se trouve dans la tradition lérinienne et *D*, qui s'en rapproche assez souvent, et *uenusta* existe dans toutes les autres versions. Nous avons opté pour *uetusta*, car les deux premiers adjectifs ayant un rapport étroit avec la vieillesse, le troisième nous semblait devoir appartenir au même registre de vocabulaire. On trouve donc ici le *topos* du *puer senilis* analysé par E.-R. Curtius (*La Littérature européenne et le moyen âge latin*, p. 122-125), reflet de la mentalité qui régnait à la fin de l'antiquité païenne comme dans la Bible. Dieu, éternel et pourtant jeune, est le meilleur exemple de cette dualité. C'est sans doute pourquoi ce *topos*, si conforme au maniérisme de l'époque et à son goût pour les antithèses, a trouvé place dans l'idéal monacal et dans l'hagiographie.

2. Cf. Ovide, *Am.* 1, 12, 29-30 : ... *nisi uos cariosa senectus/ Rodat..*

3. La vente des biens et la distribution aux pauvres de leur montant est l'un des premiers sacrifices que réalisait celui qui voulait suivre le Christ (cf. *Matth.* 19, 21).

parentum respectus est, ac si rem non suam uendant. Possessio, quae pauperibus, ex quo ab ipsis fuerat possessa seruierat, pauperibus nunc distribuenda distrahitur. Exce-
25 pit patria effusam misericordiam et fletibus effusis repensat.

12, 1. Exeuntes *de terra sua et de domo et de cognatione sua* [a], exemplo pares, uere *Abrahae filii* [b] demonstrantur. Ne quid tamen iuuenili ausu temere ab ipsis inceptum putaretur, adsumunt senem perfectae consummataeque
5 grauitatis, quem semper in Christo patrem computantes, patrem nominarunt, sanctum Caprasium, angelica adhuc in insulis conuersatione degentem. 2. Cuius quamquam dilectio uestra nomen hactenus ignorauerit et adhuc nesciat uitam, amicis eum suis Christus adnumerat. Hunc
10 tamquam ordinatorem in Domino atque custodem suae

22 uendant : uindant *V* uendat H^{ac} || 23 pauperibus : *uacat H* || ab ipsis : ad usus *H* adusus *P* || 24 excepit : excipit *G* E^{pc}*RD* || 25 fletibus : semper *add. D*

12, 1 exeuntes : exeunt *omnes praeter* λ *et C* exeant *C* || sua *om.* λ || 2 exemplo : et ex- *omnes praeter* λ || pares [+ D^{2mg}] : pari *A V C* patri H^{ac} patris *C* γ *PH* || uere : ueri *A* || Abrahae filii : f. A. *G* || demonstrantur : demostr- *B* || 3 iuuenili : -nali *PH* || inceptum : incoeptum Λ || 5 grauitatis : aetatis *A V* || patrem computantes *om. A C* || 6 nominarunt : -nauerunt *O* -nabant γ *PH* || 6-7 adhuc in insulis : in terra adhuc γ [in insulis D^{2mg}] adhuc insulis *V* adhuc *PH* || 8 nomen *om. R* || hactenus : actenus Λ *A V C R P* catenus *H* || ignorauerit : ignoret *O* || 9 uitam : uiam *Bar.*

12, a. Cf. *Gen.* 12, 1
b. Cf. *Jn* 8, 39 et *Lc* 19, 9

---

1. Hilaire mentionne ce trait qui a dû d'autant plus le frapper que lui-même, au moment de s'engager dans la vie consacrée, vendit ses biens à son frère (cf. notre introduction *supra*, p. 10).

2. Le patriarche de l'Ancien Testament est cité dans toute la tradition spirituelle comme le parfait modèle de la foi et de l'obéissance.

3. Cette vénération pour l'ancien est un trait constant des milieux monastiques. Cf. Évagre le Pontique, *Traité pratique ou le moine*, ch. 100, *SC* 171, p. 710.

4. Dans le milieu monastique, celui qui guide les autres en est le père spirituel, et son autorité est comme le reflet de la paternité même de Dieu. *Pater*

enchères[1]. Ainsi ils ne tinrent aucun compte de leurs proches pour les bénéfices de cette vente, comme s'ils mettaient en vente un bien qui ne fût pas à eux. Leur domaine, qui avait été au service des pauvres depuis qu'ils en étaient devenus eux-mêmes propriétaires, est vendu par lots pour être à présent distribué aux pauvres. Leur pays a reçu la profusion de leurs aumônes et les paye en retour d'une profusion de larmes.

Le départ 12, 1. Quittant leur pays, leur foyer et leurs parents[a], égaux à leur modèle, ils se montrent vraiment fils d'Abraham[b] [2]. Cependant, pour éviter que leur entreprise ne soit considérée comme la conséquence d'une audace juvénile, ils s'adjoignent un vieillard d'une gravité accomplie et parfaite[3] ; le considérant toujours comme leur père dans le Christ, ils lui donnèrent le titre de « père[4] » : c'est le saint homme Caprais[5] qui mène jusqu'à présent dans les îles la vie angélique. 2. Certes, mes chers amis, vous n'avez pas eu jusqu'ici connaissance de son nom et vous ignorez jusqu'à présent sa vie, mais le Christ le compte au nombre de ses amis. Ils se l'adjoignent pour régler leur vie dans le Sei-

est le vocable latin qui correspond au terme syriaque d'origine hébraïque *abba*, que Paul a fait passer dans la langue grecque (cf. J. DE PUNIET, art. « Abbé » dans *D. S.* 1 (1937), col. 49-52).

5. Nous possédons de Caprais une vie reproduite par Surius dans *De probatis Sanctorum historiis*, t. 7, Cologne 1581, p. 454-456 et par les A. S. S., Iun., I, p. 78-79 (3e éd., p. 75-77). Elle contient des inexactitudes flagrantes déjà relevées par LENAIN DE TILLEMONT (*Mémoires...*, t. 12, p. 675). Cependant nous serons à son égard moins sévère que ce dernier car certains traits de cette *Vie* nous semblent présenter un accent de vérité : l'origine noble de Caprais, sa solide culture, son humilité, son esprit de pauvreté, son amour de la solitude, son âge avancé lors de sa mort, la douleur d'Hilaire d'Arles accouru alors à son chevet. LENAIN DE TILLEMONT compare Honorat et Caprais à Moïse et Aaron : « L'un faisait la fonction d'un pasteur vigilant et actif ; l'autre dans le secret de sa cellule, comme élevé sur une montagne à l'écart, implorait l'assistance de Dieu par de continuelles prières » (*o. c.*, p. 478). Dans son *De laude eremi* dédié à saint Hilaire avant la mort d'Honorat, EUCHER, quand il énumère les ascètes qui ont fait la gloire de Lérins, cite Caprais le dernier, comme pour l'honorer davantage : *Haec nunc possidet uenerabilem grauitate Caprasium, ueteribus sanctis parem* (ch. 42, *éd. cit.*, p. 76-77, l. 484-485).

aetatis adsumunt, quos iam custodes sibi plurima iuuentus elegerat.

3. Quaeritur ergo peregrinationis latebra, fugitur fama uirtutis ; at ubicumque itur, ibi alia, uelint nolint, fama
15 pariatur. Felices terrae et portus beati, quos caelestem patriam sitiens peregrinus illustrat ! Alii ad Orientis oras et quaecumque alia plena sanctis loca accipiendi exempli gratia accedunt : hi quicquid adeunt exemplis bonis suscitant. Spargitur ubique substantia et in omni
20 accessu eorum *bonus Christi odor* [c] fragrat.

13, 1. Hunc ipsum iam tunc cuius hodie memoria pascimur urbi huic Massiliensis ecclesia paene praeripuit, hortante illius urbis antistite et tali eo gaudente collegio. Sed quid non ille feruor lacrimarum certamine et blandi-

11 aetatis [+ *add.* D^{2mg}] : *om. D* || iam [+ *add.* D^{2sl}] : *om. O* γ *PH* || 13-14 fugitur fama : fama fugitur *A* fugitur flamma *P* || 14 at [+ *add.* D^{2mg}] : *om. G A C* γ *PH* || ubicumque itur ibi : itur ubicumque ubi *G A C* igitur ubicumque ubi *PH* || alia *om. G* || uelint nolint : uellent nollent γ || 15 pariatur : pariebatur *BO* Λ γ || 15-19 caelestem — spargitur 170ʳ, 56-170ᵛ, 1 *C n. l.* || 16 sitiens : siciens *V H* sciens *E* || illustrat : inuiserat *H* || alii : alia PH^{ac} alias H^{pc} || ad *om.* $GB^{ac}O$ *A V C PH* || 18 gratia : -tiam *PH* || accedunt [+ C^{*} D^{2mg}] : accedant *V P* accendant G^{ac} ascendant G^{pc} *RD* ascendunt *E* || hi : hii *A V* || 20 fragrat : fraglat *G* flagrat $B^{ac}O$ *A V C E PH*

13, 1-6 Hunc — transmittunt *om.* λ *A V C E* || 1 ipsum iam tunc : t. iam ipsum *P* || memoria : -riam *P* -riae *H* || 2 urbi : ubi PH^{ac} || praeripuit : prori- *H* || 3 hortante : optante *D P* || tali eo : alium *P* ali *H* || gaudente : gaudere *PH*

c. Cf. *II Cor.* 2, 15

1. Sur l'itinéraire suivi par S. Honorat, nous ne savons rien de précis. D'après l'additon du ch. 13, 1, introduite dans notre texte, Honorat serait parti de Marseille. Il se serait rendu jusqu'en Grèce. Il serait revenu sur ses pas après la mort de son frère en passant par la Toscane, puis aurait séjourné quelque temps en Provence non loin de l'évêque de Fréjus, avant de fonder le monastère de Lérins. Dans la Préface de la deuxième partie de ses *Conférences*, qui fut dédiée à Honorat et Eucher, Cassien nous parle du désir d'Eucher d'aller dans cette terre d'Égypte qu'il ne connaît pas encore ; d'Honorat, il nous dit qu'il souhaite voir, à la suite de la lecture de ces *Conférences*, son autorité encore grandie auprès de ses moines (*apud filios adderetur auctoritas* : CASSIEN, *Col.* 11, Préface, *SC* 54, p. 98-99). Honorat

gneur et la sauvegarder, eux par qui déjà des jeunes, en si grand nombre, avaient choisis d'être sauvegardés.

3. Les voici donc cherchant l'obscurité d'une terre étrangère, fuyant la renommée de leur vertu. Mais, où qu'ils aillent, qu'ils le veuillent on non, leur renommée reste égale à elle-même. Heureuses les terres et bénis les ports qu'illumine un voyageur assoiffé de la patrie céleste ! Il en est d'autres qui se tournent vers les rivages de l'Orient [1] et vers toute autre contrée riche en saints pour y prendre un exemple à suivre ; pour eux, ils rendent célèbre tout lieu où ils arrivent par la qualité de leur exemple. Partout se répand leur bienfaisance, et en chaque endroit où ils parviennent, la bonne odeur du Christ [c] s'exhale.

Le voyage

13, 1 [2]. Honorat lui-même dont nous entretenons le souvenir aujourd'hui en nos âmes, faillit alors être ravi d'avance à notre ville par l'église de Marseille ; l'évêque de cette ville [3] le souhaitait et se réjouissait à la pensée d'une telle compagnie. Certes, de quelle résistance n'aurait pu triompher cette ardeur qui recourait, pour combattre, à des larmes et, pour séduire,

et le petit groupe des disciples qui l'accompagnaient avaient-ils été à Jérusalem ? Hilaire n'eût probablement pas manqué de le signaler. D'ailleurs, quoi qu'en dise Eucher, à la fin de son *De laude eremi* : *Aegyptios Patres Gallis nostris intulerunt* (ch. 42, *éd. cit.*, p. 77), le mode de vie instauré à Lérins ressemble plus à celui qui s'inspirait des Règles de S. Basile qu'au monachisme égyptien, ainsi que le montre la suite du *Sermo*.

2. En tête de ce chapitre figurent quelques lignes fort intéressantes dans deux manuscrits de la famille cistercienne et deux autres de la branche voisine *PH*. Apparemment, la suppression de ces lignes a eu lieu dans le milieu méridional (tradition lérinienne et ms. *A*). Les raisons de cette omission importante et sans doute intentionnelle échappent, étant donné l'impossibilité où nous sommes de connaître les rapports qu'entretiennent entre elles Marseille et Lérins à cette époque. — On ne peut s'empêcher de rapprocher du cas d'Honorat celui de Cassien, que l'évêque marseillais Proculus réussit à fixer dans cette ville. Le fait constitue une raison de plus de rapprocher la famille λ du ms. arlésien.

3. Si Honorat s'embarqua à Marseille au plus tôt vers 385, au plus tard vers 395, ce fut le célèbre évêque Proculus qui essaya de le retenir puisqu'il gouvernait déjà cette Église en 381 (cf. LENAIN DE TILLEMONT, *Mémoires...*, t. 12, p. 467).

5 mentorum ambitione euinceret ? Alacrius ergo, tamquam
nouo admoniti periculo, maria transmittunt. 2. Expetunt
litora quibus barbara esset etiam illa, quae plurima in
ipsis erat, Romana eloquentia. Longum est percurrere
quem ab illis profectum unusquisque locus traxerit, quam
10 salubritatem ecclesiis sine ullo clericatus actu inuexerint,
quot magistris magistri in silentio fuerint.

14, 1. Illud commemorasse sufficiat intrepide ab illis
pro Christi desiderio maris reuma toleratum, squalorem
ac sterilitatem Achaici litoris expetitam et tam delicate,
tam molliter educatos contra tantas aquarum et aurarum
5 uarietates decertasse. Quod quam graue, quam intolera-
bile illi teneritudini fuerit, excessus illic germani sui beatissimi in Christo uiri Venantii et infirmitates suae suo-
rumque protestabantur.

2. Iam quid in illo funere Mothona aut extulisse se aut
10 percepisse crediderit, multiplicibus psallentium indicauit
agminibus. Hinc Hebraeus, hinc Graecus, hinc Latinus
exultat ; Iudaeus ipse Christum respuens fidelem Christi

7 barbara : -ro *P* || etiam [+ *add.* D^{2mg}] : *om.* *G A V C γ PH* || 9 profectum : prophetum B^{ac} || 10 actu : actus *R* C^{o} || 11 quot : quod *Bar. V C ER*

14, 1 sufficiat : -tiat *V* || 2 reuma toleratum : reum atoleratum *V* refuma t. *G* || 3 Achaici : Achici *O* || tam : quam *V* || 4 tam : quam *γ* || molliter : nobiliter *RD* || educatos : edocatus *A* edocatos *V* educatus PH^{ac} || et aurarum [+ *add.* D^{2mg}] : *om.* *γ PH* || 5 graue quam *om.* *E* || 6 teneritudini : -dine *C* $E^{ac}R$ || germani sui beatissimi : b. g. s. ERD^{ac} g. s. beati *G* g. s. baptismi *Gen.* || 7 in *om.* B^{ac} || uiri [+ *add.* D^{2sl}] : ueri *C* *om.* *D* || Venantii : -ti *V* || infirmitates : -tis *V* PH^{ac} || suorumque [que *add.* D^{2sl}] : ac suorum *omnes praeter* λ || 8 protestabantur : protestantur *O* || 9 quid [+ D^{2mg}] : quot *γ* || funere Mothona [+ I^{*mg}] : Mothona f. *G V C ER PH* Mathona f. *D* materiae f. *A* || 10 percepisse : praece- D^{2mg} || 11 agminibus : hominibus *A V* || hinc[1] : hic *G V C* PH* || hebraeus : hebreus *G B Gen. ER PH* haebreus *O* ebreus *V* C^{o} || hinc[2] : hic *G V C PH* *om.* λ || graecus : grecus *G A C ER PH* *om.* Λ || hinc[3] : hic *G V C* PH* || 12 exultat [+ *C**] : exultant *BO* Λ resultat ERD^{ac} || Iudaeus : Iudeus *omnes praeter C* || 12-14 ipse — chori 170^{v}, 28-31 *C n. l.* || Christum respuens : r. C. *G C** ERD^{ac} *PH*

1. Il ne peut s'agir ici que de la Grèce où l'on considérait la langue latine comme barbare.

à de douces paroles ! Donc, avec une énergie renouvelée, comme avertis d'un nouveau danger, ils traversent la mer. 2. Ils gagnent des rivages pour lesquels était barbare même cette langue romaine [1] qu'ils possédaient parfaitement. Il serait long de dire en détail quel profit chaque lieu a retiré de leur passage, quelle influence salutaire ils exercèrent sur des églises, sans avoir rempli aucun des offices propres aux clercs [2], pour combien de maîtres ils furent des maîtres dans leur silence [3].

Arrivée en Achaïe. Mort de Vénantius

14, 1. Qu'il suffise de rappeler que, sans frémir, par amour du Christ, les deux frères supportèrent la houle marine, gagnèrent la désolation et la stérilité du littoral d'Achaïe et que ces êtres élevés dans le raffinement et le confort eurent à triompher de l'inconstance si grande des eaux et des vents. Quelle épreuve écrasante, terrible à supporter pour ces constitutions si délicates ! Le décès en ces lieux de son frère Vénantius, bienheureux dans le Christ, et les défaillances de santé d'Honorat lui-même et des siens en portaient témoignage.

2. Ce que Mothone [4] alors, au cours de ses obsèques, crut avoir escorté jusqu'à sa dernière demeure ou enseveli dans sa terre, elle l'a montré par les groupes multiples de ceux qui chantaient des Psaumes. Ici, l'Hébreu, ici le Grec, là le Latin, exultent. Même le Juif qui rejette le

2. Hilaire insiste une fois de plus sur le fait qu'Honorat exerce son apostolat sans être clerc (cf. ch. 9, § 4).

3. On aimerait reconstituer l'itinéraire suivi alors par Honorat et ses compagnons. « A l'époque impériale, les deux têtes de ligne gauloises sur la Méditerranée sont Narbonne et Arles » (Jean Rougé, *Recherches sur l'organisation du commerce maritime en Méditerranée sous l'Empire Romain*, p. 94). Les deux routes se rejoignent en Provence puis, par les parages de la Corse et l'île d'Elbe, gagnent Rome, alors en contact avec toutes les parties du monde connu et, en particulier, l'Afrique et l'Orient.

4. Il existe, en Grèce, trois villes portant ce même nom : l'une en Macédoine, l'autre dans le Péloponèse, la troisième en Thessalie. Il s'agit sans doute ici de la seconde, située à l'extrémité sud-ouest de la Messénie, cité libre à l'époque impériale. Il est tentant d'imaginer Honorat arrêté dans son périple par les troubles qui se produisirent dans la région quand Alaric l'envahit en 395 (cf. E. Stein, *Histoire du Bas-Empire*, t. 1, p. 231).

seruum admiratur. 3. Astra ipsa feruentes chori pulsant
et, ut credimus, cum humanis uocibus angelici chori con-
15 cinunt : Fideli famulo suo Christus occurrit. *Euge*, Venanti
serue bone et fidelis [a], et dum audis : *Intra in gaudium
Domini tui* [b], memento nostri, quos adhuc saeculi gaudia
impugnant. Accipiunt finem carnis animaeque certamina,
sumit principium uita perennis in gloria.

< Pars tertia :
Seccessvs Lerinensis, fvndatio monasterii. >

15, 1. Hinc iam uobis Honoratum uestrum Christus
reducit et occulta manu salubritatem regressus sui tem-
perat. Nam quicquid praeterfluens tangit, illuminat. Huius
Italia benedici gaudet introitu ; hunc Tuscia ueneratur,
5 amplectitur et blandissimas per sacerdotes suos moras
nectit. Porro Dei prouidentia uobis prospiciens cuncta
disrumpit, et quem e patria heremi desideria prouocaue-
rant, hunc in heremum huic urbi propinquam Christus
inuitat.

13 pulsant : compul- *A* *C°* || 16-17 Venanti serue bone et fidelis : serue bone Venanti et fidelis *ER* bone serue [et fidelis *add.* D^{2mg}] Venanti D^{ac} || 16 et ² *uacat* *G* || intra in : in train *Gen.* *C°* || 18 carnis animaeque : animae carnisque *O* || 19 sumit : sumitur γ *C°* || uita perennis in gloria [+ D^{2mg}] : uitae p. in g. *G* uita p. et g. *A C P* uitae p. et g. *H* uitae p. et gloriae *V* Amen *add.* *A*

15, 1 *Titulum* QVID HONORATVS POST VENANTII GERMANI SVI TRANSITVM EGERIT *add.* *A* || uobis : nobis *D* || Honoratum uestrum : u. H. *O* H. nostrum *D* Honoratum B^{ac} || 2 reducit : reduxit *Bar.* || salubritatem : salubri *A V* || regressus : regressu *A* || sui temperat : suae temperet *C* || 4 hunc : hinc *H ut uid.* || Tuscia : Thuscia Λ || ueneratur : u. ac *H* uenerat ac P uenerata *G A V C* γ || 5 amplectitur [+ *I**] : complect- *GBO A V C* γ acconplec- *P* || blandissimas... moras : -mis ...moris *G* || 6 nectit : innectit *G* || uobis : nobis *G A V C* γ *PH* || prospiciens : -citur *PH* || 7 disrumpit : dirumpit *G R* disrupit B^{ac}*O A C* dirrupit B^{pc} dirupit Λ || quem : quae *P* quo *H* || e patria heremi : at p. h. V^{ac} *om.* *PH* || prouocauerant : -careant *V* -carant *A* γ -catur *PH* euocarant *G* || 8 huic urbi : u. h. *ER*D^{ac}

Christ admire le fidèle serviteur du Christ [1]. 3. Des chœurs fervents vont frapper les astres eux-mêmes [2] et — pour notre part, nous le croyons — aux voix des hommes les chœurs des anges unissent leurs chants : « Le Christ accourt à la rencontre de celui qui l'a fidèlement servi : ' C'est bien ', Vénantius, ' bon et fidèle serviteur [a] ! ' et, tandis que tu entends : ' Entre dans la joie de ton maître [b] ', souviens-toi de nous que les joies du siècle persistent à harceler. Pour toi, ici trouvent leur terme les combats de la chair et de l'âme, ici commence la vie éternelle dans la gloire. »

< III. — La retraite lérinienne, la fondation du monastère. >

Retour d'Honorat. Fondation du monastère de Lérins

15, 1. Voici que le Christ vous ramène votre cher Honorat et, d'une main invisible [3], il assure la sécurité de son retour. Car, à tout ce qu'il touche sur son passage, il apporte la lumière. L'Italie se réjouit de l'arrivée de cet homme de bénédiction [4] ; la Toscane le vénère, s'attache à lui et ourdit, par l'entremise de ses prêtres, les prétextes les plus séduisants pour le retarder. Mais la Providence de Dieu, veillant sur nous, rompt tous ses liens et, celui que le désir du désert avait appelé hors de son pays, le Christ le convie à pénétrer dans un désert proche de notre cité.

14, a. *Matth.* 25, 21
b. *Id.*

---

1. A l'enterrement de Vénantius, les Psaumes sont chantés en grec, langue officielle de l'Église d'alors, en latin et même en hébreu, puisque les Israélites s'associent à l'hommage rendu au jeune homme.

2. Cf. Eucher : *Excelsa ipsa feruentes chori pulsant* (*De laude eremi*, ch. 37, *éd. cit.*, p. 72, l. 411).

3. Cf. Eucher : *Occulta manu imposuit subitam latentibus uenis naturam* (*De laude eremi*, ch. 11, *éd. cit.*, l. 128).

4. Il n'existe aucun document concernant la date de ce retour et l'on ne peut recourir qu'à des hypothèses pour en déterminer la fourchette chronologique (cf. notre introduction *supra*, p. 21-22).

10 2. Vacantem itaque insulam ob nimietatem squaloris et inaccessam uenenatorum animalium metu, Alpino haud longe iugo subditam, petit, praeter secreti opportunitatem, sancti ac beatissimi in Christo uiri Leontii episcopi oblectatus uicinia et caritate constrictus, plurimis a tam
15 nouo ausu retrahere illum conantibus. Nam circumiecti accolae terribilem illam uastitatem ferebant et suis illum occupare finibus fidei ambitione certabant.

3. Verum ille humanae conuersationis impatiens et circumcidi a mundo uel obiectu freti concupiscens, illud
20 corde et ore gestabat, nunc sibi nunc suis proferens : *Supra aspidem et basiliscum ambulabis et conculcabis leo-*

10 squaloris : caloris *G* || 11 inaccessam : inaccessabili *R* || uenenatorum : ueneratorum *D* uenatorum *Bar.* || haud : haut *E* aut *V C P* || 12 subditam : suditam *O* || praeter [+ *corr.* D^{2mg}] : propter *O* γ || 13 sancti *om. Bar.* || beatissimi : beati *G* || uiri : uere *C* || Leontii : leonti *V* Leontius episcopus *add.* A^{3mg} || 14 oblectatus : obletatus *O* oblatus *A* || uicinia : uicinio delectatur *G* || constrictus : constritus *B* || *post* plurimis *add.* nocuo estu B^{2mg} || a tam [+ *C**] : tam *ERD*^{ac} *P* tamen *H* autem *V* sitim *A* || 15 nouo : nociuo *G ut uid.* || ausu [+ *C**] : austu *V* haustu *A* estu *G* || retrahere : pertrahere *A* || illum *om.* *G A V C* γ *PH* || 15-17 conantibus — certabant 170^{v}, 58-62 *C n. l.* || 16 illam : istam *Bar.* || uastitatem : castitatem *P* || 16-17 illum occupare finibus [+ *C**] : illam o. f. *V* o. illum f. *G A* illum f. o. *I** Λ || 18-19 et circumcidi — concupiscens [+ *add.* B^{2mg}] : *om.* *B* || 19 obiectu : obiecto *PH* || freti : fretu *P* freto *H* maris *O* || 20 corde et ore : c. o. et *BO Bar.* in c. et o. *I** o. et c. *A C* γ *PH* hore et c. *V*

---

1. Une première expérience d'érémitisme insulaire (*S. M.* p. 600 s.) en Occident avait été faite par Martin dans l'île de Gallinara, située en face d'Albenga, entre 358 et 360. Seize ans plus tard, Bonose, l'ami de Jérôme, s'installe dans une île de l'Adriatique. Puis ce sera l'établissement de communautés monastiques à Lérins et ensuite à Hyères. — A quatre kilomètres de Cannes, à un kilomètre et demi du cap Croisette, se trouve un petit archipel qui comprend deux îles importantes, distantes d'environ un kilomètre, et quelques îlots crayeux et stériles. L'île que l'on rencontre en venant de Cannes, la plus grande, se nomme Sainte-Marguerite ; la seconde, qui est à peine supérieure à la moitié de l'autre, (1 500 m × 700 m, 3 km de circuit) se nomme Saint-Honorat. Ces deux îles sont mentionnées par Pline, Ptolémée, Strabon. Elles se nommaient, de leur temps, la première *Lero* ou *Lerona*, la seconde *Lerino* ou *Lerina*. Du temps de Strabon, elles étaient peuplées de villages et il reste à l'île Saint-Honorat de nombreux vestiges romains : tessons, débris de colonnes, entre autres. On sait que « pendant

2. Il est une île [1] inhabitée en raison de son aspect excessivement rebutant, inabordable du fait de la crainte inspirée par ses bêtes venimeuses, située au pied de la chaîne des Alpes : il s'y rend. Sa situation isolée lui convenait ; de plus, il était charmé par le voisinage d'un homme saint et bienheureux dans le Christ, l'évêque Léonce [2], et lié à lui par une profonde affection [3] ; pourtant bien des gens s'efforçaient de le détourner d'un coup d'audace si nouveau. En effet, les habitants des alentours prétendaient ce désert redoutable [4] et s'efforçaient, dans l'intérêt de leur foi, de fixer Honorat sur leur territoire.

3. Mais lui, qui supportait mal le genre de vie des hommes et désirait être retranché du monde même par la barrière d'un détroit, redisait ces paroles dans son cœur et de ses lèvres, les exprimant tantôt pour lui, tantôt pour les siens : « Tu marcheras sur l'aspic et le basilic, et

longtemps une petite flottille de bateaux supportés par des outres avait son port d'attache aux îles de Lérins et entretenait par mer des relations très suivies avec le continent de la Gaule » (C. LENTHÉRIC, *La Grèce et l'Orient en Provence. Arles. Le Bas-Rhône. Marseille*, p. 85). Dépeuplée et dévastée par des bandes de pillards, elle resta à l'abandon jusqu'à la venue de saint Honorat. Tous ceux qui l'ont connue depuis lors ont célébré sa beauté. Dans le *De laude eremi*, EUCHER la décrit ainsi : *Aquis scatens, herbis uirens, floribus renitens, uisibus odoribusque iocunda, paradisum possidentibus se exhibet quem possidebunt* (ch. 42, *éd. cit.*, p. 76, l. 472-474). On trouvera nombre de poèmes à célébrer Lérins dans la première partie de la *Chronologie* de V. Barralis. C'est cette île envahie par les ronces qu'a débroussaillée Honorat, c'est là qu'il rendit inoffensifs les serpents, et la légende affirme qu'il les en chassa, c'est là qu'il retrouva la source qui devait approvisionner l'île en eau douce du temps de ses précédents occupants.

2. Léonce fut célèbre par ses vertus. — Il y avait à Fréjus un évêché dès 374 (L. DUCHESNE, *Fastes épiscopaux de l'ancienne Gaule*, t. 1, p. 285). Léonce apparaît comme un protecteur du monachisme, car Cassien lui a dédié plusieurs de ses *Conférences*. Il dirigeait déjà son diocèse avant 405 et ne mourut pas avant 432-433. On peut penser que la cathédrale et le baptistère furent son œuvre. S. Léon rendit hommage à sa mémoire (cf. LENAIN DE TILLEMONT, *Mémoires...*, t. 12, p. 469). — C'est à ce moment que se placerait le séjour d'Honorat dans une grotte située au cap Roux, mais rien ne permet d'affirmer la réalité du fait (cf. *A. SS.*, *Ian.* I, Anvers 1643, p. 16).

3. Cf. EUCHER : *Constricti caritate* (*De laude eremi*, ch. 43, *éd. cit.*, p. 77, l. 491-492).

4. Cf. *Longa uastitate terribile* (*Id.*, ch. 9, p. 52, l. 100).

nem et draconem [a]; et in euangeliis Christi ad discipulos suos factam promissionem : *Ecce dedi uobis potestatem calcandi super serpentes et scorpiones* [b]. 4. Ingreditur itaque
25 impauidus et pauorem suorum securitate sua discutit. Fugit horror solitudinis, cedit turba serpentium. At quae non tenebrae illud lumen refugerunt ? Quae non illi medicamento uenena cesserunt ? Inauditum uere illud et plane inter miracula ac merita illius mirandum reor, quod
30 tam frequens ut uidimus in illis ariditatibus serpentium occursus, marinis praesertim aestibus excitatus, nulli umquam non solum periculo sed nec pauori fuit.

16, 1. Quid longius morer ? Cooperante, ut ita dicam, Christo, omni ea quae prius deterruerat aduersitate superata, Honoratus uester castra illic quaedam Dei collocat et, qui locus dudum homines a sua commoratione reppu-
5 lerat, angelicis illustratur officiis. Illuminatur latibulum,

22 euangeliis Christi : euangelio *G* || 23 suos [+ *add.* D^{1mg}] : *om.* *G D* || 24 super : supra *A V ER PH* || 25suorum : suum ERD^{ac} || 26 cedit : caedit *O E* C^{o} || serpentium : -tum *D* || at : aut *G* A^{pc} *V C* γ *PH* || 27 non tenebrae illud lumen : t. i. l. n. ERD^{ac} n. t. l. i. B^{ac} *O* || refugerunt : refulgerunt *V* || illi : illinc *P* || medicamento : medicamentum $E^{pc}R$ medimentum E^{ac} || 28 cesserunt : gesse- *ER PH* || uere : uero *O* γ || 29 mirandum : deputandum *C* γ *PH* || reor *om.* *O* || 30 uidimus : uidemus γ || ariditatibus : aredi- *V* C^{o} || serpentium : -tum λ || 31 excitatus : -tatos *A V* || 32 non solum [+ *add.* D^{2mg}] : *om.* γ *PH*

16, 1 quid : qui *V* || 2 Christo : de Christo *P* || omni ea : omnia *PH* omni *G A C D* || 3 uester : noster *A D* || dei : deo *H* || collocat : -catus *V* C^{o} || 4 dudum homines : h. d. D^{ac} || 5 illuminatur : -nabitur *Bar.* || latibulum : -bulis *G*

15, a. *Ps.* 90, 13
b. *Lc* 10, 19

1. L'impavidité est une des vertus qui découlent de l'*apathéia* et de l'*ataraxia* qui furent le fait des martyrs juifs et chrétiens (cf. *S. M.*, p. 526). Elle devint une vertu caractéristique du moine.

2. Le R. P. Festugière mentionne le pouvoir des anachorètes sur les serpents car, par leur soumission à Dieu, ils recréent autour d'eux une sorte

tu fouleras au pied le lion et le dragon[a] », ainsi que la promesse du Christ à ses disciples rapportée dans les Évangiles : « Voici que je vous ai donné le pouvoir de fouler au pied les serpents et les scorpions[b]. » 4. C'est pourquoi il y pénètre sans le moindre effroi[1] et dissipe la frayeur des siens par sa propre assurance. L'horreur de la solitude s'évanouit, les serpents innombrables[2] cèdent la place. Mais quelles ténèbres ne se sont pas dissipées devant cet être de lumière ? Quels venins n'ont pas cédé à cet antidote[3] ? Fait inouï, en vérité, que je trouve absolument admirable parmi ses miracles et ses mérites : la rencontre des serpents qui étaient, nous l'avons vu, si nombreux en ces terres arides, et que faisaient sortir en particulier les souffles chauds de la mer, ne fut plus jamais pour personne une cause de danger ni même de frayeur.

Gloire d'Honorat devenu prêtre

16, 1. A quoi bon m'étendre davantage ? Avec le Christ qui, pour ainsi dire, l'assiste dans son œuvre, victorieux de toutes les difficultés qui l'avaient d'abord détourné de son action, votre cher Honorat établit[4] là comme un camp de Dieu[5], et le lieu qui avait jusque-là refoulé les hommes en les empêchant d'y demeurer, resplendit de l'éclat d'œuvres dignes des anges. Voici la

de paradis terrestre où les bêtes dites féroces sont soumises à l'homme (cf. A.-J. Festugière, *Les moines d'Orient*, t. 1, p. 53-57).

3. Cf. la *Vie d'Antoine* par Athanase (ch. 87, *PG* 26, 965) et Paulin de Nole, *Carmen* IX, 45.

4. Ce verbe évoquait pour des Romains l'installation des colons ou la répartition des troupes en un lieu donné. Ces deux sens correspondent « à un double idéal apostolique : ' coloniser ' spirituellement des campagnes dans lesquelles règne encore le paganisme, lutter en *miles Christi* contre l'erreur et le mal » (*S. M.*, p. 612).

5. Ce thème est d'origine biblique (cf. *Gen.* 32, 1-2, où il désigne l'armée des anges). Ce thème peut être rapproché de celui du *miles Christi* inspiré d'*Éphés.* 6, 14-17. Au IIIe siècle, cette spiritualité « militante » prépare le chrétien au martyre et, au IVe, la spiritualité chrétienne, dans son ensemble, tend à assimiler le moine à un soldat de Dieu. La dévotion aux martyrs militaires connaît un bel essor, la vie religieuse devenant un *sine cruore martyrium* (cf. Clément d'Alexandrie, *Le Protreptique*, 116, *SC* 2², p. 184-185 et aussi *S. M.*, p. 145, 146 et 151).

dum ibi lumen occulitur ; cedit ignoti prius exilii obscuritas uoluntarii exulis claritati. Quis ergo mendacio illud conferat ? Quocumque Honoratus accesserit, adesse illic etiam honorem necesse est.

10 2. Hic primum illigatur diu euitati clericatus officio, hic refugam suum sacerdotalis infula innectit ; et qui uenire ad dignitatem detrectauerat, ad ipsum dignitas uenit. Apparuit illic presbyter non duplici tantum, sed multiplici honore dignissimus [a], coram quo nullam sacerdotii 15 distantiam, nullum nominis priuilegium episcopatus agnosceret. 3. Nemo umquam episcoporum sibi tantum usurpauit ut se presbyteri illius collegam computaret. Verum ille tam integram in sacerdotio monachi humilitatem conseruabat quam plene monachus sacerdotii 20 merita possederat.

17, 1. Industria illic sua sufficiens electis Dei ecclesiae templum excitatur, apta monachorum habitaculis tecta consurgunt. Negatae saeculis aquae largiter fluunt, in uno ortu suo duo ueteris testamenti miracula praeferentes. 5 Nam cum e saxo erumperent [a], in media maris amaritu-

6 ibi lumen : l. i. *GB*^{ac} *D*^{pc} *V* lumen *A C* γ *PH* tibi l. *Bar.* || occulitur : ac colitur *H* *C*° || cedit : caedit *O* concedit *C* || 7 quis : quid *A V C ER PH* || ergo : *om. GB* accessio *add. A* || mendacio : amendacio *P* amendatio *A V C H* emendatio γ || illud : illa *G A V C ER PH* || 8 conferat : ascribat *O* *ante* c. *add.* ascribat *B*^{xmg} || quocumque : quodcumque *Bar.* || illic : illinc *C* || 9 etiam *om. A V* || 10 hic : hinc *A* || primum : primo *G* ipse *PH* || illigatur diu euitati clericatus : religatur d. e. c. *PH* illigatur d. euitans c. *BO Gen. A* d. euitati ligatus c. *E* d. e. c. ligatur *R* d. ligatur e. c. *D* || officio hic : officium hinc *A* *C*° || 11 sacerdotalis infula : i. s. *G* || innectit : nectit *O* *C*° || uenire : uere *A* ire *uel* uenire *proposuit* *A*^{3mg} *C*° || 12 detrectauerat : detract- *Bar. A V C E PH* || 13 illic : illinc *A* || sed : et *add. BO I* C* γ *PH* || 14 sacerdotii : -tium *G* || 17 presbyteri : -terii *A* -torum *P ut uid.* *C*° || computaret : copularet *A* || 19 sacerdotii : -docii *V* -dotis Λ

17, 1 illic [+ *D*^{2mg}] : ilico γ scilicet *C* et *add. P* || 2 apta [+ *add. D*^{2mg}] : *om. D* || 3-7 consurgunt — regio 171^{v}, 56-62 *C n. l.* || 3 saeculis : a s. *C** γ *H* ea s. *P* || in *om. G* || 4 ortu suo : ortus sui *A* || testamenti : -menta *V*^{ac} || praeferentes [+ *C**] : proferentes *V* || 5 e : de *A* a *E*^{ac} *ut uid.* || in : e *O* || maris *om. Bar.*

retraite illuminée, tandis que s'y cache la lumière. L'obscurité d'un lieu d'exil auparavant inconnu fait place à l'éclat d'un exilé volontaire. Qui verrait là un mensonge ? En tout lieu où arrive Honorat, l'honneur se trouve aussi nécessairement [1].

2. Alors pour la première fois lui sont imposées les obligations de la cléricature à laquelle il s'était longtemps soustrait [2], alors il se voit ceint des insignes sacerdotaux, qu'il avait fuis. Et lui qui s'était refusé à accéder à cette dignité, voit cette dignité venir jusqu'à lui. Il parut là — en tant que prêtre — digne au plus haut point d'honneurs non seulement redoublés [a] mais multipliés encore [3], car, en sa présence, les évêques n'admettaient aucune différence de dignité sacerdotale, aucune primauté de titre. 3. Jamais personne parmi les évêques n'eut la présomption de se considérer comme l'égal de ce prêtre. Pour lui, il conservait dans le sacerdoce l'humilité du moine avec la même intégrité que, simple moine, il avait possédé en plénitude les vertus du sacerdoce [4].

Honorat père de nombreux moines

17, 1. Là, par ses soins, s'élève le sanctuaire d'une église susceptible de contenir les élus de Dieu ; des constructions appropriées à l'habitat des moines surgissent ; les eaux refusées aux profanes coulent en abondance, et leur jaillissement, à lui seul, reproduit deux miracles de l'Ancien Testament : tout en surgissant d'un rocher [a], c'est de l'eau douce qui s'écoule du milieu

16, a. Cf. *I Tim.* 5, 17

17, a. Cf. *Ex.* 13, 14, 4-7

1. Même jeu de mots qu'au ch. 1, 1.

2. Les *Apophtegmata Patrum* reproduisent de nombreuses anecdotes enseignant que le moine doit éviter le sacerdoce afin de pouvoir demeurer dans sa cellule libéré de tout souci pastoral.

3. Le double honneur en question vient pour les évêques du caractère sacerdotal auquel s'adjoint l'élévation à l'épiscopat. La personnalité exceptionnelle d'Honorat lui mérite bien plus d'honneur que ne lui en apporterait l'épiscopat.

4. De même saint Martin, devenu évêque, demeura semblable à lui-même (cf. *V. M.*, ch. 10, 1-2, *S. M.*, p. 272-275).

dine dulces profluebant [b]. 2. Certatim se iam illuc omnis regio quaerens Deum dirigebat. Honoratum expetiit quisquis Christum desiderauit ; et plane Christum, quisquis Honoratum expetiit, inuenit. Illic enim ille totus uigebat ;
10 pectus suum quasi praecelsam arcem et splendidissimum templum insederat ; illic castitas, quae est sanctitas, fides, sapientia et uirtus, habitauit ; ibi iustitia fulsit et ueritas. 3. Itaque uelut ulnis effusis protentisque bracchiis in amplexum suum omnes, hoc est in amorem Christi,
15 inuitabat. Omnes undique ad illum certatim confluebant. Etenim quae adhuc terra, quae natio in monasterio illius ciues suos non habet ?

4. Quam ille barbariem non mitigauit ? Quotiens de immanibus beluis quasi mites fecit columbas ! Quam
20 amaros interdum mores Christi dulcedine aspersit ! Et quorum prauitas sibimetipsis prius poenalis fuerat, eorum postmodum gratia oblectamento omnibus erat ; degustata

6 profluebant : profluunt *G* || se *om.* *C* γ *PH* || illuc : illic *PH* || 7 quaerens : quaerentes *C ERD PH* || 7-9 quisquis Christum — Honoratum expetiit *om.* *P* || 8 Christum² *om.* *G* || 9 inuenit : Christum inuenit *G* || illic enim ille : ille enim illic *GB^pc O^pc* Λ illic enim *V* ille enim *O^ac* || 10 suum : eius *BO* Λ *A D^2mg* || 11 templum : Christus *add.* *O* || insederat : insiderat *P* || quae est : quod est *A V* *om.* λ *exp.* *D* || sanctitas *om.* λ *exp.* *D* || 12 uirtus : omnis u. *G* || 13 ulnis effusis : urnis e. *Bar.* uulnis e. *B^ac* e. ulnis *C* γ *PH* uenis e. *G A V* || protentisque [+ *H^pc ut uid.*] : patentibusque *ER H* potentisque *PH^ac ut uid.* *C^o* || 15 ad illum certatim : c. ad i. *P* || 16 etenim quae adhuc : et denique quae adhuc *A V C H^pc* et denique adhuc *PH^ac* et quae denique *G* || 17 ciues suos : s. c. *O* ciues *B^ac* || 18 quam : quem *ERD^ac* || barbariem [+ *D^2mg*] : -rio *P* rabidum γ || 19 immanibus : immanissimis Λ manibus *A^ac* || quasi : quam *BO* Λ *C* γ *PH* || 20 amaros : -rus *C* -ras *H* amatures *A* || mores : more *C* || dulcedine : -dines *P* || 21 prius [+ *add.* *D^2mg*] : *om.* γ || 22 gratia : -tiam *A* || oblectamento : obleta- *B* || degustata : -tate *V*

---

b. Cf. *Ex.* 15, 23-26 ; 17, 6

---

1. L'eau jaillit, et elle jaillit douce, alors que l'île est entourée d'eau salée (cf. *Ex.* 15, 23-26 ; 17, 6). Dans la littérature profane on retrouve curieusement le même thème hagiographique, ainsi dans PHILOSTRATE, *Vit. Apoll.* *VII*, 16, 2, Musonius découvre une source pour l'île de Gyaros jusque-là

des eaux salées de la mer [b 1]. 2. Là dès lors accouraient à l'envi toutes gens à la recherche de Dieu. Quiconque eut le désir du Christ rechercha Honorat, et en vérité, quiconque rechercha Honorat trouva le Christ [2]. Là, en effet, il apparaissait dans toute sa force ; il y avait établi son cœur comme une citadelle très élevée et un temple tout resplendissant [3] ; là résidèrent la chasteté, qui est sainteté, la foi, la sagesse et la vertu ; la justice y brilla avec la vérité. 3. C'est pourquoi, ayant pour ainsi dire les bras tendus et les mains ouvertes [4], il conviait tous les hommes à se jeter dans ses bras, autant dire dans l'amour du Christ. Tous, de partout, accouraient vers lui à l'envi. Et en effet, quelle terre, quel peuple ne comptent pas aujourd'hui de ses habitants dans ce monastère ?

4. A quelle race barbare n'a-t-il pas appris la douceur ! Que de fois ne changea-t-il pas des bêtes féroces [5] en douces colombes ! Sur quels caractères, parfois pleins d'âpreté, n'a-t-il pas répandu la mansuétude du Christ [6] ! et ceux dont le mauvais naturel était auparavant leur propre châtiment firent plus tard par leur bonne grâce les délices de tous. A peine avaient-ils goûté au charme du

aride. JULIEN a parlé de la sollicitude de ce Musonius pour l'île (cf. *Œuvres complètes*, *C. U. F.*, t. 1, 2e partie, *Lettres et Fragments*, p. 57).

2. Cf. EUCHER : *Tuam quicumque sanctorum familiaritatem quaesiuit, deum repperit ; Christum in te, quisquis te coluit, inuenit* (*De laude eremi*, ch. 41, *éd. cit.*, p. 75, l. 460-462).

3. Les deux accusatifs *arcem* et *templum* sont bien des compléments d'objet direct, le premier adverbe de lieu *illic* modifiant *uigebat* et *insederat*, le second *habitauit*. Chez CLÉMENT D'ALEXANDRIE, le *Logos* est représenté comme ayant établi un temple dans l'homme : « Celui qui a construit un temple dans chaque homme afin qu'en chaque homme il établisse Dieu » (*Le Protreptique*, XI, 117, 4, *SC* 2^2, p. 186).

4. Cf. EUCHER : *effusis piissimis ulnis receptat uenientes* (*De laude eremi*, ch. 42, *éd. cit.*, p. 76, l. 469).

5. Dans une période aussi troublée que le début du ve siècle, les moines avaient souvent un lourd passé quand ils se mettaient à mener une vie consacrée, tel le célèbre abbé Moïse qui avait été esclave, voleur et brigand (cf. J. WEEGER et A. DERVILLE, art. « Esclave » dans *D. S.* 4, 1960, col. 1079). — Cette idée a été plus longuement développée par CLÉMENT D'ALEXANDRIE, dans le *Protreptique* I, 4, 3 (*SC* 2^2, p. 56-57).

6. Cf. CYPRIEN : *Amaritudo omnis quae intus insiderat Christi dulcedine leniatur* (*De zelo et liu.*, ch. 17, *C. S. E. L.*, 3, 1868, p. 431).

deinde boni suauitate non poterant non magis ac magis
odisse quod fuerant. 5. Nam uelut educti in nouam lucem,
25 antiquum illum diu insidentium errorum carcerem detes-
tabantur. Pulsa est per exhortationes ipsius uaria pestis
animorum : amaritudo, asperitas et rabies locum dabant
libertati quam Christus obtulerat, et delectabat requies
post longam et grauem *pharaonicam seruitutem* [c]. 6. Stu-
30 penda et admirabilis permutatio : non Circeo, ut aiunt,
poculo ex hominibus feras sed ex feris homines Christi
uerbum tamquam dulcissimum poculum Honorato minis-
trante faciebat. Quid enim non extunderet illa instantia
cum alacritate coniuncta ? Aut qui *lapides* non *in Abra-*
35 *hae filios* [d] uerterentur, ubi tanta erat in expoliendis mentibus officina uirtutum ?

7. Quod si minus hominem ad salutem suam uiuidis
exhortationibus permoueret, Deum oratione constringeret.
Omnium enim ille passiones suas credidit et tamquam
40 suas fleuit ; profectus laboresque omnium suos computauit ; sciens *gaudere cum gaudentibus, flere cum flen-*

23 boni : *om.* *I** Λ bona *A* hinc *PH* || non poterant : nopoterant *V* || 23-24 non magis — fuerant *om.* *V* || ac magis : et m. *A* *om.* *BO* Λ *C* γ || 24 fuerant : fuerat *PH*^{ac} || uelut : uelud *C* || educti : edicti *P* adducti *A* || 25 insidentium : inscdentium *V C* in se densorum *A* || 25-28 errorum — requies 172^{r}, 27-31 *C n. l.* || carcerem : carcere *V* cernerem *Bar.* || 26 est *om.* *G A V C* PH* || exhortationes [+ *corr.* *D*^{2}] : -nis *PH* -nem *BO* Λ *A* exordtationes *V* orationes γ *exp.* *D*^{x} || ipsius : illius est *A* || 27 et [+ *add.* *D*^{1mg}] : *om.* *D* || delectabat : -batur *A* || 29 longam : longuam *V* || pharaonicam : pharaoniam *A* γ *H* faraoniam *V C P* || 30 admirabilis : admiranda *G* || Circeo : Circaeo Λ circio *P* || 31 homines : omnes *P* *C*^{o} || Christi : Christus *ER PH* || 32 uerbum *om.* *R* || 32-34 dulcissimum — lapides 171^{r}, 26-31 *C n. l.* || 33 faciebat : Circe ficta est mulier quae per maleficium dicebatur homines in feras aut in iumenta mutare *add.* *PH* || extunderet [+ *D*^{2mg}] : extonderet *PH* extend- *Bar.* obtineret γ || 35 erat [+ *D*^{2mg} *H*] : *om.* *A V C* γ *PH*^{ac} || expoliendis : -iandis *Bar.* *PH* || mentibus : erat *add.* *A* inerat *add.* *C* || 36 officina : officia *V* || uirtutum : que *add.* *H*^{xsl} || 37 quod si : quo si *G* utsi *A* quod aut si *D*^{2mg} si *V C* γ *PH* || uiuidis : uiuis γ *PH* || 38 constringeret : -gere *O* || 39 enim *om.* *A V C PH* || 41 sciens : et sciens *H* sciebat *G* || flere : et flere *O*

c. Cf. *Ex.* 13, 14
d. Cf. *Matth.* 3, 9 et *Lc* 3, 8

bien qu'ils ne pouvaient s'empêcher de haïr de plus en plus ce qu'ils avaient été. 5. En effet, comme amenés à une lumière nouvelle, ils détestaient cette vieille prison où les retenaient des défauts invétérés. Honorat chassa par ses exhortations les divers maux des âmes : l'amertume, la dureté et l'emportement cédaient la place à la liberté offerte par le Christ, et le charme du repos succédait à la longue et lourde servitude des Pharaons [c] [1]. 6. Prodigieuse et admirable métamorphose : on voyait non pas des hommes changés en fauves par le breuvage d'une Circé [2], mais des fauves changés en hommes par la parole du Christ comme par un breuvage à l'exquise douceur, et cela par le ministère d'Honorat. Quel vice n'aurait extirpé cette insistance associée à l'ardeur ? ou bien quelles pierres ne se seraient changées en fils d'Abraham [d], quand il existait un si grand atelier où, dans le polissage des esprits, se façonnaient les vertus [3] ?

7. En admettant que, par ses vives exhortations, il n'entraînât pas un homme à faire son salut, il aurait pu y contraindre Dieu par sa prière, car il estima siennes les souffrances de tous et les pleura comme les siennes, il compta comme siens les progrès et les efforts de tous ; sachant « se réjouir avec ceux qui se réjouissent, pleurer

1. Pour Cassien, l'Exode devient l'image de la vie monastique et c'est dans cette ligne qu'EUCHER composa son *De laude eremi* où la place de l'Exode est si importante (cf. R. LE DÉAUT et J. LÉCUYER, art. « Exode » dans *D. S.* 4, 1961, col. 1961 et 1986).

2. Le mythe de Circé était largement utilisé dans la littérature antique (BUFFIÈRE, *Les mythes d'Homère et la pensée grecque*, Paris 1956, p. 506 s.). L'âme était, selon certains païens, mortelle ; d'autres croyaient à la métensomatose. « L'épisode fameux de Circé présente un sens philosophique : chacun revêt l'animal que ses aptitudes requièrent » (P. COURCELLE, *Recherches sur les « Confessions » de saint Augustin*, Paris 1968, nouvelle édition, p. 369. Voir aussi p. 367-369.) Ulysse apparaissait comme le héros stoïcien et méprisait également le plaisir et la douleur. Le sens, dans notre texte, est simple et conforme au mythe de l'Odyssée (cf. CLÉMENT D'ALEXANDRIE, *Str.* VII, 16, 95, cité dans P. AUBIN, *Le problème de la conversion*, Paris 1963, p. 126).

3. L'expression se trouve déjà en grec dans le *Traité de la Virginité* de GRÉGOIRE DE NYSSE (ch. 23) : τὸ τῶν ἀρητῶν ἐργαστήριον (*SC* 119, p. 522) et sera reprise dans la *Règle du Maître* (ch. 6, *SC* 105, p. 380-381) et dans celle de S. Benoît (4, 78, *SC* 181, p. 464-465).

tibus [e], simul et uitia et uirtutes omnium in meriti sui cumulum transferebat. 8. Sicut enim uirtus ad uirtutem excitat, ita miseratio miseris impensa fructificat. Metit
45 enim in singulis plus quam sibi singuli ; singulorum enim salus unam illi gloriam instruit. Impiger, festinus, infatigabilis perseuerat, prout cuiusque naturam moresque perspexerat : hunc secreto, illum palam, hunc seuerus, illum blandus adgreditur, et ad castigandi immutationem
50 ipsam plerumque faciem castigationis immutat. 9. Inde illud erat quod non facile quemquam tantum uel amari uidimus uel timeri : ita enim duos hos adfectus sui in unoquoque suorum collocabat ut et amor suus delicti metum et timor disciplinae amorem introduceret.

42 et[2] *om. Bar.* || meriti sui : m. suo V^{ac} meritis suis B^{ac} || 43 uirtus ad *om. Bar.* || 44 excitat : excitans B^{ac} *A V C* γ *P* || miseratio miseris : miseris miseratio *D* || impensa : impendens *A* || metit : metet *BO* Λ *V D* medetur *A* nectit *ER* || 45 enim : et B^{ac} ergo in *C* γ *PH* || sibi singuli : s. singulo *GBO Gen. A* s. singula *Bar.* singuli *D* || 46 unam : unum *A* || illi : illius *C* γ *PH* || instruit : struit *G C* γ *PH* || 48 perspexerat : -xerint *C* || illum [+ D^{2mg}] : hunc *omnes praeter* λ || hunc[2] : illum *A V C PH* || 49 illum [+ D^{2mg}] : hunc *omnes praeter* λ || castigandi : -dis *C* -dum *G* || 50 immutat : -tans *G* || 50-54 inde — amorem 171[r], 57-62 *C n. l.* || 51 erat [+ *add.* O^{1sl}] : *om. O* || non *om. V* || quemquam : quam *V* || 52 uidimus uel timeri : uidemus uel t. *E PH* uel t. uidimus *O* || sui [+ *add.* D^{2sl}] : *om. G* γ || in *om. V* || unoquoque : uno quoque *Bar.* || 53 collocabat : -carat *Bar.* || et : *om. O Bar. C** γ *PH* || suus : suos V^{ac} sui *I** Λ

---

e. *Rom.* 12, 15

---

1. Sulpice Sévère avait déjà insisté sur ce caractère évangélique de la compassion éprouvée par saint Martin à l'égard d'autrui : *Quo enim ille dolente non doluit ?... o uere ineffabilem uirum, pietate, misericordia, caritate :* (*Ep.* 2, 13-14, *S. M.*, p. 330-331).

avec ceux qui pleurent [e 1] », il employait également les vertus et les vices de tous à augmenter la masse de ses mérites [2]. 8. En effet, de même que la vertu incite à la vertu, la pitié prodiguée aux êtres misérables elle aussi porte ses fruits. Il récolte effectivement en chacun plus que chacun pour lui-même [3], car le salut de chacun vient accroître sa gloire personnelle. Actif, diligent, infatigable, il poursuit son action, selon ce qu'il avait pénétré de la nature et du comportement de chacun ; il reprend celui-ci seul à seul, le second publiquement, celui-là avec sévérité, cet autre avec douceur ; et, pour transformer la réprimande, il change le plus souvent la forme même de la réprimande. 9. Tel était le résultat obtenu que nous avons difficilement vu quelqu'un susciter à ce point l'affection ou la crainte ; en effet, il inspirait si bien ces deux sentiments à chacun des siens que l'affection pour lui entraînait la peur de la faute, la crainte qu'on avait de lui, l'amour de la discipline.

2. Tout contribue à faire acquérir davantage de mérites à saint Honorat : si les autres ne sont pas vertueux, il augmente ses mérites en supportant leurs défauts ; s'ils agissent vertueusement, il lui revient une part des mérites des autres car c'est lui qui les a incités à agir ainsi.

3. Tentons d'expliquer la pensée d'Hilaire : chaque moine acquiert un certain ensemble de mérites mais, selon Hilaire, Honorat en acquiert encore davantage, car, sur lui, rejaillit le mérite du bien fait par tous ceux qu'il entraîne sur la voie de la perfection, et à un degré supérieur encore : en effet, comme S. Hilaire l'écrit ensuite, le degré de sainteté auquel est parvenu chacun de ses moines grâce à Honorat contribue à augmenter, sans même qu'il l'ait recherché, une gloire qui ne concerne que lui seul, alors que les autres moines lui demeurent très inférieurs et ont seulement le mérite d'avoir accompli leur devoir, chacun dans leur domaine propre. Il faut reconnaître que ce « compte de mérites » semble un peu trop compliqué à nos mentalités contemporaines.

<PARS QVARTA :
PRAECLARA LERINENSIVM INSTITVTIO.
HONORATI VIRTVTES.>

18, 1. Incredibile est quantae illi curae fuerit ne quem tristitia adfligeret, ne cogitatio saecularis urgeret, quam facile perspexerit quid quemque uexaret, tamquam singulorum mentes mente gestaret, quanta praeterea pietatis
5 dispensatione prouiderit ne quem nimius labor grauaret, ne quis nimia quiete torpesceret. 2. Ipsos, si dici potest, singulorum somnos pio pensauit adfectu : ualentes corpore a desidia semper excutiens, feruentes spiritu cogebat ad requiem. Omnium uires, omnium animos, omnium
10 stomachos instinctu, credo, Dei nouerat, uere *seruus omnium factus* [a] propter Christum Iesum.

3. Mirandum est quomodo unus tot simul officia compleuerit, tam uaria praesertim infirmitate uexatus. Fortissimos quosque et recenti adhuc conuersatione praeualidos
15 in ieiuniis uigiliisque impar uiribus pari lege comitatus

18, 2 tristitia : tristitiae *C* tristicia *V* || urgeret : urgueret *V PH* || 2-4 quam facile — gestaret *om. V* || 3 perspexerit : persperit E^{ac} || quemque [+ D^{2mg}] : quemquam *O D* || tamquam : quam *A C ER PH* || 4 mente *om. Bar.* || quanta : quantae *C ER PH* || 5 dispensatione : dispositione *G* || prouiderit : -deret *ER P* || nimius labor : nimio labore *BO* (iis laboribus B^{2mg}) nimiis laboribus *I* Λ* nimii laboris *V* nimii labores *C γ PH* || grauaret : grauarent *C γ PH* || 6 quiete : -tate *Bar.* || torpesceret : torperet *G* || 7 singulorum : patrum *add. A V* fratrum *add. C γ PH* || somnos : sonos *C* || pio [+ *add.* D^{2mg}] pensauit : propensauit *V D* (pro *exp.* D^{x}) pio pensabat *G* || ualentes : uolentes *PH* || 7-8 corpore a desidia : corporea d. *C* corporea desideria *P* corpoream desidiam *H* || 8 excutiens [ex *scripsit D deinde exp.* D^{x}] : discutiens *γ* || 8-9 cogebat ad requiem : ad requiem cogens *G* || 10 credo : quodam *I* Λ* || 11 propter : per *Bar.* || Christum Iesum : I. C. *A C γ PH* || 12 compleuerit : -uerat *C* || 13 fortissimos : -mus *C* || 14 quosque [+ D^{2mg}] : quoque *D* || et recenti : et rigenti *G* recenti et *Bar.* || praeualidos : -dus *C* || 15 impar — lege *om. G*

18, a. *I Cor.* 9, 19

< IV. — L'illustre fondation du monastère de Lérins. Les vertus d'Honorat. >

Sa bonté pour ses fils[1]

18, 1. On ne saurait croire à quel point il eut le souci de ne laisser personne accablé de tristesse ou obsédé par le souci du monde ; avec quelle facilité il discerna ce qui blessait chacun, comme s'il portait en son âme l'âme de chacun ; de plus, avec quel miséricordieux discernement il sut pourvoir à ce que personne ne fût accablé par un excès de travaux, à ce que personne ne s'engourdît dans un excès de repos. 2. Il mesura, si l'on peut dire, le temps même de sommeil de chacun avec bienveillance : arrachant toujours à leur oisiveté ceux qui étaient de santé robuste, il contraignait au repos ceux qu'animait la ferveur spirituelle. Il connaissait les forces de tous, les dispositions de tous, le tempérament de tous, par une intuition qui, je le crois, lui venait de Dieu, s'étant « fait » vraiment « le serviteur de tous [a] » à cause du Christ Jésus.

3. Il est prodigieux de voir comment un seul homme s'est acquitté en même temps d'un si grand nombre de devoirs, bien que tourmenté par tant d'infirmités diverses. Les plus courageux et ceux qui, encore au début de leur conversion, étaient en pleine vigueur le virent leur tenir compagnie dans les jeûnes et les veilles, en se soumettant à un égal régime malgré ses forces inégales. Il visitait les

1. Tout ce chapitre qui insiste sur l'affectueuse sollicitude de S. Honorat tend à nous faire penser qu'il s'est inspiré de la conception monastique de S. Basile, qui voulait que l'abbé agît à l'égard de ses moines comme un père attentif à chacun de ses fils, humble et miséricordieux, désireux avant tout de les instruire par son exemple, recherchant en tout la mesure, la prudence, l'harmonie — à la différence de ce qui se passait dans les monastères pakhômiens où la discipline était plutôt d'un type militaire —, et les incitant à travailler tant intellectuellement que manuellement et à prier sans cesse pour la gloire de Dieu (cf. J. de Puniet, art. « Abbé » dans *D. S.* 1, 1937, col. 49-57).

est. Infirmos ipse infirmior uisitauit ; refrigeria animarum simul prouidit et corporum ; et ne quid cuique minus fuisset impensum, animo semper recurrebat : 4. hic alget ; hic aegrotat ; illi hic labor grauis est, huic haec
20 esca non conuenit ; ille ab alio laesus est ; graue quod hic intulit, nec minus graue quod hic sensit iniuriam. Grandi instantia opus est ut offensi gratiam hic consequatur et hic sibi illatam contumeliam aut leuem aut nullam computet, hic autem se grauissimam intulisse suspiret.

25 5. Haec illius iugis opera, iugis intentio erat *leuigare* omnibus *iugum Christi* [b] et quicquid diabolus iniecisset auertere ; discusso culparum nubilo gratiarum serena reuocare ; amorem Christi et proximorum amando inserere et mentes omnium tamquam suum pectus excolere ;
30 innouare gaudia et ad Christi semper desiderium tamquam primo conuersionis die inardescere.

16 infirmos : -mus *R* || refrigeria [+ *C**] : -rium γ || 17 cuique [+ *I**] : cuiquam *BO A V C* γ *PH* || 18-21 fuisset — minus graue 171^{v}, 26-31 *C n. l.* || 18 animo semper : s. a. *G* || recurrebat : recursabat *P* recusabit *H* || 19 alget : algit *V C** || aegrotat [+ D^{2}] : cogitat *A V C** γ *P* || hic^{2} [+ *C** *add.* D^{2sl}] : est *V* *om. A* γ || labor : labore *V* || grauis : gratus D^{ac} || 19-20 haec esca : e. h. *H* || 20 conuenit : congruit *C** E^{pc}*RD PH* gruit E^{ac} || graue : est *add. A* || quod : quid *O* || 21 quod : quam *BO* || hic : iste *A V C* γ *PH* || iniuriam : -rias λ *om. A* || grandi : -dis *A* || 22 instantia : -tiae *A* -tiam *V* || offensi : -sa *A ERD*^{ac} -sam *G C** *PH* -sus *V* || hic *om. omnes praeter* λ *et fortasse* D^{pc} || 23 illatam contumeliam : illa tam c. *E* illatas contumelias *A* illam contumeliam *D* || computet : computat *A* || 24 se grauissimam [+ *C**] : se -mas *A* grauissimam se *O* grauissimam *Bar.* || suspiret : -spirat *A* || 25 illius : illi *A* γ *PH* || 27 discusso ... nubilo : -sa ... -la V || gratiarum : uirtutum B^{xmg}*O* || 28 amando *om. G* || 29 excolere : -collere *B* -cellere *O* || 30 innouare : inuocare *Bar.* || gaudia : -dio D^{ac} || Christi : Christum *C* || semper desiderium : d. s. *C* γ *PH* || 31 conuersionis : -sationis γ *PH*

b. Cf. *Matth.* 11, 30

malades, lui-même plus malade qu'eux ; il se préoccupa de soulager [1] en même temps les âmes et les corps ; et de peur que chacun n'eût pas reçu sa part, ces pensées lui revenaient sans cesse à l'esprit : 4. « Celui-ci souffre du froid, cet autre est malade ; pour celui-là, ce travail est pénible ; pour cet autre, cette nourriture ne convient pas ; celui-là a été blessé par un autre : il est grave que le second ait commis une injustice [2] et il n'est pas moins grave que le premier l'ait ressentie. Il faut veiller instamment à ce que le second obtienne le pardon de son offense, que le premier estime légère ou nulle l'injustice commise à son égard, mais que l'autre exprime sa souffrance d'en avoir commis une aussi grave. »

5. Tel était, quant à lui, l'effet, le but du joug qu'il imposait : rendre léger pour tous le joug du Christ [b] et détourner tous les traits du diable [3] ; après avoir dissipé les nuages des fautes, ramener le calme serein des pardons ; en aimant, implanter l'amour du Christ et du prochain ; employer tous ses soins à cultiver les âmes de tous comme s'il s'agissait de son propre cœur ; susciter des joies nouvelles ; et, sans trêve, comme au premier jour de sa conversion, s'enflammer du désir du Christ.

1. Le mot *refrigerium* utilisé par la Vulgate correspond au classique : *refrigeratio* (cf. H. Delehaye, *Sanctus...*, p. 135-136). Le sens premier est « rafraîchissement » ; le second : « soulagement, repos » ; il désignera bientôt le bonheur céleste des saints. Chez Tertullien, au pluriel, on le voit présenter un sens spécial : « aide morale » (*De fuga*, 12). Cf. Christine Mohrmann, *Études sur le latin des chrétiens*, t. 2, p. 81-91.

2. La pensée est très belle : si celui qui a commis une offense doit ne pas s'enfermer dans sa vanité mais reconnaître humblement ses torts, il est tout aussi important que l'offensé soit si détaché de lui-même qu'il ne sente pas l'offense dont il a été victime. On retrouve ici la notion de l'*apathéia*, chère aux moines.

3. Le diable joue une grande place dans la vie des premiers moines qui, issus surtout des masses populaires et des campagnes, ont partagé les croyances et les superstitions de leur milieu. Pour eux, la lutte contre le moi devient la lutte contre le démon (cf. A.-J. Festugière, *Les moines d'Orient*, t. 1, p. 23-39). Plus instruit, Hilaire adopte ici une position beaucoup plus nuancée : sans nier l'existence du diable, il le cantonne à sa vraie place.

19, 1. Hinc illud erat quod omnis congregatio illa diuinae cupida seruitutis ad nomen ipsius ex diuersis terrarum partibus collecta, tam moribus quam linguis dissona, in amorem illius conspirabat. Omnes dominum, omnes patrem uocabant, in illo sibi patriam ac propinquos et omnia simul reddita computantes. Didicerant omnes, ipso sibi compatiente, dolores illius suos computare 2. ut non immerito egregius et in Christo beatissimus uir Saluianus presbyter, carorum suorum unus, in scriptis suis dixerit quod, sicut caeli faciem pro sua sol aut obscuritate aut serenitate mutaret, ita congregatio illa caelum sitiens et caelestibus studiis mancipata ab ipso uel nubila uel serenitatem mentium quasi a peculiari in Christo sole susciperet, ipso quoque et adflicto adflictaretur et respirante reualesceret.

3. Hinc illa erat et adhuc orationibus suis permanet diffusa in monasterio suo Sancti Spiritus gratia, tanti doctoris et exemplo et admonitione firmata, in uariis charismatum donis : in *humilitate et mansuetudine, in caritate*

19, 1 omnis *om. A V C PH* || illa [+ *add.* D^{2mg}] : *om. C γ PH* || 2 diuersis : diuersa *G A V C P* || 3 partibus : parte *G A V C* || 4 amorem illius : i. a. *A γ PH* i. amore *V C* || 5-9 uocabant — suorum 172ʳ, 55-62 *C n. l.* || 5 ac [+ *C**] : *om. BO Λ* uel *A* || 7 ipso sibi compatiente : ipsos ibi compatientes *PH* || illius suos : suos illius D^{ac} ipsius *PH* || 8 et *om.* D^{ac} || beatissimus : beatus *G* || 9 uir *om. Λ* || suorum : ipsisus $B^{pc}O$ || 10 sicut : sol *add. γ exp.* D^{x} || faciem : faciam *C* || sol : sola ERD^{ac} || 10-11 obscuritate aut serenitate mutaret : o. mutaret aut s. *C* s. aut o. m. D^{ac} || ita : et *add. G* || 12 sitiens : siciens *V H* || 13 serenitatem : -tate *P* C^{o} || a *om. A V* || 14 susciperet : -rit *C* || ipso quoque : ipsoque *A C ER PH* || et adflicto adflictaretur et respirante : et afflicto affligeretur et r. *G* adflicto afflictaretur *corr.* D^{2mg} congruo congrueret inspirante ERD^{ac} *H* congruo ingrueret inspirante *P* || 16 hinc : hic *A* || suis : eius $GB^{pc}O$ *Λ* || 17 diffusa : duffusa *B* *om. A* || suo : ipsius $B^{pc}O$ *Λ* *om. C γ* || 18 et[1] *om.* H^{ac} || 19 in[1] : et *ER PH* || in[2] [+ B^{pc}]: et in B^{ac} *ut uid. γ*

La grâce d'Honorat

19, 1. De là venait que dans cette communauté d'hommes désireux de servir Dieu [1] et rassemblés des quatre coins du monde au renom d'Honorat, différents de mœurs autant que de langue, toutes les aspirations convergeaient dans un même amour pour lui. Tous lui donnaient le nom de « maître », tous lui donnaient le nom de « père », estimant avoir retrouvé en lui à la fois leur pays, leurs proches et tous leurs biens. Ils avaient tous appris, par la compassion qu'il leur témoignait à eux-mêmes, à considérer ses propres souffrances comme les leurs. 2. Aussi n'est-ce pas à tort qu'un homme exceptionnel et bienheureux dans le Christ, le prêtre Salvien [2], l'un de ses compagnons d'élection, a pu dire de lui dans ses écrits : « Le soleil change l'aspect du ciel selon sa disparition qui l'enténèbre ou la sérénité de son éclat ; ainsi cette communauté, tout assoiffée du ciel et vouée à l'étude des réalités célestes, recevait d'Honorat lui-même le brouillard ou la sérénité intérieurs, comme d'un soleil qui était sien dans le Christ : de concert avec lui, elle était dans la peine s'il était dans la peine, se sentait revivre s'il reprenait haleine. »

3. De là venaient et, du fait de ses prières, persistent jusqu'à présent, répandue dans son monastère, cette grâce du Saint-Esprit, solidement fondée sur les exemples et les leçons d'un si grand docteur, manifestée dans la variété des dons charismatiques, « dans l'humilité et la

1. Cette notion du service divin sera reprise souvent dans la littérature monastique, en particulier dans la *Règle de saint Benoît*, ch. 2, 20 (*SC* 181, p. 446-447).

2. Sa vie est mal connue. Né à Trèves ou à Cologne au début du ve siècle, d'une famille aristocratique mais païenne, il devait être un maître habile dans l'art de la rhétorique. Sa femme Palladia lui donna une fille ; avec l'accord de Palladia, Salvien se sépara d'elles au bout de quelques années, attiré par Lérins où sa piété et sa science lui valurent l'estime de tous, et en particulier celle d'Honorat. Avec Hilaire et Vincent, il s'occupa de l'éducation des fils d'Eucher, notamment de celle de Salonius, futur évêque de Genève auquel il dédia le *De gubernatione*. Bientôt après, il devint prêtre de l'Église de Marseille où Cassien venait de fonder l'abbaye de Saint-Victor. Voir l'introduction de G. LAGARRIGUE aux œuvres de SALVIEN (*SC* 176) p. 9-13.

20 *non ficta* [a], et una capitis gloria in diuersitate membrorum [b].

20, 1. Magna illi inter haec erga aduenas et hospites cura. Quis enim aliquando illum praeteriret ? Quis non quamlibet prosperam nauigationem, quamlibet secundos uentos mox pro tanti uiri desiderio commodi sui contemp-
5 tor abrupit aut, si insulam tenere non licuit, uiolentum secundae nauigationis obsequium acerbissimam tempestatem computauit ? 2. Nemo illuc non festinus accessit ; nemo illic moras suas sensit ; nemo illinc non securissimus soluit, prosequente ipso amore, sumptibus, uotis, et tunc
10 primum agnitos tamquam dudum suos emittente. In squalore heremi delicias conspectu suo ministrabat, cum tanto omnes gaudio et alacritate suscipiens tamquam expectasset.

3. Aderat praeterea munificenti animo par substantia,
15 pari fide ministrata. Nam qui libenter audierat : *Vende omnia tua et da pauperibus et ueni, sequere me* [a], huic libentissime unusquisque, si quid misericordiae animo deuouerat, dispensandum ingerebat, securus illi sua

20 diuersitate : diuersione *A V*

20, 1 haec : *uacat C* || erga : in *G A* et in *V* et *PH* *uacat C* || 2 aliquando illum : i. a. *A V* || 2-3 non quamlibet : non qualibet *P* quamlibet γ || 3 quamlibet^2 [+ *C**] : quaslibet *A* quoslibet *O* et quantumlibet Λ || secundos : suaues *G A* suos *PH* suus *C** || 4 uentos : -tus *C D P* || mox [+ *add.* D^{2mg}] : aut *G V C PH* haud γ || pro... desiderio : pro ... -rium *P* per ... -rium *A V C** || 4-7 tanti — accessit 172^v, 25-31 *C n. l.* || commodi sui contemptor : cont. comm. sui *G* || 5 insulam : -la *P* || licuit : licet B^{ac} || 6 nauigationis : enaui- *A V* || 7-8 non — illic *om. C** || 8 illic : illis *P* || moras suas : s. m. *R* || illinc : illic *G* C^o || 9 soluit prosequente ipso amore sumptibus uotis : soluet p. i. a. s. u. *P* soluit p. i. a. sua uota B^{ac} Λ soluit p. i. a. illorum uota B^{pc} soluit p. i. a. sumptis uotis *H* soluit p. deo illorum uota *O* prosequente i. a. sua uota soluit *G* || 10 primum : -mos *V* || agnitos : -tis λ *A* -tus *C PH* || suos [+ *C**] : suis λ *A* *om. V* || emittente : enittente *V* enitentes λ || in *om. A* || 11 delicias conspectu suo : d. in c. s. *G D* delicias *A V* || 12 tanto : tato E^{ac} || alacritate : amore *A V* || suscipiens : tamquam optasset *add.* γ *PH* || 14 aderat : adherat V^{pc} adheret V^{ac} || munificenti : -tiae *B A V C* γ *PH* (*post* m. *tria uerba exp.* D^x) || animo : animi *H* || par : per *PH* pars *R* || substantia : -tiam *PH* || 15 ministrata : -tam *P* -to H^{ac} ||

mansuétude, dans une charité authentique [a] » et la gloire de la tête unique, que manifeste la diversité des membres [b]

Hospitalité et générosité

20, 1. Grande cependant était sa sollicitude envers les étrangers et les hôtes. Qui, en effet, eût jamais passé indifférent devant chez lui ? Qui sur-le-champ n'abandonna pas brutalement une navigation — même heureuse —, des vents — même propices — au mépris de son propre intérêt, mû par le désir de voir un si grand homme ? Ou bien, qui donc, s'il se trouva dans l'impossibilité de faire relâche dans l'île, ne regarda point comme la plus terrible des tempêtes un vent impétueux favorable à la poursuite de sa navigation ? 2. Personne n'arriva là sans se hâter, personne n'eut l'impression de s'y attarder trop longtemps, personne ne s'embarqua de là sans se sentir pleinement rassuré car Honorat accompagnait les partants de son affection, de ses subsides, de ses prières et il prenait congé de ceux qu'il rencontrait alors pour la première fois comme s'ils eussent été ses amis de longue date. Dans la désolation du désert, il leur procurait des joies délicieuses par sa présence, les accueillant tous avec tant de joie et d'allégresse qu'il semblait les avoir attendus.

3. Il disposait en outre de ressources égales à son sens de la munificence, mises au service des autres avec une foi égale. Il avait, en effet, répondu de grand cœur à l'appel : « Vends tous tes biens et donne-les aux pauvres, puis viens, suis-moi [a 1] », et de très grand cœur, tout homme qui avait décidé de faire don de ses biens par

17 misericordiae : munificentiae *BO* munificenti Λ munificentiae animo *D²ᵐᵍ* || 18 sua [+ *add. D²ᵐᵍ*] : *om. D*

19, a. Cf. *Éphés.* 4, 2
b. Cf. *Éphés.* 3, 15-16 et *I Cor.* 12, 12
20, a. Cf. *Matth.* 19, 21

---

1. Cette parole du Christ au jeune homme riche a décidé de la *conuersio* d'un grand nombre de jeunes gens, à commencer par S. Antoine (cf. *Vita Antonii,* ch. 2).

cuncta committens, cuius in relinquendis omnibus secutus
20 fuerat exemplum. 4. Hinc ad eum frequens ille ex diuersarum regionum captiuitate concursus. Et uere is ille erat qui non, ut parcus dispensator aut timidus, respectu sibi creditae et crescentis quotidie congregationis aliqua tribueret, plura seruaret, sed quid quotidie in alieno non
25 faceret quod in suo semel fecerat, hoc est : nihil sibi, nihil suis praeter praesentium dierum uictum et uestitum reseruaret ?

21, 1. Exhausta est aliquando dispensationis substantia, fides numquam. Quadam enim uice, cum unum iam ex multis milibus aureum nummum proflua ad munificentiam arca retineret, hunc etiam ipsum in multarum rerum
5 defectu constantissime pauperi praetereunti dedit et mihi atque aliis adstantibus dixit : « Certum est iam appropinquare qui deferat si iam non habet munificentia nostra quod proferat. » Vix trium aut quattuor horarum spatium die fluente transierat et continuo qui uerbis suis

19 cuncta *om.* λ || secutus [+ D^{2mg}] fuerat : f. s. *G* secuturus f. *D* || 20 hinc ad eum : hindeum *C* || ille om. γ *PH* || 21 captiuitate : uastitate *BO* Λ γ castiuitate *P* || uere *om. ERD*^{ac} || is [+ D^{2mg}] : his A^{ac} *V* quis γ eis *PH* || 22 ut [+ *add.* D^{2sl}] : *om.* γ || parcus : partus *P* || respectu : -tor γ || 23 tribueret : -rit *V* || 24 plura seruaret *om. C* || quid : qui *V C* E^{pc} H^{pc} || non *om. A V C PH* || 25 fecerat : faceret *C E* || 26 suis : e suis *H* || uestitum : uestimentum *G* || 27 reseruaret : -uabat *A*

21, 1 est aliquando : a. e. *H* || 2 unum *om. O* || 3 multis *om.* B^{ac} || milibus *om. O* || proflua : prona Λ || ad munificentiam [+ D^{2mg}] : ac munifica γ || 4 arca : archa *A P* in arca *H* || etiam ipsum : ipsum etiam γ ipsum iam *G A V C PH* ipsum etiam iam B^{ac} etiam ipsum iam B^{pc} || 5 pauperi praetereunti : praet. paup. *BO A C* γ *PH* || mihi [+ *corr.* B^{3}] : me *B A V C PH* || 6 atque : utque *B* adque *C* || aliis adstantibus : aliis stantibus *H* adstantibus aliis *B* || appropinquare : Christum *add. A* || 7 deferat : defecerat *C ut uid.* || si iam : suam *V* || 8 quod : quid *G* || aut : uel *C PH* || horarum : honorum *C* || 9 die fluente : defluente *V* || uerbis *om. A*

---

1. A partir du IIIe siècle, la décadence de l'Empire s'accélère et, en 238, dans sa lettre 62, 2, 1 (*C. U. F.*, p. 197), S. Cyprien commence à inciter les

esprit de charité, les lui apportait à distribuer et, en pleine sécurité, les confiait tous à celui dont il avait suivi l'exemple en abandonnant tout. 4. D'où cette affluence de prisonniers [1] arrivés en grand nombre de différents pays. À dire vrai, il n'était pas enclin, tel un dispensateur parcimonieux ou timoré, à donner quelque chose et à garder davantage, en considération de la communauté qui s'était confiée à lui et s'accroissait chaque jour ; mais pourquoi n'aurait-il pas fait chaque jour avec les biens donnés par autrui ce qu'il avait fait une fois avec ses propres biens : c'est-à-dire n'en réserver rien pour lui, rien pour les siens, mis à part la nourriture et les vêtements nécessaires dans l'immédiat [2] ?

Libéralité

21, 1. On vit se tarir certains jours les ressources qu'il distribuait, sa foi jamais. Une fois, sur bien des milliers de pièces d'or, il n'en restait en effet qu'une, dans son coffre d'où se répandaient ses dons généreux ; malgré son grand dénuement, il donna celle-ci même à l'instant à un pauvre de passage sans la moindre hésitation et, devant moi et d'autres personnes présentes, il dit : « Il est sûr qu'approche déjà celui qui nous apportera, si notre générosité se trouve désormais sans ressources, de quoi la manifester. » Trois ou quatre heures s'étaient à peine écoulées au cours de la journée et voici que se présente un homme qui devait prouver la vérité

chrétiens à racheter les prisonniers : « C'est le Christ que nous contemplons dans nos frères captifs ; il nous a rachetés par son sang de l'esclavage des démons ; à nous de le racheter par notre or des mains des barbares ». — La rançon était extrêmement variable, mais l'épiscopat chrétien n'hésita jamais à faire vendre les vases sacrés pour racheter et nourrir ces malheureux. D'après S. Grégoire le Grand, Paulin de Nole aurait voulu se livrer aux Vandales à la place du fils unique d'une pauvre veuve. Hilaire d'Arles poussa le dépouillement au point de célébrer la Messe dans un calice de verre. Cf. H. Leclercq, art. « Captifs » dans *D. A. C. L.* 2, 1910, col. 2122. Les rachats étaient le grand souci des empereurs au IVe siècle.

2. Comme saint Honorat, S. Martin, avant lui, avait déjà fait preuve de ce « bon sens d'une sainteté qui ne répudie pas le souci du minimum vital de chaque jour » (*S. M.*, p. 470) et il se réservait « de sa solde de quoi manger chaque jour » (*V. M.*, 2, 8 ; *S. M.*, p. 256-257).

10 fidem faceret occurrit. O felix munificentia cui fides ministrauit ! o felix fides cui munificentia numquam moram fecit !

2. Et uere quantum fides sua suppeditabat, dispensare sua tantum manu non occurrit : plurimos multis in locis 15 probatissimos uiros habuit, quorum semper manibus quod sibi deferebatur expenderet. 3. Sic unius dispensatoris gratia dispensatores multos habebat et fide sua, quasi communis quidam fons, et dantibus et accipientibus plurimis profluebat. Nullius paene angustiae ad ipsum perue- 20 nerunt quae ultra ipsum protenderentur ac non in ipso metam reperirent.

22, 1. Hinc iam certatim ad illum, ut putabat aut certe ut optabat, latentem undique litterarum officia perlata sunt. Quibus ille quam nouis adfectibus uariata reddebat, quam grauia, quam blanda, quam dulcia ! 2. Vnde pul- 5 cherrime splendidus mundo, splendidior in Christo, aemulus uirtutis suae beatus Eucherius, cum ab heremo in tabu-

10 faceret : fecerat *PH* || 10-11 ministrauit — munificentia *om. H* || 13 sua *om. O* Λ || 13-16 fides sua — expenderet 173^{r}, 27-31 *C n. l.* || suppeditabat : supputabat *G* D^{pc} suppetebat *BO* Λ *ER*D^{ac} || 14 manu non [+ *corr.* D^{2sl}] : mammon *D* || occurrit : occrit *D* u *add.* D^{2sl} || in *om. G A V C* PH* || 17 multos : multos multos D^{ac} || habebat : habebet H^{ac} || fide : fides *O*B^{ac} *A V C* γ *PH* || 18 plurimis *om. O* || 19 paene *om. G A V* || peruenerunt : preuenerunt *Gen.* praeuenerunt *Bar.* peruener *C ut uid.* || 20 ultra : ulla *V* || protenderentur : -retur *V* || ac : aut *G*B^{pc}*O* Λ *A V* D^{2mg} haud B^{ac} || 21 reperirent : repererint *H* reppererint *P*

22, 1 certatim ad illum : ad illum certatim *A* caritatem ad illum *H* || ut : illud *add. H* || 3 quam ... adfectibus : qua ... affatibus *R* || 4 unde : unus D^{2mg} *ut uid.* || 5 in *om.* λ *A* || 6 suae : eius B^{pc}*O* Λ || tabulis : stabulis *E*

---

1. Après la prise de Rome par Alaric qui eut lieu en 410, beaucoup de chrétiens vendirent leurs biens. Ils espéraient s'acquérir des mérites pour la vie future, ce qu'ils risquaient de ne plus pouvoir faire ensuite si ces biens étaient détruits dans un cataclysme ultérieur. « Sur le Célius, le palais des Valerii fut sans doute brûlé, car ses propriétaires Pinien et Mélanie, qui n'avaient pu le vendre en 404 parce qu'il coûtait trop cher, le cédèrent à vil prix en 411, tant il avait été abîmé et dépouillé de tout ce qui faisait sa valeur ; ces ascètes se félicitaient d'avoir pu liquider toutes leurs autres propriétés d'Italie avant l'invasion, et les envieux qui avaient mal jugé ces ventes destinées à des prodigalités charitables disaient d'eux : ' Ils sont

de ses paroles. Bienheureuse générosité qui eut la foi pour servante ! Bienheureuse foi que la générosité ne mit jamais en retard !

2. Assurément il ne pouvait pas, de sa propre main, distribuer tout ce que sa foi lui fournissait en abondance : il avait en de nombreux lieux un grand nombre d'hommes de toute confiance pour distribuer par leurs mains ce qu'on lui apportait [1]. Ainsi la générosité d'un seul dispensateur utilisait de nombreux dispensateurs et, du fait de sa foi, se répandait comme une source commune à tous, en abondance sur la multitude des bienfaiteurs et celle des bénéficiaires [2]. Il n'est presque personne dont les difficultés parvinrent jusqu'à ses oreilles sans qu'il pût les arrêter et sans qu'il pût y mettre un terme.

Honorat épistolier

22, 1. A partir de ce moment, comme à l'envi, parvenait à Honorat, si caché qu'il se crût ou du moins qu'il espérât l'être, l'hommage d'un courrier [3] arrivant de partout. Que de diversité, due à la fraîcheur de ses sentiments, dans sa façon d'y répondre ! Que de sérieux ! Que de charme ! Que de douceur ! 2. D'où la si jolie formule d'un homme brillant aux yeux du monde, plus brillant encore dans le Christ, son émule en vertu, le bienheureux Eucher [4] :

vraiment heureux, eux dont Dieu a libéré la fortune des mains de l'ennemi '. » (P. Courcelle, *Histoire littéraire des grandes invasions*, p. 54 ; cf. aussi la *Vie de sainte Mélanie*, ch. 14-19, *SC* 90, p. 154-169.)

2. Honorat fait du bien matériellement à ceux à qui il distribue des aumônes, mais il permet aussi à ceux qui lui ont fait ces dons de recevoir de Dieu les grâces que leur ont values leurs gestes de charité.

3. Aux ɪvᵉ et vᵉ siècles, où les voyages étaient difficiles et longs, l'échange de lettres donnait l'illusion de la présence et permettait éventuellement une sorte de « colloque spirituel » (*spiritus confabulatio* : Jérôme, *Ep.* 44, 1, *C. U. F.*, t. 2, p. 95). Ces lettres étaient des documents précieux, recopiés et répandus ; ils étaient diffusés par ceux qui les recevaient (cf. D. Gorce, *Les voyages, l'hospitalité et le port des lettres...*, p. 201-215).

4. Né d'une illustre famille, Eucher épousa une jeune fille Galla qui lui donna deux fils : Salonius et Véran. Il désira bientôt se consacrer entièrement à Dieu et il se retira d'abord à Lérins auprès de S. Honorat, ensuite à Lero, l'actuelle île Sainte-Marguerite pour y vivre dans la retraite peu après la fondation du monastère. Cassien leur dédia, à lui et à S. Honorat,

lis, ut adsolet, cera illitis, in proxima ab ipso degens insula, litteras eius suscepisset : « Mel, inquit, suum ceris reddidisti. »

10 3. Quis itaque non beatum se, beatam domum, beata scrinia sua credidit, in paruo ex ore ipsius munere magna benedictione ditatus ? Et sane tantum in scriptis illius salis, tantum dulcedinis erat ut non scriniis aut armariis, sed arca pectoris condi mererentur. 4. Inde est quod 15 plurimi ea inscripta sensibus ferunt et libentissime ad testimonium amoris sui proferunt. Denique quis umquam tantos sibi amicos praesentibus illigauit officiis quantos ille, qui se diligerent et auidissime desiderarent, habuit ignotos ?

<Pars qvinta : Hilarii vita monastica.>

23, 1. Interea ego, dum multimodam eius in omnes gratiam memoro, in me infinitam curam praetermitto, cum ipsius utique mihi cura non minus in Christo salutis adtulerit, quam amor inter uos ornamenti et honoris reliquit. 5 2. Mei enim gratia, quod ad meritum suum et iudicium

7 ab ipso : ad ipsum *E* || 8 ceris : caeris *E* cerae *O* || 9 reddidisti : reddisti *O* || 10 beatam domum : non b. d. *G* *om.* Λ || beata : non beata *G* || 11 sua [+ *add.* D^{2sl}] : *om.* γ || paruo : scrinio *add.* *V* || 12 in *om.* *C* || 13 erat : inerat *C* || 13-18 scriniis — desiderarent 173ʳ, 55-62 *C n. l.* || 14 arca : archa *A V* R^{pc} *D* || mererentur : me rentur E^{ac} merentur E^{pc} || 15 ea inscripta : i. ea *R* || 16 sui [+ *C**] : illius B^{pc} *O* Λ || 17 tantos : tantum *A V C* PH* || amicos : -corum *G A V C** γ *PH* || illigauit : all- Λ *D* || 18 ille [+ *add.* D^{2mg}] : *om.* γ || et auidissime : eta uidi- *V* || 19 ignotos : -tus *P*

23, 1 multimodam : multam *A* || eius in omnes : *om. et aliquas litteras eras. et* Honorati *scripsit* B^{x} *et add.* uestri B^{3sl} Honorati *O* Honorati uestri Λ || 3 ipsius utique : u. i. *G* ipsis u. *V* || cura : curam B^{ac} || in Christo salutis : s. in C. *O* || 4 uos [+ D^{2mg}] : eos *C ut uid.* γ nos *PH* || honoris [+ D^{2mg}] : amoris *A V C* γ *PH* || reliquit : -quid *V* || 5 suum : eius B^{pc}*O* Λ

---

ses conférences XI et XVII. Eucher écrivit, entre autres, trois œuvres de grande valeur : le *De laude eremi*, dédié à saint Hilaire quand ce dernier

ayant reçu de lui une lettre écrite de son désert sur des tablettes enduites de cire selon la coutume, au moment où il vivait dans l'île la plus proche de la sienne : « C'est son miel, dit-il, que tu as rendu à la cire. »

3. Qui donc, par suite, ne crut à son propre bonheur, au bonheur de sa maison, au bonheur de ses archives, quand il était comblé d'un petit message tombé de ses lèvres. Il est vrai, ses lettres étaient si pleines d'esprit, si pleines de tendresse qu'elles méritaient d'être renfermées non pas dans des archives [1] ou des bibliothèques, mais, oserai-je dire, dans le coffret d'un cœur. 4. De là vient que des hommes si nombreux les portent gravées dans leur esprit et les citent très volontiers comme un témoignage de son affection. Qui donc enfin s'est jamais attaché autant d'amis en leur rendant directement service qu'il en eut d'inconnus qui le chérissaient et désiraient si avidement le rencontrer ?

< V. — Hilaire : sa vie monastique. >

Conversion d'Hilaire

23, 1. Cependant, pour moi, tandis que je rappelle sa bonté inépuisable pour tous, je passe sous silence le soin infini qu'il eut de moi alors que sa sollicitude n'a certainement pas moins contribué à mon salut dans le Christ que son affection n'a laissé subsister de gloire et d'honneur parmi vous.

2. C'est à cause de moi, en effet — et ceci concerne son

revint d'Arles à Lérins, probablement vers 427, le *De contemptu mundi*, la *Passio Acaunensium martyrum* (cf. la *Clauis Patrum*, nos 488-499, p. 112-115). Monté sur le siège épiscopal de Lyon entre 427 et 441, probablement vers 428-429 ou 434, il fut un excellent évêque. Il retrouva en 441, au concile d'Orange, son fils Salonius, devenu évêque de Genève. Son second fils Véran devint évêque de Vence. De ses lettres, il ne reste que des fragments.

1. Les lettres qui en valaient la peine étaient soigneusement conservées par leur destinataire. Pour les mieux garder, on les transcrivait sur des tablettes de tilleul ou de citronnier. Quant aux originaux, ils étaient serrés jalousement dans les *armaria* ou *scrinia* (secrétaires) (cf. D. Gorce, *Les voyages, l'hospitalité, et le port des lettres...*, p. 246, note 7 et p. 277).

meum pertinet, patriam quam fastidierat non dedigna-
tur accedere ; nec refugit laborem tanti itineris suis prae-
cipue multis iamdudum infirmitatibus grauem. Venit
meque in illis iam annis nimis amicum saeculo et contu-
10 macem Deo, *ut seductor et uerax*[a], ad amorem Christi
blanda manu temptat. 3. Longum est intromittere illam
in exhortationibus ingenii sui uiolentiam, in quibus, cum
iam ante propositum acerrimos sibimetipsi ad conuersionem stimulos admouere potuisset, haustis diu *sapientiae*
15 *fontibus*[b] multipliciter diffundebatur. 4. Sed cum parum
in aures meas pietatis illius uerba descenderent, ad solita
orationis praesidia conuertitur, et adfectus sui clamor
repulsus duritia mea piissimas Dei usque ad misericordiam
pulsauit et penetrauit aures. 5. Et uere obluctanti mihi
20 et per saecularem illam nimis periculosam consuetudinem
obstinationem interdum meam sacramento obstringenti,
prophetico, ut ita dicam, spiritu ante iam praemiserat :
« Hoc, inquiens, quod mihi tu non praestas, Deus
praestabit. »

6 patriam : ad p. *G* || dedignatur : dignatur *PH*^{ac} || 7 tanti : tam longi *A V C* || suis : eius *D*^{xsl} || 8 multis iamdudum : i. m. *D*^{ac} || uenit [+ *add.* *D*^{2mg}] : *om.* *C* γ *PH* || 9 in illis iam : illic iam in illis *C* γ *PH* || annis *om.* *D* [in illis iam annis *D*^{2mg}] || 10 ut : aut *P* || seductor : -torem *G* reductor *P* || et *om.* *G* || 11 temptat : t. adducere *G* reuocare *add.* *H*^{xsl} || est *om.* *H* || 12 in¹ *om.* *G* Λ || ingenui sui : ingenuis *C* plenam i. s. *G* || in² *om.* *BO* Λ || cum *om.* *H*^{ac} || 13 iam *om.* γ || conuersionem : -sationem *V* -sationem suam *A* || 14 admouere : amouere *A V H*^{ac} || 14-18 haustis — misericordiam 173ᵛ, 24-32 *C n. l.* || sapientiae : -tia *A* || 16 aures meas : auribus meis *V* || descenderent : -derint *P* || 17-18 affectus sui clamor repulsus [+ *C** *D*^{2mg}] : effectus s. c. r. *Bar.* ita defectus s. clamore pulsus *PH* ita de fructu sui laboris pulsus *ED* ita depulsus *R* || 18 duritia : pluricia *P* || piissimas : -mos *O* || ad misericordiam : ac misericordes *A* || 19 et¹ : ac *A* *om.* *O* || penetrauit : penitrauit *E* peruenit *B* *om.* *O* || obluctanti : -tante *P* || 20 nimis : que *add.* *H*^{xsl} || 22 ante iam : iam ante *B*^{ac} antequam *PH* ante *A V C* || praemiserat : promiserat *G* γ praemiseramus *PH* promiseramus *H*^{pc} || 23 inquiens : inquies *C*^{ac} *P* inquit *H* || 24 praestabit : praestat *A V C ER PH*

23, a. Cf. *II Cor.* 6, 8

mérite et le jugement qu'on peut porter à mon égard — qu'il n'a pas refusé de se rendre dans un pays qui avait perdu pour lui tout attrait, qu'il ne s'est pas soustrait à l'épreuve d'un si long voyage [1], particulièrement pénible en raison de ses infirmités déjà nombreuses ; il arrive et, alors que déjà en ces années j'étais là-bas trop ami du siècle et rebelle à Dieu, lui, en séducteur et en homme véridique [a], il tente de m'amener d'une main douce à l'amour du Christ. 3. Il serait trop long d'évoquer ici la vigueur déployée par son esprit dans ses exhortations : déjà avant de réaliser sa vocation, il avait pu recourir à des arguments qui, semblables à autant d'aiguillons très acérés, avaient été de nature à le pousser lui-même à réaliser sa propre conversion et, comme il avait depuis lors longuement puisé aux sources de la sagesse [b], ce qu'il me dit en était imprégné de mille façons. 4. Or, comme ses paroles pleines de bonté avaient trop de peine à pénétrer dans mes oreilles, il se tourna vers son secours habituel : la prière, et le cri de sa tendresse, repoussé par ma dureté, frappa sans relâche les oreilles très saintes de Dieu jusqu'à l'apitoyer et y pénétra. 5. Pour moi, je résistais et, selon cette trop périlleuse habitude du monde, je m'engageais par serment à demeurer dans mon obstination d'alors. Mais lui, dans un esprit que je pourrais dire prophétique [2], avait formulé d'avance cette prédiction à mon égard, en me disant : « Ce que toi, tu ne m'accordes pas, Dieu me l'accordera. »

b. Cf. *Sir.* 21, 16

---

1. Il fallait parcourir une longue route pour se rendre de Lérins dans le pays natal d'Honorat et d'Hilaire. Nous apprendrons au § 7 qu'Hilaire a rejoint Honorat quand ce dernier avait déjà pris la route depuis deux jours. Mais au ch. 25, 2, parlant d'Arles par rapport à Lérins, Hilaire emploie une expression équivalente : *tam e longinquo.* Cette indication est donc trop imprécise pour nous permettre de découvrir de quel pays Honorat était originaire.

2. Le prophétisme de S. Honorat est suggéré ici de façon extrêmement discrète. Il en sera de même au ch. 36, 2 (cf. *S. M.*, p. 166, le développement sur le pneumatisme martinien).

25 6. Et o ! quam diu mollire duritiam meam nisus est imbre lacrimarum ! quam piis mecum pro salute mea osculis amplexibusque certauit ! Ad praesens tamen, ut ille ait, uici pessima uictoria. Exagitandum me illinc et edomandum dextera Dei suscipit : illi enim me oratione tradide-
30 rat. Qui tunc in corde meo fluctus, quae tempestates diuersarum et inter se compugnantium uoluntatum excitatae sunt ! Quotiens sibi in animo meo uelle et nolle successit ! 7. Et quid plura ? Absente illo, partes in me suas Christus exsequitur et post biduum orationibus suis per
35 miserationem Dei mea contumacia subiugatur. Fugauerat enim somnum cogitatio et, inuitante me pio Domino, totus eminus cum uoluptatibus suis mundus adstabat. Quid expetendum, quid relinquendum suaderetur, animus mecum meus, tamquam collatis apud amicum trac-

25 et o : o et *P* et *G* o *BO* || mollire duritiam meam : emollire d. m. *A* emolliore d. m. *V* d. m. mollire *C* γ *PH* || 26 mecum : meum *E* || 26-27 pro salute mea osculis amplexibusque : o. a. p. s. m. *BO* λ o. a. *G* || ut ille ait [+ D^{2mg}] : ubi ille abiit γ *om.* *O* || 28 uici : uicit *R* || pessima : -mam *BO* Λ *A V* || uictoria : -riam *BO* Λ *A V C* || exagitandum : exagittandum V^{pc} exigittandum V^{ac} et agitandum *PH* sed agitandum γ || 29 suscipit : suscepit *A* γ *PH* || me *om.* *O* || 31 compugnantium : pugnantium *O* || uoluntatum : uoluntatem *Bar.* uoluntates *G* uoluptatum *R* || 32 quotiens : quoties *B Gen. PH* quociens *V* || 34 bidum [+ D^{2mg}] : triduum γ *PH* || suis : illius B^{pc}*O* Λ || 36 somnum : summum *E* || inuitante : iuuante D^{2mg} || me : meo *D* || 37 eminus : emin *E* || suis [+ *add.* D^{2sl}] : *om.* *D* || adstabat : abstabat *B* || 38-41 quid expetendum — Honorati 173^v, 57-62 *C n. l.* || 38 suaderetur [+ *C**] : suaderet λ D^{2mg}

---

1. La *duritia cordis*, c'est la *sklêrocardia* des Grecs, l'endurcissement du cœur, conséquence de l'insouciance, de l'orgueil et de l'ingratitude (cf. *Is.* 6, 9-10).

2. S. Hilaire nous avait déjà représenté les compatriotes d'Honorat pleurant son départ (ch. 11, 4) ; de même, il montrera plus loin les assistants pleurant lors de sa mort. Mais ici, c'est Honorat lui-même qui pleure sur l'endurcissement d'Hilaire, comme au chapitre suivant il pleurera quand il le verra accourir repentant. Dans les œuvres de l'époque, on évoque souvent les larmes versées. La « veine larmoyante s'accordait... certainement avec la sensibilité chrétienne de ces générations » (*S. M.*, p. 557). L'expression *imber lacrimarum* se trouve dans les *Confessions* de S. Augustin (VIII,

6. Oh ! combien de temps il s'efforça d'attendrir ma dureté [1] sous une pluie de larmes [2] ! Quelle tendresse dans ses baisers, dans ses embrassements pour lutter contre moi dans l'intérêt de mon propre salut ! Sur le moment, pourtant, selon le mot d'un excellent auteur [3], « je fus victorieux en remportant la pire des victoires [4] ». Mais la main de Dieu se charge de me déloger de là et de me dompter ; Honorat m'avait livré à Dieu par sa prière. Quels remous alors s'élevèrent dans mon cœur, quelles tempêtes de volontés divergentes qui se combattaient l'une l'autre [5] ! Que de fois dans mon esprit se succédèrent le oui et le non [6] ! 7. A quoi bon en dire plus ? En son absence, son rôle en moi est repris jusqu'au bout par le Christ [7] et, deux jours plus tard, grâce à ses prières, par la miséricorde de Dieu, mon obstination se courbe sous le joug. Ma réflexion avait effectivement chassé mon sommeil et, tandis que le Dieu saint m'appelait, le monde tout entier, avec ses plaisirs, se dressait tout près de moi. Ce qu'il m'était conseillé de rechercher ou d'abandonner, mon esprit le passait au crible en moi-même, comme dans une dis-

12, 28). P. COURCELLE a montré que « la seconde moitié du livre VIII... a servi... de modèle à Hilaire d'Arles » « Nouveaux aspects de la culture lérinienne », p. 402).

3. Ce genre de formule, trop imprécise pour le goût de notre époque, était d'usage alors pour introduire une citation (cf. COURCELLE, *o. c.*, p. 405-406 et note 5 de la page 406 et *infra* ch. 31, 3).

4. La source de cette expression a été signalée pour la première fois par B. KOLON, « Die Vita S. Hilarii Arelatensis, eine eidographische Studie » dans *Rhetorische Studien*, t. 12, Paderborn 1925, p. 34 (cf. P. COURCELLE, *o. c.*, p. 406, n. 5, et p. 404, n. 7) : *Vae ! misero mihi uici monitorem pessima uictoria, putant illum non meam salutem, sed suum solatium quaerere* (S. JÉRÔME, *Vita Malchi*, ch. 3, *PL* 23, 55 b).

5. Cf. : *animam unam diuersis uoluntatibus aestuare* (*Conf.* VIII, 10, 23).

6. Cf. : *Ego eram qui uolebam, ego, qui nolebam* (*Conf.* VIII, 9, 21). Voir P. COURCELLE, *o. c.*, p. 402.

7. Le récit de la « conversion » d'Hilaire montre bien combien peu il a subi l'influence de Pélage, condamné en 418 par le concile de Carthage, les dernières survivances de sa doctrine l'étant en 529 par le concile d'Orange : dans ce récit, rien ne provient de l'initiative d'Hilaire, mais tout résulte de la grâce divine provoquée en quelque sorte par la prière d'Honorat (H. PINARD DE LA BOULLAYE, art. « Conversion » dans *D. S.* 2, 1953, col. 2236).

40 tatibus, uentilabat. 8. Gratias tibi, Iesu bone, gratias tibi qui *dirupisti uincula mea* [c], famuli tui Honorati pia supplicatione permotus, et iniecisti mihi uincula amoris tui, quibus si tenear, numquam peccati uincula reualescent ! Occurro itaque subditus, qui superbus abscesseram, et 45 omni contradictione deposita nouus precator accedo. Sic, sic sancti oratio fugitiuos suos reducit, sic contumaces subiugat, sic expugnat rebelles !

24, 1. Iam quibus ille tunc lacrimis ariditatem meam irrorauit ! Quam pio fletu me quoque traxit in lacrimas ! Tali me humilitate et blandimento, tamquam si ipse a me exciperetur, excepit. Ablata est illico causa remorandi. 5 Tunc primum illam patriam quam fugiendam dudum crediderat agnouit. Educit me secum, suam praedam ; gaudet, triumphat, exultat.

2. Heremo me iam tamen exemplo suo secreti cupidum festinat includere. Alit primum *lacte* et postmodum *cibo* [a], 10 potat me profluo illo qui in se erat caelestis *fonte sapientiae* [b]. Atque utinam tantum angustiae spiritus mei recepissent quantum ille studebat infundere ! Praeparasset

40 uentilabat : postulabat *G* || gratias *om. H* || tibi *om. A V C* γ *PH* || 41 dirupisti : disrupisti *C** γ *P* || pia *om.* Λ || 42 mihi *om. H* || 43 si *om.* P^{ac} || tenear : teneas *V C PH* || 45-46 nouus — oratio *om. R* || 45 precator : peccator *C* praedicator *A* || 46 fugitiuos : -uas C^{ac} || 47 expugnat rebelles : r. e. *G*

24, 1 ariditatem : aredi- *C* || 2 irrorauit : irritauit *A* || lacrimas : -mis *A V* || 3 me : enim Λ || blandimento : plandi- C^{ac} || si *om. G* || ipse : ipsi *R* || 4 exciperetur : acciperetur *D* [ex *indicauit* D^{2sl}] || illico : ilic *C* || 5 tunc : tum *BO* C^{o} || illam : esse *add. C* γ *H* || fugiendam : esse *add. BO* γ *PH* || dudum [+ *add.* D^{2mg}] : *om. D* || 6 crediderat agnouit : credideram agnoui *G* || educit *om. C* || suam praedam : p. s. γ || 8 tamen *om. D* || secreti : sui *add.* λ || 9 includere : inducere *G* C^{o} || 10 me : etiam *G A V C* γ *PH* || profluo : profluuio γ || fonte [+ *corr.* D^{2}] : fontis γ *P* || 11 angustiae : angusgustia Λ || spiritus mei : m. s. *G* || recepissent : -pisset *BO* Λ || 12 studebat : studuit *G A V C* studet *PH* || praeparasset : -rasse *P*

c. *Ps.* 115, 16
24, a. Cf. *Hébr.* 5, 12
b. Cf. *Sir.* 1, 5

cussion engagée avec un ami. 8. Grâces te soient rendues, bon Jésus, grâces te soient rendues, à toi qui « rompis mes liens [c] [1] », touché par l'instante supplication de ton serviteur Honorat et jetas sur moi les liens de ton amour ! Ces liens, si j'y reste assujetti, ne laisseront jamais ceux du péché reprendre leur vigueur ! J'accours donc soumis, moi qui m'étais retiré plein d'orgueil et, dépouillé de tout esprit de contradiction, nouveau suppliant, j'arrive auprès de lui. Voilà, voilà comment la prière d'un saint lui ramène les fugitifs, comment elle courbe sous son joug les obstinés, comment elle assure son triomphe sur les révoltés !

Hilaire à Lérins

24, 1. De quelle rosée de larmes dès lors il rafraîchit mon aridité ! Avec quels pleurs affectueux il me tira à moi aussi des larmes ! Telles furent l'humilité et la délicatesse de son accueil qu'on eût pu croire qu'il bénéficiait lui-même de mon accueil ! Il perdit sur-le-champ toute raison de s'attarder. Alors seulement il reconnut pour sien ce pays dont il avait jugé bon de s'échapper depuis quelque temps. Il m'emmène avec lui, comme sa proie ; il se réjouit, il triomphe, il exulte [2].

2. Cependant, il se hâte de m'enfermer au désert, mais déjà, à son exemple, je désirais rester caché. Il me nourrit d'abord de lait, ensuite d'aliments solides [a] [3], m'abreuve même à cette source abondante de sagesse [b] céleste qui était en lui. Ah ! si seulement mon esprit limité en avait profité autant que mon maître s'appliqua à m'en imprégner ! il m'eût assurément préparé pour vous

1. Cf. : *Recorder in gratiarum actione... : Dirupisti uincula mea* (*Conf.* VIII, 1, 1). Voir P. COURCELLE, *o. c.*, p. 402-403.

2. Cf. : *Inde ad matrem ingredimur, indicamus : gaudet. Narramus quemadmodum gestum sit : exultat et triumphat* (*Conf.* VIII, 12, 30). Voir P. COURCELLE, *o. c.*, p. 403.

3. Peut-être faut-il voir dans notre texte inspiré de saint Paul (*Hébr.* 5, 12-14) une expression métaphorique des deux étapes de la vie menée par Hilaire à Lérins : après un temps de formation où il vécut en cénobite avec les autres moines, Honorat lui aurait alors permis de vivre retiré dans un ermitage.

me profecto uobis et desiderio uestro dignum dedisset et successorem sibi idoneum nesciens erudisset. 3. Iam uero
15 illam sui in omnes profluam caritatem, quod sine inuidia dixerim, quantum in me adiecerat et *lene* illud Christi *iugum* [c], quantum mihi lenius blandimentis suis fecerat! Quotiens me mentem suam, quotiens animum, quotiens linguam suam nominabat! Quam impatiens absentiae,
20 quam semper indignissimi conspectus mei cupidus erat! Quid de his omnibus dicam, nisi illud propheticum quod *Dominus* ei *retribuit pro me* [d] ?

<Pars sexta : Honorati in Episcopatv virtvtes.>

25, 1. Interea ego, dilectissimi, strictim contingens potius cuncta quam referens, de sollertissimo pastore uestro ea quae aliis potius quam uobis erant nota, refricaui. Sacerdotium quippe suum in ecclesia hac nomine

13 profecto [+ B^{3mg}] : propheto *scripsit B et exp.* B^x || 13-14 et successorem sibi idoneum nesciens erudisset [+ *add.* B^{2mg}] : *om. B* || 15 illam sui in omnes profluam caritatem [+ B^{ac} *I**] : quam proflua illius in omnes caritas *PH* proflua illius in omnes caritas B^{pc}*O* γ quam proflua illius nominis caritas *C** || 15-18 caritas — mentem suam 174r, 27-31 *C n. l.* || 16 lene [+ *I**] : leue *GBO A D* laeni *C** || illud *om. A* || 16-17 christi iugum : i. c. *PH* || 17 quantum : in quantum γ quanto *C** quanti *P* || lenius : leuius *BO A V D* || fecerat : effecerat *G* || 18 me [+ *C**] : *om.* λ *A V* || suam [+ *C**] : meam *BO* Λ *A* || animum : -mam *C* γ *PH* || 19 suam : *om.* λ *A V D* || absentiae : meae *add. G* || 21 his omnibus : o. h. *R* || quod : *eras.* B^x *om. O* Λ || 22 retribuit : -buat λ *D*

25, 2 cuncta quam : q. c. *G* || 3 uobis : nobis *D* || refricaui [+ D^{2mg}] : refricauit *V* replicaui *C* γ *PH* || 4 suum : illius B^{ac}*O* Λ || hac : ac *V*

c. Cf. *Matth.* 11, 30
d. Cf. *Ps.* 137, 8

1. Cf. « ... *Leni iugo tuo* » (*Conf.* IX, 1, 1). Voir P. Courcelle, o. c., p. 403.
2. A l'arrivée d'Honorat, la richesse et l'illustration d'Arles à l'époque étaient le résultat non seulement d'un heureux concours de circonstances politiques, mais aussi celui du cosmopolitisme de la ville : à une population indigène celto-ligure s'étaient jointes des colonies grecques, romaines, juives,

qui m'écoutez aujourd'hui, rendu digne de votre espoir et il eût formé, sans le savoir, un successeur digne de lui. 3. Déjà certes, cette charité qui débordait de lui sur tous — permettez-moi de le dire sans susciter l'envie —, combien il l'avait accrue encore pour moi ! Et ce joug du Christ doux à porter [c] [1], combien il l'avait rendu plus doux pour moi par ses délicatesses ! Que de fois il me disait que j'étais « son âme », « son cœur », « sa voix » ! Comme il supportait mal mon absence ! Comme il souhaitait toujours ma si indigne présence ! Que dire de tout ceci, sinon cette parole du prophète : « Le Seigneur acquitte ma dette de reconnaissance envers lui [d] » ?

< VI. — Vertus d'Honorat évêque. >

Honorat devient évêque d'Arles

25, 1. Cependant, mes bien-aimés, pour ma part, j'évoque brièvement l'ensemble de sa vie plutôt que je n'en fais un récit détaillé et j'ai ravivé ainsi sur votre pasteur [2] aux dons si remarquables des souvenirs connus des autres plutôt que de vous-mêmes. Car nous avons vu sa dignité de prêtre accrue encore par le titre d'évêque dans la présente église [3], bien que cette dignité

orientales ; la connaissance qu'avait de la langue grecque toute une partie des habitants, les ateliers de sculpteurs héritiers de la technique grecque et d'où sortaient d'admirables sarcophages contribuèrent aussi à faire d'Arles, de 417 à 450, une cité extrêmement brillante, héritière du meilleur des civilisations antiques et pourtant pleine de dynamisme : *Gallula Roma* : « la petite Rome des Gaules », selon l'expression d'Ausone (*Ordo nobilium urbium* ; v. 74, *M. G. H.*, *AA* V, 2, p. 100).

3. La présente église, celle où est prononcé le *Sermo*, est l'église-cathédrale d'Arles en 431. Son identification est fort discutée. Selon Fernand Benoît, une première cathédrale, qui vit le concile de 314, aurait été bâtie avec son baptistère (*uetus baptisterium*) près du rempart, succédant à un temple désaffecté appelé temple de Diane. Ayant reçu plus tard le titre de *Beata Maria*, elle fut incorporée vers le second tiers du vᵉ siècle à l'église du couvent de religieuses que saint Césaire avait construite pour sa sœur Césarie, contiguë à cette première église épiscopale. A la jonction du *cardo* et du *decumanus*, entre le théâtre et le forum, s'éleva une autre église : la cathédrale Saint-Étienne. Là, en 449, fut transportée la dépouille de saint

5 auctum uidimus, sanctimonia uero et actibus iam prius summum. 2. Sed unde illud, quaeso, quod tam e longinquo tam ignotus expetitur ? Quis illam absentis nec prius uisi gratiam uestris pectoribus adfixit ? Quis illud desiderium suscitauit ut orbatus his quibus a Domino apud 10 heremum indultus erat, uobis nasceretur ? 3. Ille utique qui cuncta dispensat, ille qui eum et patriae suae, quamdiu congruum uidebat, indulsit et per maria et per terras, ad utilitatem uidentium hanc tantam cultoris sui gratiam circumegit.

26, 1. In summa uero, ex illo breui quo uobis indultus est tempore, facile metiri datur quid plus de illo in his, quid minus dixero. Vidistis enim, dilectissimi, illam sollicitudinis uigilantiam, illud disciplinae studium, illas pietatis 5 lacrimas, illam iugem ac perpetuam mentis serenitatem,

5 auctum : actum *A V* et actu λ || 6 unde : de *C* || e longinquo [+ D^{2mg}] : elonginquo *B* longinquo *P* longinco *C* de longinquo *H* longinquus γ || 7 expetitur : expeditur *P* || 9 orbatus [+ *I**] : -tis *omnes praeter* Λ || his : iis B^{pc} || 10 indultus : adultus V^{x} adaltus *V* || 12-**26**, 5 et per terras — la-crimas 174^{r}, 55-62 *C n. l.* || 12 et per terras : et per terram D^{ac} per terras *G V C* P* et terras *Bar.* || 13 cultoris sui gratiam [+ *C* add.* D^{2mg}] : c. illius g. *A* *om.* γ *PH* || 14 circumegit : insulam *add. ER*
26, 1 in summa [+ *add.* D^{2mg}] : in *C** *om. ER* *eras.* D^{x} || summa — est *om. C** || uero *om. omnes praeter* λ *eras.* D^{x} || 2 est *om.* G^{ac} *V* || in his [+ *C**] : *om. I** Λ || 3 uidistis : -ti *V* || dilectissimi *om. G* || illam : ad illam *P* || 5 serenitatem : strenuitatem *BO*

Hilaire peu après sa mort. Son baptistère date du ve siècle. Elle prit plus tard le titre de Saint-Trophime qu'elle porte encore. — A cause du texte de la *Vita Hilarii* (*B. H. L.* 3882) ou de la *Vita Caesarii* (*B. H. L.* 1508-1509) ou même des *Statuta uirginum*, qui insistent sur la proximité de la maison de l'évêque et de l'abbaye fondée pour Césarie, on a voulu remettre ces résultats en question et faire de cette dernière église, l'église Saint-Étienne d'Hilaire et de Césaire (cf. Marie-José Delage, édition des *Sermons au peuple* de saint Césaire, t. 1, *SC* 175, p. 22-26). Les textes invoqués ne nous ont cependant pas déterminée à rejeter les conclusions auxquelles était parvenu Fernand Benoît dans deux remarquables études : « Le premier baptistère d'Arles et l'abbaye Saint-Césaire » et « Arles » dans *Villes épiscopales de Provence*, p. 15-21). En effet, le fait que la maison épiscopale était proche de l'abbaye de Césarie n'infirme en rien la thèse de F. Benoît car, de

fût déjà hors de pair en raison de sa sainteté et de ses actions. 2. Mais d'où vient alors, je vous le demande, que de si loin on recherche un homme si peu connu [1] ? Qui ancra en vos cœurs un tel amour d'un être absent et jamais vu encore ? Qui suscita en vous ce désir qui le fit, ayant perdu ceux à qui Dieu l'avait accordé au désert, se mettre à vivre pour vous ? 3. Sans aucun doute, c'est celui qui dispense tout : celui qui non seulement en fit don aussi à son pays tant qu'il le jugea convenable, mais le fit aussi voyager sur terre et sur mer pour le bien de ceux qui voyaient ainsi cette si grande grâce de son serviteur.

Honorat image de la charité

26, 1. Bref, d'après cette courte période où sa présence vous a été accordée, il est facile de mesurer en quoi mes paroles à son sujet se situeront au-delà ou en deçà de la vérité. Vous avez vu, en effet, mes bien-aimés, cette vigilance de sa sollicitude, ce souci de la règle, ces larmes de piété, cette sérénité d'âme constante

toute façon, la distance n'était pas grande entre les deux : moins de trois cents mètres à vol d'oiseau et rien ne dit que Césaire ait pu habiter, dès son élévation à l'épiscopat, une maison voisine de la nouvelle cathédrale, la cathédrale pouvant être terminée sans qu'une nouvelle demeure épicopale le fût. Quoi qu'il en soit, le fait que l'ancien baptistère se soit trouvé à côté de l'abbaye semble prouver que la première cathédrale s'élevait en ce lieu.

1. L'Église d'Arles venait de connaître alors des jours agités : l'évêque Patrocle avait été assassiné en 426 par un tribun. Il est probable qu'Honorat ne lui succéda pas immédiatement et qu'un certain Helladius occupa le siège peu de temps. Honorat, à son tour, aura succédé à Helladius en 426 ou 427. Cf. Lenain de Tillemont, *Mémoires...*, t. 12, p. 680 ; É. Griffe, *La Gaule chrétienne à l'époque romaine*, t. 2, p. 239-242.

L'accord du peuple était requis pour l'élection d'un candidat à un évêché. La cérémonie se passait à la basilique. Le nouvel évêque était choisi en général parmi le clergé du lieu, mais il le fut souvent aussi, surtout dans le Sud-Est, parmi les moines dont les fidèles appréciaient les qualités évangéliques, ainsi S. Martin, Eucher, Hilaire, Césaire, Fauste de Riez. Les évêques voisins étaient presque toujours présents et eux seuls pouvaient agréger le nouvel élu à leur collège épiscopal. Cf. J. Gaudemet, *L'Église dans l'Empire romain, IVe-Ve siècles* (« Histoire du Droit et des Institutions de l'Église en Occident », t. III), Paris 1958, p. 330-338.

cuius testimonium uultus immutabilis erat. 2. Audistis quoque os illud congruens uitae, in quo erat consentanea puritati pectoris sermonis luculentia. Vidistis illam latitudinem caritatis quae tanta in illo fuit ut non immerito
10 de illo sanctus idem cuius proximam sententiam proposui, dixerit quod, si arbitrio suo caritas ipsa hominum uultu exprimenda esset, Honorati potissimum pingi debere uultu uideretur.

3. Quis itaque illum umquam sufficienter uidisse sibi
15 uisus est ? Cui non loco omnium adfectuum fuit ? Quis ita blandimentum cum seueritate coniunxit ? Quis ita mixtam laetitiae disciplinam propinauit ? Quem non cum ipsius gaudio qui corrigebatur correxit ? 4. Quando laetitia illius quicquam lasciuiae redolens, quando tristitia non
20 salubris, quando gemitus nisi de peccati alieni maerore descendens ? Quis eum non auctiorem inuenit quam prius uiderat ? Semper in summitate uirtutum positus, semper quo crescere posset inuenit.

27, 1. Iam uero sub exhortatione ipsius quis anxius non dolorem suum spreuit ? Quis feris moribus non insaniam

6 testimonium : prope modum *A* || 7 illud congruens uitae *om. C* || consentanea [+ *corr.* D^{2mg}] : consentania *C* conscientia γ *PH* || 8 puritati : purificati γ puritas *A* D^{pc} puri *PH* || 9 tanta : -tam *V* || immerito : merito C^{ac} || 10 idem *om. BO* || proposui [+ *I**] : posui *GBO C* γ *PH* protuli *A* profui *V* || 11 quod si : quasi *C* || arbitrio suo : hominum *add.* B^{pc} arbi sruo hominum *O ut uid.* || 11-12 hominum uultu exprimenda esset [+ *I**] : ex. es. in uultum *A V C* γ *PH* ex. es. in uultu $B^{pc}O$ ex. es. uultu *G* ex. es. B^{ac} || 12 Honorati : horati *V* || uultu *om. O A* || 14-16 quis itaque — coniunxit *om. B et add. infra* B^2 *atque* B^{3mg} *et supra* serenitate *scripsit* seueritate B^4 *haec uerba om. et post* abominatus est (27, 4) *add. O* || 14 illum : eum illius *H* || 15 adfectuum : -tum *P* -tus *H* || 15-16 quis ita — coniunxit [+ *add.* D^{2mg}] : *om.* γ || ita : itaque *PH* || 16 blandimentum : -menta *O* || ita : itaque *PH* || 17 laetitiae : hilaritate γ *PH* hilaritati *C* || propinauit : propriauit γ [pina D^{2sl}] || 17-18 cum ipsius gaudio qui corrigebatur : cum i. qui c. uoluptate *C E*R^{pc}*D* i. cum qui c. u. R^{ac} || 19 illius : eius λ D^{2mg} ipsius *D* || lasciuiae : -uiens *P* || quando : quam D^{xmg} || 20 quando : quam C^{ac} || 21-27, 3 auctiorem — adrogans non 174ᵛ, 25-32 *C n. l.* || 21 auctiorem [+ D^{2mg}] : auctorem *V PH* altiorem γ || inuenit : uidit *G* || 22 uiderat : uiderant *V* || uirtutum positus : p. u. *H* || 23 posset : -sit *V C* PH*

et incessante dont témoignait un visage inaltérable[1]. 2. Vous avez entendu aussi cette parole conforme à sa vie, où l'éclat du discours était en harmonie avec la limpidité du cœur. Vous avez vu cette ampleur de sa charité : elle fut si grande en lui que le même saint[2] dont je viens de citer une pensée a dit non sans raison que, si on lui demandait quel visage humain donner à la charité, c'était d'après lui, le visage d'Honorat qu'il fallait peindre de préférence à tout autre[3].

3. Est-il quelqu'un qui ait jamais estimé l'avoir assez vu ? Pour qui ne remplaça-t-il pas toutes les affections ? Qui joignit à ce point délicatesse et rigueur ? Qui servit le breuvage de la règle à ce point coupé de joie ? Qui fut corrigé par lui sans être heureux d'être corrigé ? 4. Y eut-il un moment où sa joie refléta un certain relâchement ? où sa tristesse ne fut pas salutaire ? où ses gémissements eurent une origine autre que le chagrin du péché d'autrui ? Qui, en effet, n'a pas trouvé en lui une grandeur supérieure à celle qu'il avait vue en lui précédemment ? Toujours placé au faîte des vertus, il a toujours trouvé moyen de monter davantage[4].

Honorat modèle de toutes les vertus

27, 1. J'ajoute : sous l'effet de ses exhortations, quel homme, en proie à l'angoisse, ne surmonta son épreuve ? Qui donc, brutal en son comporte-

27, 1 anxius : anexius *V*

1. De même Sulpice Sévère avait célébré l'*apathéia* de S. Martin : *unus idemque fuit semper* (*V. M.*, 27, 1, *S. M.* p. 314-315).
2. Il s'agit de S. Eucher dont une formule avait été citée au ch. 22, 2.
3. Sulpice Sévère célèbre aussi la bonté grandissante de saint Martin (*Ep.* 2, 14, dans *S. M.*, p. 330-333). On est tenté de rappeler à ce propos l'expression de Polycarpe évoquant les martyrs, « images de la vraie charité » ; τὰ μιμήματα τῆς ἀληθοῦς ἀγάπης (*Lettre aux Philippiens*, 1, dans Ignace d'Antioche, Polycarpe de Smyrne, *Lettres — Martyre de Polycarpe*, *SC* 10[4], p. 176-177).
4. On retrouve ici la conception dynamique de la perfection déjà indiquée au ch. 5, 1 : le chrétien doit s'efforcer de progresser chaque jour dans une ascension spirituelle perpétuelle, par laquelle il tend peu à peu à se rapprocher de Dieu (cf. *supra*, p. 79, n. 4).

suam exsecratus est ? Quis adrogans non plus quam omnes superbiam ipse suam abominatus est ? Quis lasciuus luxuriam non detestatus est ? 2. Et quid plura ? *omnibus omnia*, ut apostolus ait, *factus* [a], communis omnium medicina erat. Nullam paene gratiam non in se tam plenam habuit ut ipsam specialiter excolere et possidere tamquam unicam putaretur ; in nullo uitae ordine non ita uiguit ut ipsi specialiter aptus uideretur.

28, 1. Denique ut primum ecclesiae huius regimen accepit, prima ei cura concordiae fuit et praecipuus labor fraternitatem, calentibus adhuc de adsumendo episcopatu studiis, dissidentem mutuo amore conectere. Tamquam probatus Israelis agitator, probe nouerat non facile

3-4 non plus quam omnes superbiam ipse suam : sup. suam n. p. q. o. *G* || 4 est *om. V* || *post* est *add. O uerba* quis itaque — coniunxit (*supra* **26**, 14-17) || quis lasciuus — detestatus est : *haec uerba omissa in mg. inf. scr.* B^1 || 5 detestatus est : detestatus *G C* γ P* -tatur V^{ac} *H* || 6 ut apostolus ait factus communis : ut ap. ait f. communes *C* ut ait ap. f. communis *O H* f. communis ut ap. ait *G* || 7 nullam : nullum *A* || paene : plene Λ || plenam : plene *G* || 8 ipsam : non *add.* D^{2mg} C^o || 9 ordine : genere D^{2mg} || ita : tam *G* C^o || 9-10 ut ipsi : ut ipsis *V* ut ipse *C** ut nisi *D* quin ipsi D^{2mg}

28, 1 ecclesiae huius : e. h. arelatensis *A* sanctae h. e. *O* sanctae h. arelatensis e. *B* Λ D^2 || 3 fraternitatem : -tate *A* C^{*pc} D^2 -tatis γ || calentibus : colentibus *Bar.* carentibus *C* || adsumendo : sumendo γ [as *add.* D^{2sl}] || 4 episcopatu [+ D^{2mg}] : episcopo *C* γ *PH* || dissidentem [+ D^{pc}] : -dentes Λ *ER*D^{ac} || conectere : connectere *omnes praeter C** || 5 israelis : isrraelis *O* israhelis *V RD PH* isrhlis *A* isrlis *G E* C^o

---

27, a. *I Cor.* 9, 22

---

1. La même métaphore était déjà utilisée au ch. 15. Quant au mouvement du texte, on le trouve antérieurement dans la *Vie d'Antoine* (ch. 87, *PG* 26, 965), mais avec la comparaison du saint avec un médecin placée en tête de développement.

2. Cf. l'idéal « cumulatif » de sainteté défini par J. Fontaine, *La littérature latine chrétienne*, p. 81 (*La letteratura latina cristiana*, p. 103).

3. L'auteur fait allusion aux troubles graves qui agitèrent la cité d'Arles après l'assassinat de l'évêque Patrocle et aux passions suscitées par sa succession.

4. Cette curieuse expression : *Israelis agitator*, « conducteur, cocher d'Israël », a été empruntée au *IVe Livre des Rois* 2, 12, selon la *Vetus Latina* ; c'est l'exclamation d'Élisée saluant l'ascension d'Élie sur son char. P. Sabatier (*Vetus Latina*, t. 1, p. 598-599) en cite plusieurs utilisations, auxquelles on pourrait ajouter l'expression de Paulin de Nole : *agitator Israel Deus*

ment, ne prit ses propres écarts en horreur ? Qui donc, plein d'arrogance, n'abomina lui-même son propre orgueil plus que tous les autres ? Qui donc, adonné à la débauche, ne détesta la luxure ? 2. A quoi bon m'étendre davantage ? « S'étant fait », selon la parole de l'Apôtre, « tout à tous [a] », il était un remède auquel tous pouvaient recourir [1]. Il eut presque toutes les qualités à un tel degré de plénitude que, pour chacune, on croyait qu'il la cultivait seule particulièrement et qu'elle était pour ainsi dire la seule qu'il possédât. Il assuma toutes les formes de vie avec une telle intensité qu'il semblait particulièrement doué pour chacune d'elles en particulier [2].

Ses vertus de pasteur

28, 1. Enfin, dès qu'il eut le gouvernement de cette église, son premier souci fut la concorde, et sa principale tâche, d'unir dans un mutuel amour un ensemble de frères désunis [3] par les passions encore brûlantes soulevées par la succession de leur évêque. Comme le cocher parfait d'Israël [4], il savait parfaitement qu'il n'est pas facile de

(*Carm.* 24, 802). Dans ce poème où Paulin félicite son destinataire Cythérius de confier l'éducation de son fils à Sulpice Sévère, il forme le souhait que le jeune homme, ayant reçu une bonne formation, dirige le char de l'Église paré de tous les attributs d'un imperator honoré du triomphe, à l'image de Dieu qui dirige lui-même le char de l'Église au milieu de mille clameurs de joie : *regalis etenim currus est Christi caro/corpusque sanctum ecclesia/quo uehitur ipsi milibus laetantium/agitator Israel deus* (*Carm.* 24, 799-802, *C. S. E. L.* 30, 1894, p. 233). — Dans notre *Sermo*, Hilaire latinise l'expression par l'emploi du génitif *Israelis* et il ne l'applique pas à Dieu mais à Honorat, en tant qu'évêque responsable de la marche de l'Église. Les mots qui encadrent cette expression : *probatus* d'une part, *probe nouerat non facile quicquam imperari* d'autre part, expriment l'idée qu'Honorat, par expérience, savait que, si la concorde ne régnait pas entre les Arlésiens, il ne pourrait pas remplir son rôle de chef spirituel vis-à-vis d'eux. Mais, assez curieusement, cet adjectif *probatus* se retrouve quelques vers plus haut dans le *Carmen* de Paulin cité ci-dessus, au vers 749 : *sit et hic probatus corporis custos sui* (o. c., p. 231). Paulin souhaite que, tel un autre Joseph, après avoir subi le joug de son précepteur, le jeune fils de Cythérius soit semblable à un homme qui, délivré de l'esclavage de ses passions, réalise l'unification de son être et se dirige lui-même et dirige le navire de l'Église d'une main ferme (cf. le mythe bien connu du *Phèdre* de Platon 246[a]-247e) : *Nam quomodo ille praesidebit proximis praeesse qui nescit sibi ?* (*id.*, v. 767-768). —

quicquam discordantibus imperari. 2. Studebat praeterea amore potius regere quam terrore dominari, ut uoluntaria magis quam coacta correctio hunc quoque subditis adiceret ornatum ne ad officium suum compulsi puta-
10 rentur. Confestim itaque exclusa discordia illi quae est uirtutum omnium mater caritati locum praebuit.

3. Floruit igitur sub illo Christi ecclesia sicut monasterium ante floruerat. Creuit gratiis, decreuit metallis : ingressa uidelicet disciplina, tamquam domum suam
15 domina, *mammona iniquitatis* [a] exclusit, et quae otiose diu congesta fuerant, dignis tandem usibus deputantur. 4. Dudum defunctis thesauros suos misit ; iterumque qui obtulerant oblationum suarum refrigeria senserunt. Hoc solum quod ministerio sufficiens erat reseruauit sed, si
20 exegisset usus, nec ministerio, ut reor, pepercisset. Alieni temporis uota dispensationem suam fecit.

8 coacta : foret *add.* D^{2mg} || correctio : coerctio *BO* correptio *R* correcio *V* || hunc : hinc *ER H* || 9 ornatum : ornamentum *H* || putarentur : putaretur PH^{ac} || 10-13 confestim — ante 174^{v}, 57-62 *C n. l.* || 10 exclusa : exculsa *V* || discordia [+ *corr.* B^{3}] : desideria *BO* || illi : ilico *G* || 10-11 uirtutum omnium [+ C^{*}] : o. u. *A E* || 11 caritati *om.* *O* || praebuit : praebuerunt *O* dedit B^{ac} || 12 illo : ipso C^{*} γ *PH* || monasterium [+ *add.* B^{3mg}] : *om.* *BO* || 13 metallis : metus *V* C^{o} || 14 disciplina : domum sua domina *add.* D^{2mg} sua *add.* *ER* || 14-15 tamquam domum suam domina : t. domo sua d. *PH* t. domu suam dominam suam *V* t. domo dominica *ER* suam t. domum domina D^{ac} t. suam domum domina D^{pc} domum suam I^{*} Λ *om.* *A* || 15 otiose : otiosae *A* C^{*} || 16 congesta : -tae *A* || deputantur : computantur I^{*} deputauit *GBO A C* γ *PH* computauit *V* || 17 thesauros : -ris *V* || iterumque : terumque *V* itaque Λ || 18 oblationum suarum refrigeria : r. o. suorum *O* || 19 sufficiens erat : esset s. *G* C^{o} || 19-20 si exegisset usus nec : si exig- u. n. *P* et si necessitas exegisset *G*

28, a. *Lc* 16, 9

Chez Paulin, on trouve l'idée que seul un être qui sait par expérience maîtriser ses propres faiblesses peut exercer une autorité sur les autres. Hilaire, de son côté, insiste sur le fait qu'un chef expérimenté doit en premier lieu faire régner la paix entre ses subordonnés afin de pouvoir ensuite exercer son autorité, tel un bon cocher. Est-on en face d'un exemple d' « innutrition » avec passage d'un plan à l'autre, Hilaire ayant connu ce poème et emprunté à Paulin plus qu'une simple formule, ou bien s'est-il contenté de reprendre une expression de la *Vetus Latina* en lui adjoignant une vérité

commander à des hommes divisés. 2. Il s'appliquait en outre à gouverner par l'amour plutôt qu'à dominer par la crainte [1], afin que l'amendement, obtenu de plein gré plus que par coercition, présentât de surcroît pour ceux qui s'étaient soumis l'honneur de n'être pas soupçonnés d'avoir accompli leur devoir contraints et forcés. Aussi la discorde, bannie sans retard, céda-t-elle la place à cette charité qui est la mère de toutes les vertus.

3. On vit donc florissante sous sa direction l'Église du Christ, comme avait été florissant auparavant son monastère. On vit croître en elle les grâces, décroître les richesses en métaux précieux : ainsi l'ascèse, ayant fait son entrée comme une maîtresse dans sa maison, en chassa le « Mammon d'iniquité [a] », et ce qui était resté longtemps amassé sans servir trouva par ses soins des utilisations enfin pertinentes. 4. Il fit profiter ceux qui étaient morts depuis longtemps de leurs propres trésors : une seconde fois, les donateurs éprouvèrent le rafraîchissement [2], fruit de leurs propres offrandes. Il réserva juste ce qui suffisait aux besoins de son ministère ; mais, si la nécessité l'eût exigé, il n'eût pas hésité, j'en suis persuadé, à retrancher même sur les besoins de son ministère. Il se chargea lui-même de répartir les offrandes faites du temps de ses prédécesseurs.

de bon sens, un lieu commun de la morale traditionnelle ? De toute façon, ces ressemblances entre le vocabulaire et les thèmes bibliques et moraux des deux textes montrent que ce *Carmen* et le *Sermo de Vita Honorati* sont l'œuvre d'écrivains de culture et de spiritualité identiques.

1. Ce conseil se trouvait déjà exprimé dans la littérature païenne, en particulier dans la *Cyropédie* de XÉNOPHON (8, 2, 26), dans le *De Officiis* de CICÉRON (2, 23). Il sera repris par S. AUGUSTIN (*Ep.* 211, 15, *C. S. E. L.* 57, p. 370), puis par S. HILAIRE dans notre *Vita*. Il figurera plus tard dans la *Règle de S. Benoît* (*Studeat plus amari quam timeri*, ch. 64, 15, *SC* 182, p. 650). Voir Karl GROSS, « Plus amari quam timeri, eine antike politische Maxime in der Benediktinerregel », p. 218-229.)

2. Les fidèles qui avaient fait des dons à l'Église en mourant avaient reçu de Dieu des grâces en retour de cet acte de charité. Mais les prédécesseurs d'Honorat n'avaient pas profité de cet argent pour faire du bien, ils l'avaient thésaurisé. Quand S. Honorat dépense cet argent et l'utilise pour soulager des misères, Dieu, dans sa bonté, comble encore une fois de grâces ceux qui, par leurs dons généreux, ont permis à Honorat de répartir ces aumônes (cf. la note au ch. 18, § 3 et S. CYPRIEN, *De opere et eleemosynis*, 2, *C. S. E. L.*, 3, 1, 1868, p. 374).

<Pars septima :
Aegritvdo, obitvs, sepvltvra.>

29, 1. Operari etiam inter extrema non destitit : multos in lectulo suo uerbi dispensatione ditauit. Sed quamdiu illum lectulus tenuit, cui superare etiam uicinas morti lassitudines iam in consuetudinem uenerat ? 2. Vltimum
5 doloribus iam reluctantibus, Epiphaniorum die in ecclesia sermonem habuit, nesciens umquam, colluctante cum infirmitatibus fide, dolori magis corporis quam spiritus feruori acquiescere, seruiuit desideriis uestris supra suas uires. 3. Non illum siquidem aliqua extrinsecus superue-
10 niens aegritudo, non subitus febrium aestus absorbuit, sed diu dilata infirmitas, nimio dudum propositi rigore contracta et adhuc remissioni parum acquiescendo ingrauescens, octauo eum uel nono die a solemnitate praedicta paulatim extenuando confecit. 4. Vix quatriduo tamen
15 nobis suam in officiis caritatis deditis praesentiam denegauit, timens utique ne suos uicinia transitus sui contristaret. Nulli umquam grauis inter grauissimas aegritudines fuit, nulli, ut adsolet, ullum infirmitates suae horrorem intulerunt.

29, 1 destitit : distitit *C P* || multos : etiam *add. BO* || 2 lectulo [+ D^{2mg}] : lecto γ || 3 lectulus : lectus *A* || morti : mortis *BO* C^{o} || 4 iam *om. Bar.* || uenerat : uenera *V* ueniret *Gen.* qui *add.* H^{xsl} || 5 epiphaniorum : epyph- *G A* γ *PH* ephifan- *V* epyfan- *C* || die : diebus γ || 6 habuit [+ *corr.* D^{2}] : huit *D* || colluctante : conflictante *C* γ *P* conflictantem *H* || 7 fide : fidem *H* || 7-8 spiritus feruori : s. feruore *C P* feruore s. *G* || 8 supra : super *B A V* || 8-9 suas uires : u. s. *G* C^{o} || 9-12 aliqua — et adhuc 175r, 27-32 *C n. l.* || 11 nimio [+ D^{2mg}] : uno *D* || rigore : uigore *ER*D^{ac} *PH* || contracta [+ C^{*}] : -tat *A V* || 12 parum : patrum *V* || 13 octauo : undecimo *C* || uel nono : eum *C* || die a solemnitate : d. s. PH^{ac} d. solemnitatis *ER*D^{pc} solemnitatis die D^{ac} || praedicta : praedictae γ id est septimo decimo Kl Febr. *add. C* || 14 extenuando : enuando *C ut uid.* || 15 nobis [+ D^{2}] : uobis *D* || officiis : offitiis *V* || caritatis [+ D^{2}] : caritati *C H* caritate γ caritatem *P* || deditis : debitis B^{pc} γ *P* *om. O* || 16 utique *om. C* || suos : suus PH^{ac} || uicinia : in u. *D* || transitus sui : s. t. *G* transitu *V* || 17 grauis : -ues *C* || aegritudines : -nis *C* || 18 nulli : nullum D^{ac} C^{o} || ullum *om. C ut uid.* || infirmitates : -tatis *C ER* -tate D^{ac} || suae : sua B^{ac} eius B^{pc} *O* Λ || 19 intulerunt : -tulit *ER*

< VII. — Maladie, décès, funérailles d'Honorat. >

Ultimes activités d'Honorat

29, 1. Même aux derniers moments de sa vie, son activité ne cessa pas ; nombreux furent ceux que, de son lit, il enrichit du trésor de sa parole. Mais combien de temps fut retenu au lit celui qui avait déjà pris l'habitude de vaincre même des fatigues proches de la mort ? 2. Son dernier sermon, en dépit de ses douleurs, fut prononcé à l'église le jour de l'Épiphanie [1] ; sans jamais savoir céder, au moment où sa foi était aux prises avec ses infirmités, à la douleur physique plutôt qu'à la ferveur spirituelle, il répondit à vos désirs en allant au-delà de ses forces. 3. Car il ne fut pas brutalement emporté par une maladie qu'il aurait contractée ni dans l'accès subit, d'une fièvre brûlante : mais, après avoir connu une longue rémission, sa maladie, due aux longs excès de rigueur de son régime monastique, s'aggrava encore par son refus de prendre un repos nécessaire ; finalement, le minant peu à peu, elle eut raison de lui le huitième ou le neuvième jour après la fête que je viens de mentionner [2]. 4. Cependant on compte à peine quatre jours où il refusa de se trouver présent parmi nous au moment où s'accomplissaient des tâches caritatives, dans la crainte évidente d'attrister les siens par la proximité de son trépas. Nul ne le trouva jamais pénible à supporter au milieu des maladies les plus pénibles, nul n'éprouva jamais, comme il arrive d'ordinaire, aucune répulsion pour ses infirmités.

1. En Orient, on disait l'*Épiphaneia*, plus rarement les *Épiphania*. La transposition en latin était *Epiphania* ou *dies Epiphaniorum* (forme employée par Hilaire). Cette forme plurielle, « comme la forme plurielle grecque, n'inclut nullement pluralité d'objet, mais est une forme linguistique consacrée pour la dénomination des fêtes » (J. Lemarié, art. « Épiphanie » dans *D. S.* 4, 1960, col. 863-864). C'est pourquoi, pour traduire une forme habituelle en latin, nous avons employé la forme habituelle en français, en l'occurrence le singulier.

2. Dans la liturgie, le *dies natalis* d'Honorat est célébré le 16 janvier, en tenant compte des neuf jours écoulés après l'Épiphanie.

20 Et quidem hoc ordine illud Sancti Spiritus receptaculum conquieuit. **30**, 1. Etenim impollutae illius mentis uigorem incredibile est quam integrum usque in extrema seruauerit. At primum semper uberrime suos consolatus est, ac nihil magis timuit quam ne diutina nos despera-
5 tione conficeret, intelligens paene facilius ferri extrema quam dubia. Abstersit semper sermone condito circumstantium lacrimas, quas tamen quo magis abstergit, irritat : grauiorem suo dolorem nostrum computabat.

2. Non facile quisquam tam forti pectore inter quaeli-
10 bet aspera et diu tolerata nec optauit aliquando mortem nec expauit. Nam is quem uiuere inter quaelibet grauia in Christi seruitute non piguit, ad nouam uitam per commumem illam nouae uitae ianuam transire non timuit. Praemeditata enim illi ultima hominum necessitas non
15 repentina aduenerat.

3. Itaque sub ipso iam finis aspectu, tamquam emigraret, tamquam ualediceret, ne quid imperfectum derelinqueret, ne quid minus plene quam proposuerat ordinaret, interrogare singulos nostrum et ad suggerendum,

20 quidem : est *add.* *V* || hoc ordine : hordine *V*

30, 1 etenim : ceterum *omnes praeter* Λ || 2 uigorem : -re *V* || 3 at : ac *G C* γ *PH* aut *A V* || primum : suos *add.* D^{2mg} || semper *om.* λ || 3-4 uberrime suos consolatus est : s. u. c. e. *BO* Λ u. c. e. s. *A* u. s. fletus c. e. *D* u. c. e. *Gen.* || 4 ne *om.* *C* || nos [+ D^{2}] : uos *D* *om.* *A V* || desperatione : disper- *A V C* deper- *E* || 5 conficeret : confeceret *C* -ficerent *V* -ficerentur *A* || ferri : ferre *G A V* || 6 semper : sermonem *add.* *V* || 7 quas *om.* C^{*} || 7-8 quo — irritat *om.* *C* || abstergit irritat [+ D^{2mg}] : abstersit irritauit *D* abstersit irrigauit *ER* || 8-12 grauiorem — nouam uitam 175ʳ, 56-62 *C n. l.* || 8 grauiorem : *ante* grauiorem *scripsit* inde λ uorem sibi dolorum nostrum compu *add.* D^{2mg} *ut uid.* || suo : sui *A* || dolorem : dolore *ER* || nostrum : uestrum *D* *om.* O^{ac} || computabat : -tauit γ || 10 aspera : apera E^{ac} || diu tolerata : dura toleratu *V* dura tolerauit *G A* D^{2mg} dura toletotu *C* fuit *add.* H^{xsl} || 11 is [*add.* D^{2mg}] : his A^{ac} *V* *om.* C^{*} γ *PH* || quaelibet : quamlibet *G V* C^{*} γ *P* || 11-12 grauia ... seruitute : graiuam ... seruitutem *R* || 13 illam nouae uitae *om.* *G* || 14 praemeditata : praemetata *C* || hominum *om.* *G* || 16-23 itaque — imperio *om.* *D* γ *PH et in mg. inferiori suppleuit* D^{2} || 16 emigraret : -rit *C* || 17 derelinqueret : relinqueret *G C* || 18 plene : plane *V* || 19 interrogare : integare O^{ac}

Délicatesse suprême A la vérité, voici en quelles circonstances cette demeure de l'Esprit-Saint [1] trouva le repos. **30**, 1 [2]. De fait, on ne peut imaginer à quel point Honorat conserva intacte jusqu'à la fin la vigueur de son âme si pure. Notons d'abord qu'il prodigua toujours aux siens ses consolations et qu'il n'eut pas de plus grande crainte que de nous accabler par un long découragement, comprenant qu'il est presque plus facile de supporter les pires extrémités que les incertitudes. Sans cesse, par de savoureuses paroles, il s'efforça d'essuyer les larmes de ceux qui l'entouraient et pourtant, plus il s'y efforça, plus il les fit couler : il estimait notre douleur plus pénible que la sienne.

2. Il ne serait pas facile de trouver un homme qui, avec autant de courage, ait tenu bon au milieu de toutes sortes de maux pénibles et longtemps supportés sans jamais avoir souhaité la mort ni l'avoir redoutée. De fait, celui qui ne trouva pas lourd de vivre au service du Christ au milieu de toutes les épreuves possibles ne redouta pas de passer à une nouvelle vie par la porte commune de la nouvelle vie [3]. Non, attendu par lui longtemps à l'avance, le terme inéluctable pour les hommes n'était pas arrivé pour lui à l'improviste.

3. Ainsi, à la vue même de sa fin prochaine, comme s'il partait en voyage, comme s'il faisait ses adieux, pour ne rien laisser inachevé, pour ne rien organiser moins parfaitement qu'il ne se l'était proposé, il nous interrogeait un à un et nous invitait à suppléer à ce qui aurait pu

1. Les martyrs recevant lors de leur supplice une profusion de grâces, et les saints à l'époque d'Honorat étant souvent assimilés aux martyrs, on comprend que cette expression soit appliquée à Honorat mourant pour exprimer « l'effusion de l'Esprit sur un homme affronté à la mort » (*S. M.*, p. 1264).

2. Ici commence le récit de la mort de saint Honorat. Le biographe insiste d'abord, comme l'avait fait Sulpice Sévère, sur le fait que, malgré les souffrances de l'agonie, il conserva intactes toutes ses facultés intellectuelles : *Fatiscentes artus spiritui seruire cogebat* (*Ep.* 3, 14, dans *S. M.*, p. 340).

3. La *nouvelle vie*, c'est la vie éternelle ; la *porte commune* qui ouvre sur elle, c'est la mort par laquelle les hommes doivent passer avant de ressusciter dans le Christ.

20 si quid memoriam suam subterfugisset, hortari ; omnia interim subscriptione firmare et parcentes nos fatigationi suae ad omnia quae agenda erant cogere ; cogere autem blando illo sicut semper imperio.

31, 1. Quadam autem uice, cum comprimere lacrimarum mearum tempestatem et abrumpere riuos fletuum laborarem : « Quid, inquit, fles ineuitabilem humani generis necessitatem ? Imparatum ergo te inuenire meus tran-
5 situs debuit, cum me non inuenerit imparatum ? » 2. Cumque ego impedita singultibus, utcumque poteram, uerbis ipsius uerba subnecterem, quod iam non destitutionem meam dolerem, quippe qui mihi orationum suarum patrocinia numquam defutura confiderem, quin et post tran-
10 situm suum ualidiora praesumerem, uno me dolorum suorum uulnere et difficilium inter extrema luctaminum grauiter adfligi : 3. « Et quid ego, inquit, minimus omnium fero ad ea quae sanctorum plurimi in supremis suis acerbissima pertulerunt ? » Et commemoratis aliquot, adiecit
15 quod, credo, alicubi legerat : « Magni, inquit, uiri multa patiuntur ut alios pati doceant ; nati sunt in exemplum. »

20 subterfugisset : -fuisset *A V* || 21 parcentes : -tis *C* || fatigationi [+ *I**] : -nis *Bar.* A^{ac} *V* || 23 illo *om. G*

31, 1 cum *om.* B^{ac} *C* γ *PH* || comprimere : -merem *B* -mens D^{2mg} -me *C* || 2-3 riuos fletuum laborarem : r. f. -ret *G* r. flectuum laborarem *O* fletuum riuos laborans *C* γ *PH* || 3 inquit fles : inquid f. B^{ac} fles inquit *G* || 4 ergo *om. G* || 4-5 meus transitus : t. m. *C ER*D^{ac} *PH* || 5 non [+ *add.* D^{2sl}] : *om. D* || inuenerit : ueniret *C* || 6 ego : ergo *A V P* || impedita [+ *corr.* D^{2}] : indita γ *PH* || 7 ipsius *om. G A V* || subnecterem : -tere *P* || 7-8 quod — dolerem *om. A* || destitutionem : disti- *P* C^{o} || 8 meam : eius λ || 8-11 dolerem — suorum 175v, 26-31 *C n. l.* || dolerem : -lorem V^{ac} C^{*ac} E^{ac} *P* || qui *om. G V* || 10 suum *om.* γ *PH* || ualidiora : uadiora G^{ac} || uno : una *C** immo *G ED* [uel uno E^{xsl}] immo uno *R* || dolorum : -ris *D* || 11 et *om. A* || luctaminum : -mine B^{ac}*O* || 12 adfligi : -git *A V* || et quid : ecquid Λ C^{o} || ego inquit : ait ego γ || minimus : minus *V* || 13 plurimi : -mum *R* || acerbissima [+ D^{2mg}] : -ssime γ aceruissima *P* || 14 et : his *add.* H^{xsl} || commemoratis : commoratis B^{ac} || aliquot : -quod *P* -quid *H* || 15 quod — legerat *om.* Λ || inquit *om. G* || 16 patiuntur : -tientes *G* || ut : et ut *BO* Λ *A* || alios : illos *E PH* illi *R* || pati [+ *add.* D^{2mg}] : *om. D* || doceant : ad quorum *add.* γ quibus *add.* H^{xsl} || in *om.* γ

échapper à sa mémoire ; il confirmait toutes les dispositions prises pour le moment en les signant de sa main ; alors que nous épargnions sa fatigue, il nous forçait à faire tout ce qu'il fallait, mais il nous y forçait par ses ordres pleins de délicatesse, comme toujours.

Ses adieux à Hilaire

31, 1. Un jour, je m'efforçais de contenir le torrent de mes larmes et d'arrêter le ruissellement de mes pleurs : « Pourquoi, dit-il, pleures-tu sur une nécessité inévitable pour le genre humain [1] ? Mon départ devrait-il donc te prendre au dépourvu, tandis que moi, il ne m'a pas pris au dépourvu ? » 2. Moi, comme je le pouvais, j'enchaînais paroles sur paroles, les entrecoupant de sanglots : Ce n'est pas de rester seul, disais-je, que je me désolais, car j'étais sûr de ne jamais manquer de la protection de ses prières ; au contraire, je les espérais encore plus efficaces après son départ ; seul le déchirement que me causaient ses souffrances et les luttes si difficiles de la dernière heure m'affligeait profondément. 3. Il me dit alors : « Et moi, le moindre de tous, qu'est-ce que j'endure en comparaison des souffrances si aiguës que de très nombreux saints ont endurées patiemment à leurs derniers moments ? » Il en cita quelques exemples et ajouta ceci, qu'il avait, je crois, lu quelque part [2] : « Les grands hommes souffrent beaucoup pour apprendre aux autres à souffrir ; ils sont nés pour servir d'exemple [3]. »

1. On ne peut s'empêcher d'évoquer ici le très beau mouvement des paroles prêtées par Libanius à l'empereur Julien mourant : « Pourquoi, quand mes actions m'assurent l'entrée dans les îles des Bienheureux, me pleurez-vous comme si j'avais mérité le Tartare ? » trad. Paul Allard dans *Julien l'Apostat*, t. 3, p. 281.

2. Cf. *supra*, p. 137, n. 3.

3. L'auteur de la citation faite par Honorat est Sénèque. Dans l'article qu'il a consacré à étudier ce détail du *Sermo* (*Arelatensia in uitas sanctorum Honorati et Hilarii...*, p. 157), Bertile Axelson donne le texte exact de la citation : *quare quaedam dura patiuntur* (*sc. uiri boni*) ? *ut alios pati doceant : nati sunt in exemplar* (*Prou.* 6, 3 ; *Dialogues*, *C. U. F.*, t. 4, p. 27).

32, 1. Confluentibus autem ad se potestatibus, praefecto et praefectoriis uiris, quam feruentia sub mortali iam frigore mandata deprompsit, ab ipso exitu suo sumens acerrimum exhortationis exordium ! Et dignum plane erat
5 ut qui uitae semper exempla praebuerat etiam mortem suam in exemplum aduocaret.

2. « Videtis, inquit, quam fragile habitamus hospitium. Quolibet uiuendo ascenderimus, illinc morte detrahemur. Ab hac necessitate neminem honores, neminem diuitiae
10 liberant ; haec iustis et iniustis, haec potentibus humilibusque communis est. 3. Magnas Christo debemus gratias, qui morte et resurrectione propria mortem nostram spe resurrectionis animauit, aeternam uitam offerens, discusso aeternae mortis horrore. Sic ergo uitam agite ne
15 uitae extrema timeatis, et hoc quod mortem appellamus, quasi commigrationem expectetis.

4. Mors poena non est si non ad supplicia deducit. Dura quidem est carnis animaeque diuulsio, sed multo durius

32, 1 ad : d O^{ac} || 2 praefectoris : praetoriis *BO* Λ || quam : quia B^{ac} || feruentia : -tiae *E* || 3 ipso : exitu *R* || exitu : -tus *V* || sumens : suorens *G* || 4 exhortationis : exort- V^{ac} || exordium : exhordium *C* V^{pc} || dignum plane erat : erat dignum O^{pc} dignum O^{ac} || 7 habitamus [+ *corr.* D^{2sl}] : -temus *C** γ *PH* || 8 quolibet : qualibet *C* quantolibet *G* quantumlibet *BO* D^{2mg} quantumlicet Λ || uiuendo : uidendo *V* || detrahemur : -himur *G* γ *PH* C^{o} || 9 necessitate *om.* *G* || honores : -ris *C* nulli *add.* *PH* || 9-10 neminem diuitiae liberant : nullum thesauri redimunt *G A C V P* ullum th. red. *H* || 10 haec² *om.* *G* || 11 gratias : agere *add.* *G* || 12 morte : mortis *ER PH* || et [+ *add.* D^{2mg}] : *om.* γ *PH* || propria : proprie *ER* propia *BO* || 13 uitam [+ *add.* D^{2mg}] : *om.* *D* || offerens [+ *corr.* D^{2}] : aff- γ *PH* || discusso [+ D^{2mg}] : -ssit γ || 14 horrore : orrore B^{ac} horrorem γ orrorem *V* || 15 uitae extrema : uitam extremam *V* || 15-19 appellamus — flammis erit 175v, 57-62 *C n. l.* || 16 expectetis [+ *C**] : -tate *A* || 17 mors : enim *add.* *G* || non ad supplicia : ad s. non *O* || deducit : ducit *V* || dura : duram *V* || 18 carnis animaeque : c. animae quod *V* animaeque c. *R* || diuulsio : deuul- *PH* euulsio *V*

---

1. La mort d'Honorat, en quelque sorte primat des Gaules avant la lettre, était un événement officiel. C'est pourquoi le préfet des Gaules et les anciens préfets y assistent. Ce préfet s'était vu retirer son pouvoir militaire par Constantin vers 317 ou 318 (E. Stein, *Histoire du Bas Empire*, t. 1,

Exhortation dernière

32, 1. Cependant affluaient auprès de lui les autorités, le préfet et d'anciens préfets[1]; quel feu dans les recommandations qu'il leur adressa, lui gagné déjà par le froid de la mort, trouvant dans sa fin elle-même un exorde très frappant pour son exhortation ! A la vérité, il était tout à fait juste que celui qui avait toujours servi d'exemple en sa vie donnât encore sa mort en exemple[2].

2. « Vous voyez, dit-il, la fragilité du lieu de notre séjour. Si haut que nous soyons montés dans notre vie, la mort nous en précipitera. De la présente nécessité, personne n'est affranchi par les honneurs, personne par les richesses. Elle est commune aux bons et aux méchants, commune aux puissants et aux humbles. 3. Nous devons grandement rendre grâces au Christ qui, par sa mort et sa résurrection personnelles, a insufflé la vie à notre mort par l'espoir de la résurrection, nous procurant la vie éternelle, après avoir écarté l'horreur d'une mort éternelle. Passez donc votre vie de manière à ne pas redouter le terme de la vie et à attendre ce que nous appelons mort comme un changement de séjour.

4. La mort n'est pas un châtiment, si elle ne mène pas aux supplices. Certes, c'est un dur arrachement que celui de la chair d'avec l'âme, mais beaucoup plus dure sera

p. 117), mais, véritable vice-empereur, il « présidait notamment l'assemblée des sept provinces de la Gaule méridionale. Ce *Concilium*, créé en 408 par Pétrone, préfet du prétoire des Gaules, et abandonné ensuite au temps des usurpateurs, se réunissait de nouveau tous les ans à Arles depuis 418 » (R. Borius, éd. de Constance de Lyon, *Vie de saint Germain d'Auxerre*, *SC* 112, p. 96). Quand Germain d'Auxerre se rendit en Arles en 430 pour y rencontrer le préfet des Gaules, ce dernier était Auxiliaris ; nous le savons de façon sûre par l'un des rares milliaires de magistrats que nous ayons conservés (cf. *C. I. L.* XII, 5494). Peut-être était-il déjà en charge l'année précédente, à la mort d'Honorat ; quoi qu'il en soit, Auxiliaris eut beaucoup d'amitié pour Hilaire et l'aida de son influence auprès du pape Léon Ier quand il fut préfet de Rome ou d'Italie (cf. É. Griffe, *La Gaule chrétienne à l'époque romaine*, t. 2, p. 210-211). Les *praefectorii uiri* sont les préfets sortis de charge.

2. Le récit de la mort tenait déjà une place importante dans la primitive *laudatio funebris*. C'est le « moment de l'héroïsme suprême et des *ultima uerba* » (*S. M.*, p. 1263-1264).

in gehennae flammis erit carnis animaeque consortium,
20 nisi in omni uita generositatem suam spiritus recognoscens bellum corpori et corporalibus uitiis certamen indixerit et, felici discretus a carnali colluuione diuortio, aeternae paci impollutam seruet utramque substantiam, 5. illic feliciter copulandam ubi *exultabunt sancti in gloria* et *laetabuntur*
25 *in cubilibus* [a] : hoc est in corporibus tamquam in receptaculis suis, cum ea quae iustitiae dedicauerant membra socialia, tamquam consueta hospitia, recognoscent.

6. Hoc itaque agite ; hanc uobis Honoratus uester hereditatem relinquit ; supremo halitu suo ad heredita-
30 tem uos regni caelestis inuitat. 7. Nullus nimium mundi huius amore teneatur ; optimum est ut uoluntate fastidias quo te uides necessitate cariturum. Nemo opibus diffluat, nullus pecuniae inseruiat, neminem uana diuitiarum pompa corrumpat. Scelus est pretium salutis in
35 materiam perditionis adsumere et illo capi quemquam quo redimi potest. »

8. Plus interea uultu, plus oculis, plus emicante in caelum sensu monebat. Impar est quidem ignito sermoni eius sermo referentis, sed non minus imparia spiritui suo

20 nisi : si *PH* || spiritus : -tu *P* Christus *C* || recognoscens : se cognoscens *P* cognoscens *H* || 21 et [1] — indixerit *om. B et in mg. restit.* B^2 *qui primum* indixerint *scr., deinde* indixerit *corr.* || et [2] *om. H* || 22 discretus : -tu *P* || a carnali : a carnis *BO* γ acarnata *P* || diuortio : diuortium *P* diortia *C* || 23 illic : illis *P* || 24 exultabunt : -tant *BO* || sancti in gloria : in g. s. *R* || et *om.* Λ || 25 cubilibus : suis *add. A* γ *PH* || hoc — corporibus *om. A* || 26 quae : hic *add.* γ || dedicauerant : dedicauerint γ *PH* dicauerant *O* || 27 socialia : -li *V* || recognoscent : cognoscent *A V PH* || 28 hoc : haec *G* || 28-29 Honoratus uester hereditatem : her. Hon. u. *G* || relinquit — ad *om. C* || relinquit : relinquet *A V* reliquit *R* PH^{ac} || halitu : al'itu *GBO A* γ PH^{ac} || 30 inuitat : iuitat *E* || nimium [+ *corr.* D^{2sl}] : nimio *C* γ *PH om. G* || 31 est : enim *add. G* || uoluntate : uoluptate γ || fastidias [+ D^{2mg}] : fastidita contemnatur $E^{pc}RD$ f. cotemnatur E^{ac} || 32 quo : quod *BO C* || uides necessitate : uideas necessario *G* || 33 diffluat : defluat λ *A V D* || nullus pecuniae inseruiat : n. pecunia i. *C* n. pecuniae deseruiat λ *et add.* D^{2mg} *om.* γ *PH* || uana *om.* $B^{ac}O$ || 36 redimi : redemi C^{ac} || potest : non potest *G V R* || 37 plus [3] [+ *add.* D^{2mg}] : *om.* γ *PH* || 38 sensu : sensum *C* || monebat : onerabat *C om.* B^{ac} || impar : inpar H^{ac} || est quidem : quidem

dans les flammes de la géhenne l'union de la chair avec l'âme. Au contraire, si l'esprit, tout au long de la vie, prenant conscience de la noblesse de son origine, a entrepris de lutter contre le corps et de combattre les vices dont le corps est l'occasion, préservé par un heureux divorce des impuretés charnelles, il pourra conserver sans souillure pour la paix éternelle les deux substances, 5. dont l'heureuse réunion doit s'opérer là où ' exulteront les saints dans la gloire et où ils se réjouiront sur leurs couches [a] ' — dans leur corps [1] devenu pour ainsi dire leur demeure —, quand ils reconnaîtront pour leur séjour habituel ces membres familiers qu'ils avaient voués à la justice.

6. Comportez-vous donc de la sorte ; tel est l'héritage que vous laisse votre cher Honorat : dans son dernier souffle, il vous invite à devenir héritiers du royaume du ciel. 7. Que personne ne soit trop prisonnier de ce monde-ci ; le mieux est de se lasser volontairement de ce dont on voit qu'on sera nécessairement privé. Que personne ne se dissipe dans l'opulence, que nul ne soit esclave de l'argent, que personne ne soit corrompu par le vain déploiement des richesses. C'est un crime que de faire du prix du salut la matière de la perdition et de se laisser prendre par ce qui peut vous racheter [2]. »

8. Pendant ce temps, il instruisait davantage encore par son visage, par son regard, par son expression rayonnant vers le ciel. Il existe certes une différence entre ses paroles enflammées et celles que je rapporte, mais il en existe une non moindre entre l'esprit qui l'animait et l'expres-

est *R* *post* est *scripsit* inquit D^{2mg} || ignito : ignoto A^{ac} γ *PH* || 39 eius : suo *A V* γ *PH* || sed [+ D^{2mg}] : et *D* || imparia : impar *V* || suo : sancto γ

32, a. *Ps.* 149, 5

1. On notera l'insistance sur la foi en la résurrection des corps.

2. L'homme peut se racheter aux yeux de Dieu en distribuant ses biens aux pauvres ; s'il se laisse séduire par l'attrait des richesses matérielles, celles-ci, au lieu de l'aider à se rapprocher de Dieu, l'empêcheront au contraire de vivre conformément à l'idéal évangélique et le sépareront de Dieu.

40 uerba erant monentis. Tali itaque exhortatione et insolito
quodam motu oratione profusa, inusitatum quoddam
munus benedictionis impendit.

33, 1. Deficiente membrorum ministerio noua semper
mentis gratia pullulabat. Ordinatis itaque omnibus
— neque enim multa in actibus suis minus plena restabant — cum omnes caros suos mente percurreret, quantos
5 nominatim proferre lassitudo non uetuit, missa per eos
qui adstabant salutatione ditauit. 2. Mihi uero in aurem :
« Excusa, inquit, sancto illi fieri non potuisse quod
uoluit. » Magna et admiranda sollertia inter graues illas
mortis angustias prouidisse, ne cuius tristitiam non quan-
10 tum in se erat abstergeret, ne quid certe inexcusatum
relinqueret !

3. Quid illud quod, cum omnes suos quos ad hanc urbem
amor suus traxerat utique inter peregrina desereret, nullum ulli reditum, nullam societatem commendauit, non
15 loca uiuendi certa distribuit, tamquam uere praescius
nullam suorum dispersionem futuram, nisi eorum qui iam
et se superstite animi definitione migrassent ? 4. Et uere
non facile quemquam a societate nostra abesse nouimus,
nisi quem afuturum ipse praemonuit, qui aut cariorem
20 conspectu suo patriam aut grauiorem senserat disciplinam.

40 insolito : -lido *P* || **41 - 33, 2** motu — omnibus 176^{r}, 28-31 *C n. l.* || **41** motu [+ *L* ex *Quesnel*] : mutu C^{*} nutu γ *PH* || oratione : -tioni *V* || inusitatum : in usitatum *H* || **42** benedictionis : -tionem *D* -tione D^{2mg}

33, 1 deficiente : uero *add.* *G* || **2** ordinatis : ornatis *H* || itaque : utique *ER PH* || **3** suis : illius *C* || restabant : praesta- *A* praebant *V* || **5** uetuit [+ D^{2mg}] : uetabat γ || **7** excusa : exclusa *BO* I^{*} Λ *A* excussa $E^{pc}R$ excisa *P* || inquit : sunt. *Sic add.* *BO* Λ *A* || potuisse : licuisse *L ex Quesnel* licuisset *A* || **8** uoluit : cognoui *add.* *BO* Λ *A* || admiranda : amm- *H* *supra* a. *corr.* admiranda *et post* a. *add.* fuit H^{xsl} || **9** mortis *om.* *G* || prouidisse : -sset *A* || ne cuius : nec uius *C V* || **10** inexcusatum : in excusatum *H* || relinqueret : -querit C^{ac} || **11-28** quid — consumpta est [+ *add.* D^{2mg}] : *om.* γ *PH* || **11** illud : quaeso *add.* $GB^{xmg}O$ Λ || **12** traxerat : attraxerat *G* || **13** ulli : illi B^{ac} || **14** uere : uerus D^{2} || **15** dispersionem : dispositionem $B^{ac}O$ || **16** definitione : diffinitione *BO* Λ *A V* || **18** afuturum : abfu- λ fu- *A V* *uacat* D^{2} || qui [+ D^{2}] : quis *A* cui *G C* || **19** grauiorem : esse *add.* *G* || **20-28** interea — dulcedo 176^{r}, 56 - 176^{v}, 3 *C n. l.* || **20** illum : solito *add.* C^{*}

sion de ses recommandations. Ainsi, après une telle exhortation et une telle prière prodiguées avec une émotion inaccoutumée, il fit descendre sur nous la faveur d'une bénédiction inhabituelle.

Mort d'Honorat

33, 1. A mesure que ses membres s'affaiblissaient, une grâce toujours nouvelle abondait en son âme. Ayant mis ordre à toutes choses — à vrai dire, il n'en restait pas beaucoup, parmi celles dont il s'occupait, qui ne fussent pas réglées —, il se remémora tous ceux qui lui étaient chers, pour autant que sa fatigue ne l'empêchât pas de les citer chacun par leur nom, et il leur envoya, par l'intermédiaire de ceux qui étaient présents, le trésor de sa bénédiction. 2. Pour moi, il me dit à l'oreille : « Recours comme excuse auprès de tel saint homme à l'impossibilité qu'il y eut à réaliser ce qu'il aurait voulu. » O grand et admirable savoir-faire : il s'est appliqué dans les affres pénibles de la mort à ne pas manquer de dissiper la tristesse de chacun pour autant qu'il le pouvait, à ne rien laisser en suspens, du moins sans s'en être excusé !

3. Que dire de ceci : à aucun de ceux que leur affection pour lui avait attirés dans notre cité et qu'il abandonnait ainsi en pays étranger, il ne fit de recommandation concernant son retour ou sa communauté et n'assigna de lieu de résidence déterminé, comme s'il avait bien pressenti qu'aucun des siens[1] ne se disperserait, sinon ceux qui, déjà même de son vivant, étaient partis, du fait d'une détermination personnelle. 4. Et, à dire vrai, nous savons qu'à peine quelqu'un manque à notre communauté : celui seulement dont lui-même annonça d'avance la défection, car il avait compris, soit que le pays natal lui était plus cher que sa compagnie, soit que la règle était trop pénible pour lui.

1. Il s'agit de moines de Lérins qui avaient suivi ou rejoint Honorat. Peut-être peut-on voir là aussi un groupe de la communauté monastique implantée par Hilaire, du vivant même d'Honorat, entre 426 et 429, au lieu dit *Hilarianum*, près de l'église Saint-Genès, sur la rive droite du Rhône (cf. J. Hubert « Introduction » dans *Villes épiscopales de Provence...*, p. 3 et F. Benoît, « Arles », dans le même ouvrage, p. 19-20).

5. Interea grauior illum somnus urgebat ; quem cum interdum pauidi interpellaremus : « Miror, inquit, in tam graui mea lassitudine, post tam longa insomnia quae praecesserunt grauem uobis meum somnum uideri. » 6. Et cum suspectis omnibus sedere eum in ultimo diutius prohiberemus, ioculari ut erat solitus blandimento et consuetudinaria mentis serenitate respondit quod molestos nos in hac sollicitudinis parte pateretur. Ita paene ante uita sua quam dulcedo consumpta est.

34, 1. Somno deinde ultimo exceptus in mortis quietem, dormiens transiit sine ullo, ut sese habent extrema, luctamine. Nullas difficiles obitus moras sensit. Angelicis choris anima illa sancta, generosa, sincera et ab omni contactu mundi incontaminata suscipitur. 2. Multorum interea uariis uisionibus somnus incutitur, quarum tamen una omnium facies erat, quod scilicet sancto illi occurrerent officia sanctorum. Et uere illico in eodem mediae noctis puncto ecclesiam in occursum sancti corporis conuentus impleuit, ut non nisi angelicis nuntiis suscitatus putaretur. 3. Relinquitur uegetatum semper spiritu, plenum gratiae corpus exanime ; integrum siquidem uultus decorem facies omnibus grata seruabat. Probe uos ista

21 *post* interdum *add.* suspectis omnibus C^* || *post* interpellaremus *add.* ioculari — serenitate (l. 25-26) C^* || 22 graui : graue *V* || 22-23 quae praecesserunt : q. -sserant *O* D^2 nam et praecesserant *G V C* || 23-27 et cum — pateretur *om.* C^* γ *PH* || 24 diutius *om.* D^2 || prohiberemus : -remur *V* || 25 consuetudinaria : consueta *add.* Λ || 26 quod : quid *O V* || 28 sua : eius *BO* Λ
34, 1 in mortis quietem : in m. quiete B^{pc} Λ in quiete m. B^{ac} m. in quiete *O* || 2 dormiens : sub quiete dormientis γ || sese : se ERD^{ac} || extrema : -mo *A* suprema *C* γ *PH* || luctamine : -mina *C* || 3 difficiles : -cilis C^{ac} γ -cili C^{pc} || obitus : obitu *C* || 4 illa *om.* O^{ac} || 5 contactu : contractu γ *P* || mundi : munda D^{2mg} || incontaminata : contaminata H^{ac} || 6 quarum : quorum *Gen.* quod *Bar.* || 7 una omnium [+ *add.* D^{2mg}] facies : una f. o. *V* facies γ || quod : quot *V* || scilicet : silicet *B* || 8 illico [+ D^{2mg}] : illi E^{pc} *ut uid.* ille *G V C* $E^{ac}RD$ *PH* || 11 uegetatum : uegit- *V* || spiritu : sancto *add.* *C* || 12 exanime : -nimum *V* γ *PH* || 13 grata : gratia *P* gra *H* || seruabat : seruauit γ *PH* || uos : nos *P* || ista : ita *A V* γ *PH*

1. Deux traditions différentes apparaissent dans ce passage, qui manque dans γ et *PH*. Dans la première que nous adoptons en suivant la tradition

5. Et voici qu'un sommeil très lourd l'accablait. Cependant[1], comme nous l'appelions de temps à autre, saisis d'effroi : « Je m'étonne, dit-il, qu'au moment où je suis accablé d'une si lourde fatigue, après les si longues insomnies qui ont précédé, mon sommeil vous semble lourd à supporter. » 6. Redoutant le pire, nous nous efforcions de l'empêcher de rester assis plus longtemps lors de ses derniers moments, mais lui, plaisantant selon son habitude, nous répondit, avec sa bonne grâce et sa sérénité coutumières, qu'il nous permettait d'être importuns dans ce genre de préoccupations. Ainsi sa vie s'éteignit presque avant sa mansuétude.

Veillée funèbre

34, 1. Étant passé de son ultime sommeil au repos de la mort, il s'en alla en dormant, sans aucune des luttes habituelles aux derniers moments. Il n'éprouva aucune des lenteurs pénibles du trépas. Les chœurs des anges accueillent cette âme sainte, généreuse, sincère et pure de tout contact avec le monde. 2. Pendant ce temps, beaucoup ont leur sommeil traversé par diverses visions qui pourtant représentent toutes la même chose : des cortèges de saints accourant à la rencontre de ce saint. Fait certain : sur-le-champ, au même instant du milieu de la nuit, la communauté des fidèles réunie emplit l'église, pour venir accueillir le corps de ce saint, au point que l'on ne pouvait l'estimer réveillée que par des messagers angéliques. 3. Ayant toujours vécu de la vie de l'esprit, son corps, une fois mort, demeure plein de grâce ; car son visage que tous avaient plaisir à contempler conservait intacte la beauté de ses traits[2]. Tout cela, vous le connaissez

lérinienne, *A*, *V*, et *D*[2] le début de la phrase se présente sous une forme réduite. Une autre tradition, celle du ms. *C*, place, après *interdum*, les mots *suspectis omnibus*, et toute une proposition subordonnée après *interpellaremus*, mais ignore le passage final. La seconde résulte, semble-t-il, de perturbations survenues au cours de la transmission du texte.

2. Tel un second Moïse (cf. *Deut.*, 34, 7), S. Honorat a miraculeusement conservé la beauté de sa jeunesse : « Le temps n'avait pas altéré sa beauté, ni émoussé l'éclat de son visage. Mais il restait toujours semblable et conservait inchangée dans la mobilité de la nature l'immutabilité de sa beauté » (Grégoire de Nysse, *La Vie de Moïse*, 76, *SC* 1[3], p. 103-105).

nostis et multo plenius uobis quam sermo sufficitis, qui
15 animorum meditatione describitis.

35, 1. Neque ullus non magno sibi damno adfici uisus est, si conspectu corporis sui caruit, si non, ut quemque aut reuerentia aut amor suaserat, osculum aut ori aut quibuscumque membris ipsius impressit aut feretro. 2. Sanctum
5 illud corpus, magna fidei ambitione uestitum, maiore postmodum sepulcro admouetur paene nudatum. Nec enim pepercit sanctificatis amictu suo palliis fides, quae pretiosissimi muneris loco habuit aliquam de uelaminibus illius fimbriam decerpsisse.

10 3. Certauit in exsequiis illius uester adfectus. Refecistis in funere suo latentem adhuc inter uos peregrinationem meam, pauistis me tam effusa in ipsum animi caritate. Quem enim illo die sua tecta tenuerunt ? aut quem non tamquam peculiari luctu obrutum basilicae huic moenia
15 urbis huius dederunt ? 4. Pro magno munere habitum est lecticae aut manum admouisse aut ceruicem subiecisse. Vidistis non sine uestra gloria gloriam suam : nam et illa

14 nostis : nostris *H* || plenius : uos *add.* λ D^{2mg} plenus *E* || uobis : nobis *E* || sufficitis qui : -cit *omnes praeter* λ || 15 describitis : descriptis *H* describis E^{ac}

35, 1 neque : enim *add.* *C PH* || sibi damno [+ I^{*}] : damno *A V* *O non legitur* || 2 corporis : -ri *A* C^{o} || sui : eius $B^{pc}O$ Λ illius C^{*} || 2-6 aut reuerentia — nudatum 176v, 27-32 *C n. l.* || aut : au *V* || 3 suaserat : -serit γ *PH* || aut ori : autori *Gen.* *A* authori *Bar.* ori ipsius γ *PH* || 3-4 aut quibuscumque membris [+ *add.* D^{2mg}] : *om.* *D* || 4 ipsius *om.* *A* || feretro : in quo *add.* *BO* Λ *A* D^{2sl} || sanctum : sancto *G* || 5 uestitum : est *add.* *V* γ *PH* erat *add.* *A* || maiore : fide *add.* γ de *add.* *P* || 6 postmodum : dum *add.* *omnes praeter* λ || admouetur : admoueretur *ED* amoueretur *A* amouetur H^{ac} || 7 sanctificatis [+ D^{2mg}] : sanctitatis *D PH* || amictu : -to *V* C^{o} || suo : illius $B^{pc}O$ Λ || 8 de uelaminibus : uelaminum *A* ipsius *add.* *D* || 9 illius : eius *G* || decerpsisse : decerpisse *A* decerpisset *V* || 10 illius : ipsius *C D* eius *G* || 12 effusa : effusam *C* || ipsum : ipso *PH* || caritate : -tatem *P* || 13 sua tecta : suo t. *V* sua terra *D ut. uid.* [tecta D^{2mg}] || tenuerunt [+ D^{2mg}] : tenuerat *D* || 14 tamquam [+ *corr.* D^{2}] : tam γ quasi *G* || 15 huius : eius *R* || 16 lecticae : laeticae C^{*} letitie *V* lecto *PH* || aut[1] : ad *R* *om.* λ || manum : munum *V* humerum *A* || admouisse : ammo- H^{ac} || subiecisse : subicisse H^{ac} subiugasse *V* || 17 suam : eius $B^{pc}O$

1. Les fidèles se pressaient sur le passage du cortège pour baiser le corps

bien et vous l'évoquez pour vous de façon beaucoup plus parfaite que mon discours, vous qui vous le représentez fréquemment par la pensée.

Les obsèques

35, 1. Et chacun, sans exception, se crut victime d'un grand dommage s'il était privé de la vue de son corps, s'il ne baisait pas, en obéissant à l'impulsion de sa déférence ou de son affection, son visage ou l'un de ses membres ou son lit funèbre. 2. On rivalisa de foi pour vêtir ce saint corps, davantage ensuite lors des obsèques pour le dépouiller presque [1]. Et, en effet, les étoffes [2] sanctifiées pour l'avoir couvert ne furent pas non plus ménagées par une foi qui considéra comme le plus précieux des présents une frange [3] arrachée à ses vêtements.

3. Votre affection se prodigua à l'occasion de ses obsèques. Vous m'avez redonné cœur, lors de son enterrement, tandis que je séjournais encore parmi vous en étranger sans renom. Vous m'avez réconforté par votre affection pour lui manifestée avec tant d'effusion. Y eut-il, en effet, quelqu'un pour rester enfermé chez lui ce jour-là ? Y eut-il, dans les murs de notre cité, un homme qui ne se rendît pas à notre basilique comme anéanti par un deuil qui le touchait personnellement ? 4. On tint à grand honneur d'avoir soit porté la main à sa litière soit passé la tête au-dessous [4]. Vous avez vu sa gloire, non sans gloire pour vous [5] : en effet, ce culte qui lui fut rendu

ou la civière, signe de respect habituel à l'époque. C'est pendant ce parcours que le corps du saint est presque dépouillé de ses vêtements.

2. Le pluriel *pallia* et le contexte nous amènent à penser qu'il ne s'agit pas ici du *pallium*, insigne épiscopal, mais d'étoffes ayant recouvert le corps d'Honorat. Plus tard le pape S. Grégoire remédiera aux abus qu'entraînait à Rome pareille forme de dévotion (décret du synode de 595 : *PL* 77, 1336).

3. Des franges (*fimbriae*) ornaient les vêtements des prélats issus de l'aristocratie gallo-romaine.

4. Dès le début du culte des saints, on a cherché à témoigner ouvertement sa dévotion aux personnages considérés comme tels après leur mort, par exemple, en passant la tête ou en se glissant sous leur brancard funèbre ou leur châsse. On cherchait ainsi à obtenir des grâces par leur intercession.

5. La renommée d'Honorat rejaillit sur les fidèles qui l'ont choisi pour être leur pasteur.

exsequiarum religio fidei deuotio erat, et tam laetum erat habuisse talem quam graue talem amisisse. Nec parum
20 fiduciae dat sepulcri sui gratia : nam cuius hic ossa condidimus, in caelo utique patrocinia praesumimus. 5. Praelata tunc ante feretrum ipsius aromata et incensum uidimus ; sed maiora de uestris mentibus Deus in tanto erga tantum pastorem adfectu uestro odoramenta suscepit. Persul-
25 tauit in gloria sua Dei gloria et in dissonis diuersarum linguarum choris amor consonus.

<Pars octava :
Svccessor Honorati ; alia lavdvm analecta.>

36, 1. Pius Dominus qui stimulando animos uestros ad electionem paruitatis meae dedit ne a sepulcro illius longius abessem, illud etiam uobis orantibus dabit ne a uiis illius longe recedam sed, ut quicquid illum egisse cogno-
5 uero, id sine exploratione aliqua aut disceptatione factorum agere festinem. 2. Vobis enim me, ut uideo, iam tunc per illum *Deus genuit* [a]. Vobis licet indignum praeparauit uobis ille me nesciens tanto labore quaesiuit ; uobis tam propensa sollicitudine et cura utcumque erudiuit, quaerens

18 laetum [+ D^{2mg}] : lautum *C* γ *P* || 19 talem² *om.* *G* C^{o} || amisisse : -sisset *V* C^{o} || 21 caelo : celo *P* celum *G* || praesumimus : premisimus λ D^{2mg} praesumamus *D* || praelata : praeclara *G* prolata γ || 22 tunc : sunt *A* *om.* *V* || ipsius [+ D^{2sl}] : eius γ || 24 odoramenta : -to *C ut uid.* || suscepit : suscipit *V* C^{o} || persultauit : exsult- *BO* praesult- I^{*} result- Λ || 25 sua : lliius $B^{pc}O$ Λ || Dei gloria et : Deus gloriae *C ut uid.*

36, 1-5 animos — disceptatione 176ᵛ, 57 - 177ʳ, 2 *C n. l.* || 1-2 ad electionem : ad helectionem *V* ad dilectionem ERD^{2ac} adilectionem *H* [*add.* d H^{xsl}] || 2 longius : longe *G* || 3 uobis orantibus dabit : o. u. dedit *P* || ne : nec γ || 4 illius longe : l. i. *H* || ut : et *A* *om.* *V* C^{*} γ *PH* || cognouero : ocurrerit *add.* C^{*} || 5 id [+ *add.* D^{2sl}] : *om.* γ || exploratione [+ $B^{xsl}I^{*}$ C^{*}] : expostulatione *BO* exemplo uel ratione *G A V* || aliqua [+ C^{*}] : *om.* I^{*} Λ || disceptatiione : desceptatione *H* disceptione *V* || 6 ut [+ *add.* G^{1sl}] : *om.* *G V* || 7 uobis — praeparauit *om.* *G A V* || 8 nesciens : nesciente *O* nescientem *B ut uid.* || tam : tanta ERD^{ac} || 9 propensa : pensa *A*

lors de ses obsèques exprimait la dévotion de votre foi ; on ressentait autant d'allégresse d'avoir possédé un tel homme que d'affliction à l'avoir perdu. Et la grâce attachée à son tombeau ne nous inspire pas peu de confiance : nous comptons fermement sur le patronage au ciel de celui dont nous avons ici enseveli les os [1]. 5. Nous avons vu porter alors devant sa civière les aromates et l'encens ; mais plus importants furent les parfums que fit monter de votre âme votre si grande affection envers un si grand pasteur et que Dieu a recueillis. Alors ont éclaté, à travers sa propre gloire, la gloire de Dieu et, à travers des chœurs dissonants en langues différentes, un amour sans discordance.

< VIII. — Le successeur d'Honorat ; autres traits dignes d'éloges. >

Hilaire successeur d'Honorat

36, 1. Dans sa bonté, le Seigneur, en vous incitant à m'élire malgré mon peu de valeur [2], m'a accordé de ne pas trop m'éloigner du tombeau de ce saint ; il m'accordera aussi, grâce à vos prières, de ne pas m'écarter des chemins suivis par mon prédécesseur et d'accomplir sans retard ce qu'il a fait, sans perdre mon temps à examiner ou à discuter, dès lors que je saurai qu'il l'a fait. 2. C'est pour vous, en effet, qu'autrefois déjà Dieu m'a fait naître par son entremise [a], je le vois bien ; c'est pour vous qu'il m'a formé malgré mon indignité ; c'est pour vous à son insu qu'il est allé me chercher avec tant de peine ; pour vous qu'il m'a instruit de toute façon avec une attention et une sollicitude prodiguées si géné-

36, a. Cf. *Ps.* 2, 7 et *I Cor.* 4, 15

1. Le corps d'Honorat reposera aux Aliscamps, le célèbre cimetière arlésien, jusque vers 391 où il sera transféré à l'abbaye de Lérins. Voir F. Benoît, *Les cimetières suburbains d'Arles dans l'Antiquité chrétienne et au moyen âge*, p. 45.

2. Nous avons ici un autre exemple de « formule d'humilité » (cf. note au ch. 3, § 5).

10 in me fidei, sicut sanguinis sui uenam. Vobis me tanto labore per litteras, tanto per excursum suum ambitu, ab insula, cui me derelictis episcopatus sui principiis secreti amore reddideram, non audeo dicere nesciens, fortasse praescius, amouere satagebat, ut mihi iuxta sepulcri sui
15 sedem in amore uestro patriam collocaret. 3. Sed quid agimus, quod immaturum me maturo excessu tradidit ? Non est nostrum secretum aeterni regis in ullo uel leuiter culpare iudicio ; non facile senseratis quantum amisistis boni si redintegratum uobis bonum uestrum fuisset.

37, 1. O magna et incluta, Honorate, tua gloria ! Non indiguit meritum tuum signis probari : ipsa enim conuersatio tua plena uirtutibus et admirationis nouitate praecelsa, perpetuum quoddam signum ministrauit. 2. Multa
5 quidem tibi diuinitus signorum specie indulta nouimus, quicumque propius adsistebamus ; sed in his tu minimam tui partem reputabas maiusque tibi gaudium erat quod

10 fidei *om.* B^{ac} || sui *om.* *V* || 10-11 tanto labore [+ *add.* D^{2mg}] : tanto *C PH* *om.* γ || 11 per[1] : tantas *add.* γ || tanto per : tantopere *P* || 12 derelictis [+ *L ex Quesnel* D^{2mg}] : directis *C* E^{pc}*RD PH* directus E^{ac} || sui : eius B^{pc}*O* || 13 non : nam *H* || 14 amouere satagebat [+ *L ex Quesnel* B^{xmg}] : amouebat *B* H^{ac} ammonebat *A V* admouebat *C ER* PH^{pc} admonebat *G D* || mihi *om.* *A V* || iuxta : iusta *BO* iuxaa *R ut uid.* || 15 in [+ *add.* D^{2sl}] : *om.* *D* || 16 excessu : uobis *add.* G^{xsl} || 17 nostrum : uestrum *V P* || secretum aeterni regis : a. r. s. γ || ullo [+ *add.* D^{2sl}] : nullo *G* A^{ac} *C* P^{ac} || uel : sed *Bar.* || leuiter : leniter *O ut uid. Bar D ut uid.* || 18 iudicio : indicio *V* || senseratis : sentiretis *G*B^{pc}*O* Λ || quantum : quid *A V* || amisistis : amisisti O^{ac} amisisetis *V* amisissetis *G A* amissesitis *C** || 19 boni *om.* *C* || si redintegratum : sideri integratum *V* || uobis ... uestrum : nobis ... nostrum *D*

37, 1 et : e E^{ac} || incluta : inclinata *H* || 3 admirationis : amm- *A D H* [d *add.* H^{xsl}] || 4 ministrauit : mostrauit *O* || 4-5 multa quidem... signorum specie indulta : multam [*ante* multam *add.* miracula eius multa B^{xmg}] quidem... signorum speciem indultam *BO* multa quidem... indulta *A V* || 6 propius [+ *add.* D^{2mg}] : proprius *G V C ut uid.* *om.* γ || 6-7 minimam tui : tui m. *A* m. tuam λ m. *V* || 7 reputabas : compu- *omnes praeter* λ || quod : quia *V*

1. Ce détail est intéressant : quand Hilaire, après avoir accompagné Honorat en Arles, fut retourné à Lérins, mû par un désir de mener une vie érémitique, Honorat le supplia par lettres de revenir, puis alla lui-même le chercher à Lérins pour le ramener dans sa ville.

reusement, cherchant en moi-même la veine de la foi comme celle de son propre sang ; pour vous, qu'il se donna tant de peine en m'écrivant, fit un si grand détour lors du périple au cours duquel il vint me revoir [1] et — j'ose dire — à son insu, mais peut-être par une sorte de prescience, parvenait ainsi à me faire revenir de l'île où je m'étais rendu par amour du désert, après m'être séparé de lui aux premiers temps de son épiscopat, et tout cela pour me faire trouver une patrie dans votre amour près du lieu de son tombeau. 3. Mais comment expliquer qu'il m'ait abandonné, alors que j'ai si peu de maturité, en mourant lui-même dans sa maturité ? Il ne nous appartient pas de discuter par l'un de nos jugements, même légèrement, le secret du Roi éternel [2] : vous n'auriez pas facilement pris conscience de la grandeur du bien que vous aviez perdu si votre bien vous eût été intégralement rendu.

Honorat disciple du Christ

37, 1. Oh ! grande et brillante est ta gloire, Honorat ! Il ne fut pas nécessaire à ton mérite d'être prouvé par des miracles : ta vie elle-même, pleine de vertus et sans cesse rehaussée par de nouvelles raisons d'être admirée, a pour ainsi dire joué le rôle d'un miracle perpétuel. 2. Nous tous qui vivions près de toi, nous connaissons les nombreuses grâces dont Dieu a voulu te gratifier et qui apparaissent comme des miracles ; mais cet aspect de toi était celui qui avait le moins de valeur à

2. L'expression empruntée à *Tob.* 12, 7 est traduite ainsi dans la *Vulgate* : *Etenim sacramentum regis abscondere bonum est, opera autem dei reuelare et confiteri honorificum est* : « Certes, il est bon de cacher le secret du roi, mais il est glorieux de révéler et de publier les œuvres de Dieu. » On la retrouve sous une forme un peu différente chez saint Hilaire et saint Jérôme. Le premier écrit : *Mysterium regis bonum est abscondere* (*Tract. in Ps. 118, Beth* 6, *C. S. E. L.*, 22, 1891, p. 373). Saint Jérôme écrit : *Mysterium regis abscondere bonum est* (*Comment. in Eccl.*, 8, 2, *C. C.*, *Series Latina* 72, 1959, p. 315). Du sens profane que l'expression comportait dans *Tobie*, elle est passée à un sens spirituel. Elle en viendra, dans la langue monastique, à désigner le secret de l'intimité avec Dieu.

merita et uirtutes tuas Christus scriberet quam quod signa homines notarent. Et tamen quod maius signum uirtutis
10 esse potest quam signa fugere et occultare uirtutes ? Et uere tam familiaris quodammodo oratio tua Christi auribus erat ut efficacissimis precibus impetratum putem, ne uirtutem tuam signa clamarent.

3. Habet et pax martyres suos, Christi enim tu perpe-
15 tuus, quamdiu in corpore moratus es, testis fuisti. Illud enim stupendum quondam adolescentiae tuae robur, perpetuo abstinentiae rigore tenuatum, et in illam quam uidimus, aspectus licet decore seruato, exilitatem redactum, crux utique quotidiana consumpsit ; quam tamen sine
20 ulla semper notabili superstitione seruasti, omnes semper nimietates et cognatum nimietatibus gloriae fugiens appetitum.

4. Numquam in tuo ore nisi pax, nisi castitas, nisi pietas, nisi caritas ; numquam in corde nisi horum omnium
25 fons Christus habitauit, qui tibi et per te plurimis *cari-*

8 et uirtutes tuas : tua *V* || Christus [+ *add.* B^{4mg}] scriberet : C. ascriberet *O V* scriberet C. *G* deus scriberet *C E PH* deus rescriberet *R* deus scribet *D* scriberet *B* || 8-11 quam quod — oratio tua 177ʳ, 28-31 *C n. l.* || 9 quod : quid PH^{ac} esse *add. omnes praeter* λ || signum uirtutis : u. s. *C** γ *PH* || 10 esse *om. omnes praeter* λ || potest : poterat Λ || 11 quodammodo : quod amodo *V* || 12 efficacissimis [+ D^{2mg}] : enixissimis *A* E^{pc}*RD PH* enexis- *V* inexis- *C* exinis- E^{ac} || precibus impetratum : p. imperatum *V* imperatum p. *R* || 14-15 perpetuus *om.* Λ || 15 es : ei Λ || 16 enim : namque *G* etiam *A V* || stupendum quondam adolescentiae tuae : s. a. t. q. *G* s. quod a. t. *A* s. condam a. t. *V* s. quondam tuis a. tuae *C** γ s. quodam tuis a. tuae *PH* || robur : roboris *V ut uid.* || perpetuo : -tuae *V* || 17 et *om.* γ || in : ad γ *om.* PH^{ac} || 18 redactum : redatum *E* || 19 utique [+ *corr.* D^2] : itaque *D* || 19-20 sine ulla semper : semper sine ulla *A V* || 20 notabili : mobili *H* || superstitione : substitione *V* || semper² *om.* *G* || 21 nimietates : -tatis *PH* || cognatum : cognitum *G A V* || fugiens : fuga *C ut uid.* || 23-24 pietas... caritas : charitas... pietas *BO* || 24 horum omnium : o. h. ERD^{ac} || 25 per te plurimis : plurimis propter te *O* *post* per *add.* propter B^{xsl}

---

1. On retrouve quatre fois ce mot aux § 1 et 2. Le goût des *mirabilia* (miracles) était très développé à cette époque de culture tardive (cf. H. I. Marrou, *Saint Augustin et la fin de la culture antique*, p. 153-157 et 462).

tes yeux et tu te réjouissais davantage de ce que le Christ consignât tes mérites et tes vertus que de voir les hommes faire état de tes miracles. Et pourtant, quel plus grand miracle de vertu peut-il exister que de fuir les miracles et de cacher ses vertus ? En vérité, ta prière, parvenant aux oreilles du Christ, était en un certain sens d'une si grande intimité avec lui qu'il accorda, je pense, à tes supplications très efficaces qu'on ne vît pas de miracles [1] proclamer ta vertu.

3. La paix aussi a ses martyrs [2] : toi, tu as été témoin du Christ, aussi longtemps que tu es demeuré dans ton corps. D'une étonnante vigueur jadis en ton adolescence, affaibli par la rigueur continuelle de l'abstinence, réduit à cette minceur diaphane que nous avons vue, ce corps, bien que tes traits eussent conservé toute leur beauté, se trouva réduit à rien par la croix de chaque jour ; et tu l'as assumée, cependant sans aucune des exagérations toujours à redouter, fuyant toujours tous les excès et un goût pour la gloire, apparenté aux excès.

4. Jamais sur tes lèvres il n'y eut que paix, que chasteté, que piété, que charité; jamais dans ton cœur n'habita que le Christ, source de toutes ces vertus. C'est

On le retrouvera aussi, entre autres, dans les œuvres d'Apulée. La discrétion d'Hilaire dans ce domaine — à une époque où elle était loin d'être fréquente — est, à notre avis, l'un des indices les plus sûrs de la valeur historique et spirituelle du *Sermo de Vita Honorati* et de la réserve aristocratique du milieu où vécurent Honorat et Hilaire.

2. Dès les origines de la vie monastique, on a assimilé au martyre une vie consacrée, car elle est devenue désormais la façon de se donner à Dieu complètement. Cf. la *Vita Antonii* traduite par Évagre d'Antioche : *Ad pristinum monasterium regressus, quotidianum fidei ac conscientia martyrium merebatur* (§ 47, *PG* 26, 911-912). Le texte grec, encore plus explicite, dit qu' « il se tenait là chaque jour, subissant le martyre intérieur et soutenant des luttes où sa foi était engagée ». Cf. aussi Sulpice Sévère, *Ep.* 2, 9 (*S. M.*, p. 328). — *Sine cruore martyr* : on trouve pour la première fois à notre connaissance l'expression dans Paulin de Nole, *Carm.* 12, 9 cité dans *S. M.*, p. 1232. Il s'agit du « martyre quotidien des épreuves physiques et morales de toute sorte, de la compassion aux souffrances d'autrui, de la patience face aux tribulations temporelles et spirituelles » (*S. M.*, p. 1233). (Cf. *habet et pax coronas suas*, S. Cyprien, *De zelo et liu.* 16, *C. S. E. L.* 3, 1, 1868, p. 430, et *in copiam... exuberet*, *id.*, 17, *id.*, p. 431.)

tatis, gaudii, pacis, longanimitatis, bonitatis, benignitatis, fidei, modestiae, continentiae [a] fructus ministrauit, exuberantes in multiplicem copiam et multorum salutem et gaudia, 5. ut non immerito illi cantaueris : *qui timent te*
30 *uidebunt me, et laetabuntur* [b] ; cui semper omne conuersationis tuae bonum adscripsisti, illud adsidue tibi ac tuis ingerens : *quid enim habes quod non accepisti ? aut, si accepisti, quid gloriaris quasi non acceperis* [c] ? Sed hoc magis tuum erat uitae tuae bonum quo magis tuum negabas.

38, 1. In te commune omnium Deum desiderantium solamen fuit ; quidam gloriantur in huius uitae prosperis ; tu e contra in Deo exultare suadebas, resonante adfectum tuum uoce blandae modulationis immurmurans : *laetetur*
5 *cor quaerentium Dominum* [a]. Nulla tibi umquam maior quam in orationibus et psalmis uoluptas. 2. Tuis in tantum medullis Christus insederat ut interdum, quod expertus loquor, membris tuis placido sopore deuinctis, illum etiam

26 pacis *om.* Λ || bonitatis benignitatis [+ *add.* D^{2mg}] : *om.* γ *PH* || 27 exuberantes [+ *L ex Quesnel*] : -rans *A* || 28 in : et γ *PH* || et[1] : ex *V* in γ *PH* || 29 illi cantaueris [+ D^{2mg}] : cantares γ || 29-34 qui timent — quo magis 177ʳ, 55-62 *C n. l.* || 30 semper omne : omne s. *A V ED PH* omnes s. *C* omne *R* || 31 adscripsisti : ascripsisti O^{ac} ascripsiti E^{ac} || 32 enim *om.* *G* || habes *om.* *R* || 33 hoc : eo *A* || 34 tuae *om.* *A* || quo : quod *C**

38, 1 commune : communionem *C* || 2 quidam — prosperis [+ *add.* D^{2mg}] : *om.* *G V C* γ *PH* || 3 resonante : -nantem *G* || adfectum : -tuum *A* -tu *C* || 4 tuum *om.* *A* *eras.* *C** || modulationis [+ D^{2mg}] : moderationis *D* || 5 umquam : usquam γ *PH* *om.* *BO* Λ || 6 uoluptas : uoluntas *GB* Λ *A V H* || tuis : suis *O* tus *V* || in tantum : intantum *Gen.* || 7 quod [+ *add.* D^{2mg}] : *om.* *D* || expertus : -tis E^{ac} || 8 illum : tamen *add.* *C* γ *PH*

37, a. Cf. *Gal.* 5, 22
b. *Ps.* 118, 74
c. *I Cor.* 4, 15
38, a. *Ps.* 104, 3

1. Cette citation de saint Paul est encore une preuve qu'Honorat et Hilaire n'ont jamais été influencés par le semi-pélagianisme (cf. la note au ch. 23, 7).

lui qui te dispensa et, par toi, à un très grand nombre d'autres les fruits « de la charité, de la joie, de la paix, de la longanimité, de la bonté, de la bienveillance, de la foi, de la simplicité, de la chasteté [a] », fruits qui produisent en abondance un foisonnement de dons de toute sorte, salut et joie pour beaucoup. 5. Ainsi non sans raison as-tu pu lui chanter : « Ceux qui te craignent me verront et se réjouiront [b]. » C'est à lui que tu as toujours imputé le bien de toute ta vie, te pénétrant sans cesse de cette parole, toi et les tiens : « Qu'as-tu, que tu n'aies reçu ? Ou bien, si tu l'as reçu, pourquoi te glorifies-tu comme si tu ne l'avais pas reçu [c 1] ? » Mais le bien de ta vie était d'autant plus tien que tu le refusais davantage comme tien.

Le Christ présent dans les rêves d'Honorat. Honorat témoin de Dieu

38, 1. En toi se trouva le commun soulagement de tous ceux qui désiraient Dieu ; certains se glorifient des réussites de la vie présente [2] ; mais toi, tu conseillais d'exulter en Dieu et tu murmurais d'une voix à la douceur mélodieuse où s'exprimait ton amour : « Que se réjouisse le cœur de ceux qui cherchent le Seigneur [a]. » Jamais tu ne trouvas de plus grande joie que dans les prières et les psaumes [3]. 2. Le Christ était tellement présent au plus intime de ton être [4] que parfois — j'en parle d'expérience — tandis qu'un paisible repos enchaînait tes membres, tes lèvres prononçaient son

2. *Quidam... prosperis* : si l'on omet ce membre de phrase présent seulement dans les versions lériniennes, *G* excepté, on comprend mal à quoi s'oppose le *e contra* qui suit. Les éditions modernes — Quesnel, Salinas, les Ballerini — l'ont d'ailleurs inséré dans leur texte.

3. La prière monastique prend très souvent la forme de la récitation des Psaumes (cf. ÉVAGRE LE PONTIQUE, *Traité pratique*, ch. 69, *SC* 171, p. 655 et la note).

4. La prière prenait trois formes : la prière solitaire ; la *lectio diuina* (cf. S. CYPRIEN, *Ad Don.* 15 : *Sit tibi uel oratio assidua uel lectio, nunc cum Deo loquere, nunc Deus tecum*) ; enfin, l'oraison insérée dans l'action (cf. *S. M.*, p. 1091 s.). Ainsi, selon la belle formule de SULPICE SÉVÈRE, *Martinus, et ia dum aliud agere uideretur, semper orabat* (*V. M.*, 26, 4, *S. M.*, p. 314).

in somnis officio solito tua lingua resonaret. Saepe dor-
10 miens sanissimae exhortationis, saepe orationis adfectu officiosissimo uerba fudisti. Agebatur quippe in lectulo corporis requies, mentis in Christo. Et quidem haec, prout quisque adfuimus, experti sumus.

3. Tu uero unica semper omnium requies, quam alacer,
15 quam saepe referebas somnia, non aliquid praesagantia neque aliqua in futurum anxietate sollicita, sed inquietis animae desideriis excitata : martyrium scilicet, quod semper meditatione gestabas, interdum illudente, credo, et prouocante cupiditatem tuam Domino, tamquam exci-
20 tata in fidem tuam persecutione, peragebas. 4. Et uere puto neminem diffiteri tibi ad martyrium tempus, non animum defuisse. Quotidianus siquidem, in sincerissimis tractatibus, confessionis Patris ac Filii et Spiritus Sancti testis fuisti. Nec facile tam exerte, tam lucide quisquam
25 de diuinitatis trinitate disseruit, cum eam personis distingueres et gloriae aeternitate ac maiestate sociares.

9 somnis : omnis C^{ac} || tua lingua : l. t. *G* || 10-11 adfectu officiosissimo : a. -me *G* a. offioiosissimo *Gen.* affectuosissimae *A V C RD PH* affectuossimae *E* || 11 fudisti : refudisti *A V* || agebatur : agitabatur *C* || quippe : itaque *G C γ PH* utique *V* || 12 requies : quies *Λ* || haec *om. O* || 13 quisque : quique B^{pc}*O Λ ER* H^{pc} quis B^{ac} || 14 unica — requies *om. G* || quam : qua *V* || 15 quam : *eras.* B^{x} *om. O uacat H* || aliquid [+ D^{2mg}] : aliter *γ* || praesagantia : -gientia *BO Λ* || 16 inquietis : in quietis *B Bar.* inrequietis *A V C PH* irrequietae *G* || 17 animae : -mi *ER H* -mis *P* || martyrium [+ D^{2mg}] : -rii *ER* in fidem tuam persecutione peragebas neminem *scripsit deinde exp. D* || scilicet : silicet *B* || 18 interdum illudente credo : c. int. alludente [illudente *G*] *λ* c. alludente int. *A* c. illudente int. *V* int. inludente c. *C γ PH* || 20 peragebas : pergebas *ER*D^{ac} C^{o} || 21 neminem *om. P* || diffiteri : diffidere *H* || 21-26 tibi ad — distingueres 177ʳ, 25-32 *C n. l.* || martyrium : martyrum *Bar.* || tempus [+ *C**] : temporis *A V* || 22 defuisse : diffu- *V* || quotidianus : -dianis *C** -diana *γ* || in : et *H* || sincerissimis : sinceris *R* || 23 *hic in mg. scripsit* B^{x} : de trinitate sancta scripsit || confessionis [+ *I**] : -ne *γ* -num *BO A V C* PH* || ac : et *I* D* || et [+ *C**] : ac *A V* || 24 nec facile : ne f. *V* || exerte [+ B^{3mg}] : experte *BO* || 25 eam : etiam *R* || personis : in p. *BO Λ* || distingueres : -gueris *V* PH^{ac} *ut uid.* || 26 et *om. γ PH* || gloriae — maiestate *om. H* || gloriae [+ D^{2mg}] : gloria *C γ P* || ac maiestate *om. O* || sociares : sociaris *P*

1. Deux thèmes se rejoignent ici : tout d'abord, celui de la nécessité de la « prière ininterrompue » (cf. *Lc* 18, 1), notre vie étant un combat spirituel

nom, remplissant leur office habituel jusque dans ton sommeil. Tandis que tu dormais, ta voix laissa échapper souvent une exhortation pleine de sens, souvent un discours débordant de zèle. Et de fait, si ton corps trouvait son repos dans ton lit, ton esprit le trouvait dans le Christ [1]. Ces faits, chacun dans la mesure où nous t'avons approché, nous en avons eu l'expérience.

3. Mais toi, toujours l'unique repos de tous, avec quelle ardeur et que de fois tu rapportais tes songes : ils n'avaient rien de prophétique, ils ne provoquaient aucune inquiétude pour l'avenir, mais ils étaient suscités par les désirs sans répit de ton âme : tu endurais le martyre, objet pour toi de continuelle méditation, le Seigneur parfois se jouant de toi, à mon sens, et excitant ton désir, comme si la persécution contre ta foi s'était déchaînée. 4. Vraiment, personne ne met en doute, je le pense, que pour être martyr, seule l'occasion t'a manqué, et non pas la force d'âme [2]. Car, chaque jour [3], dans tes sermons [4] si clairs, tu témoignas de la foi au Père, au Fils et au Saint-Esprit. Il n'est pas facile, en effet, de trouver un homme capable de traiter avec autant de force, autant de clarté, de la divine Trinité : tu en distinguais les personnes et tu unissais celles-ci dans l'éternité et la majesté de la gloire [5].

contre des forces mauvaises sans cesse aux aguets (cf. *S. M.*, p. 1091). Ensuite, le sommeil lui-même devait devenir prière (cf. S. JÉRÔME, *Ep.* 22, 37, *C. U. F.*, t. 1, p. 153).

2. Cf. SULPICE SÉVÈRE : *Voto atque uirtute et potuit esse martyr et uoluit* (*Ep.* 2, 9, *S. M.*, p. 328). On a ici un exemple de ce que J. FONTAINE appelle si joliment le « martyre à l'irréel du passé » (*S. M.*, p. 1216).

3. L'évêque s'adressait, en général, à ses fidèles le dimanche et les jours de grandes fêtes. Honorat, étant donné son zèle apostolique, prêchait chaque jour et il dispensait sans doute à cette occasion un enseignement spécial à ceux qui en avaient besoin : catéchumènes, clercs, etc.

4. Le latin *tractatus* correspond au mot grec *homilia*. On désigne ainsi un exposé complet et suivi qui se poursuit parfois pendant plusieurs jours ; en général, les *tractatus* forment un groupe plus ou moins important sur le symbole de la foi, les mystères chrétiens ou un livre de la Bible. Le terme le plus usuel et le plus universel au IVe siècle était *sermo* (cf. R. GRÉGOIRE, art. « Homéliaires » dans *D. S.*, 7, 1969, col. 597-598, et Christine MOHRMANN, « Praedicare — Tractare — Sermo » dans *Études sur le latin des chrétiens*, t. 2, p. 63-72, et en particulier p. 70).

5. Le baptême est dès l'origine administré au nom des trois Personnes

39, 1. Memento itaque, *amice* utique *Dei* [a], memento iugiter nostri, Deo incoinquinatus adsistens, canens illud *canticum nouum* [b] et *sequens agnum quocumque uadit* [c]. 2. Tu illi pedisequus, tu nobis patronus, orationum nos-
5 trarum interpres acceptabilis et fortis adsertor, profusas ad sepulcrum tuum alumni gregis preces praefer. Impetra ut, conspiratione communi, omnes simul, sacerdos et populus, quae iussisti, quae docuisti, aliquatenus obtinere mereamur. Per Dominum nostrum Iesum Christum qui te
10 in gloriam suam assumpsit atque cum Patre suo et cum

39, 1 utique *om. BO* Λ *C eras. D*ˣ || utique Dei : D. u. *H* || 2 incoinquinatus : inquoinquinatus *B*ᵃᶜ in quo inquinatus *O V R* impollutus *C** || adsistens : assistens *B H* adsistis Λ assistis *B*ˣᵐᵍ *I** || canens : et c. γ *PH*ᵖᶜ et canes *H*ᵃᶜ || 3 quocumque : iecit *add. B ut uid. eras. B*ˣ || 4 illi : ille *A* illius γ || pedisequus : pedisse- *B* || nobis : pro n. *O* Λ *ante* nobis *add.* tu pro *D*²ᵐᵍ || 5 acceptabilis : -tabis *H*ᵃᶜ || 6 sepulchrum : -crum *B*ᵃᶜ || preces *om. B*ᵃᶜ || praefer : perfer *G A C ERD*²ᵐᵍ *PH* || impetra : impeque uiri *P ut uid.* || 7 conspiratione : -ni *P* conspitatione *Gen.* *C*° || omnes *om. V C* γ || 8 iussisti : uixisti *V C PH* || quae : quaeque *BO C* γ *PH* || docuisti *om. P* || obtinere : optinere *C E* || 9 mereamur : mereantur *O* uel merantur *B*ˣᵐᵍ || 9-12 Per Dominum — saeculorum AMEN [+ *D*²] : explicit uita beati honorati episcopi et confessoris *add. G*ˣ explicit *add. B* EXPLICIT FELICITER *add. A* EXPLICIT SERMO DE VITA SANCTI HONORATI EPISCOPI EDITVS A SANCTO ARELATENSI ANTESTITE HYLARIO DEPOSITIONIS EIVS IN DIE FELICITER. AMEN *V* EXPLICIT *C* EXPLICIT DE SANCTO HONORATO EPISCOPO *ER* Amen *D* [Amen *eras. D*ˣ. *Post uerba a D*² *addita* : Per Dominum... Amen, *add.* EXPLICIT uita beati honorati arelatensis episcopi edita a beato hilario eius in pontificatu successore *D*³] Per Dominum nostrum Iesum Christum [filium tuum *add. H*] qui cum Patre et Spiritu Sancto uiuit et regnat in saecula saeculorum AMEN [explicit sermo Sancti Hilarii episcopi in depositione sanctae memoriae domini Honorati episcopi *add. P* explicit uita sancti Honorati episcopi *add. H*] *PH*

39, a. *Judith* 8, 22 ; *Jac.* 2, 23
b. *Apoc.* 14, 3
c. *Apoc.* 14, 4

---

divines (cf. *Didachè*, 7). Le premier concile œcuménique, réuni à Nicée en 325, a proclamé contre les Ariens que le Verbe est consubstantiel au Père,

Prière à Honorat

39, 1. Souviens-toi donc, ô toi, en vérité l'ami de Dieu [a] [1], souviens-toi sans cesse de nous, toi qui te tiens pur de souillure aux côtés de Dieu, chantant ce « cantique nouveau [b] » et suivant [2] « l'Agneau partout où il va [c] ». 2. Toi qui marches à sa suite, toi notre protecteur, notre intermédiaire agréé auprès de Dieu et notre puissant défenseur quand nous le prions, présente-lui les suppliques répandues en abondance par le troupeau de tes enfants auprès de ton tombeau. Obtiens-nous qu'unissant nos aspirations, tous ensemble, pontife et fidèles, nous méritions de garder le plus possible tes commandements, tes enseignements, par notre Seigneur Jésus-Christ qui t'a élevé dans sa gloire et

et le concile d'Alexandrie en 362 que l'Esprit-Saint est consubstantiel au Père et au Fils. S. Hilaire de Poitiers écrit sur ce mystère le premier des grands ouvrages théologiques consacrés par l'Occident au dogme trinitaire : le *De Trinitate*, en douze livres, composé de 356 à 358, sûrement achevé en 360. Vers 400, S. Augustin commença à écrire son *Traité sur la Trinité* (cf. A. MICHEL, art. « Trinité » dans le *Dictionnaire de Théologie Catholique* 15, 1950, col. 1546-1855). — D'après la tradition lérinienne, la chapelle de la Trinité qui se trouve dans l'île de Lérins serait le premier sanctuaire européen dédié aux trois Personnes divines. Peut-être cette élégante chapelle à plan tréflé fut-elle édifiée au VIe ou au VIIe siècle car elle présente de grandes ressemblances avec les monuments paléochrétiens de la Gaule. De toute façon, elle fut construite avant l'invasion des Sarrazins qui eut lieu au VIIIe siècle. Sa voûte, selon Viollet-le-Duc, serait « la plus ancienne de France... du VIIe ou VIIIe siècle ». Voir F. BENOÎT, « Les chapelles triconques paléochrétiennes de la Trinité de Lérins et de la Gayole », p. 129-154 et spécialement p. 133.

1. Le thème de l'amitié a toujours été cher aux moralistes païens, notamment à Socrate, Platon et Aristote, qui disaient déjà que tous les sages sont des « amis de Dieu » (*philoi théou*) ; de même Philon dans *Quaest. in Exod.* IV, 75. Dans l'Ancien Testament, Abraham était qualifié d' « ami de Dieu » (*amicus Dei*, *Judith* 8, 22), et Moïse était représenté dans l'*Exode* conversant avec Dieu comme un homme avec son ami (*sicut solet loqui homo ad amicum suum*, *Ex.* 33, 11), Cf. aussi GRÉGOIRE DE NYSSE, *La vie de Moïse*, § 320 (*SC* 1[3], p. 325-327). Sous l'Empire, certains aristocrates se vantaient d'être appelés amis de l'empereur (*amicus imperatoris*). Les martyrs et, à leur suite, les moines s'enorgueillissaient de préférer à l'amitié de l'empereur celle de Dieu (cf. P. COURCELLE, *Recherches sur les « Confessions » de saint Augustin*, p. 266).

2. Sulpice Sévère avait exprimé la même idée, inspirée par l'*Apoc.* 14, 4 (cf. *Ep.* 2, 8, *S. M.* p. 328-329 et 1214).

Spiritu Sancto uiuit et regnat Deus per omnia saecula saeculorum. AMEN.

1. En ce qui concerne les formules finales, nous écartons celles qui sont manifestement dues à de pieux copistes et qui comportent toutes *explicit*. Il reste alors deux formes conclusives commençant par *Per* suivi de l'accu-

qui vit et règne avec son Père et l'Esprit Saint, Dieu, dans tous les siècles des siècles. AMEN [1].

satif. Une fois laissé de côté celle de *PH*, totalement dépourvue d'originalité, nous adopterons celle que nous offrent de concert la tradition lérinienne et le ms. *A*.

I. INDEX DES CITATIONS ET ALLUSIONS SCRIPTURAIRES

Les références concernant de simples allusions sont précédées d'un astérisque.

Les chiffres renvoient au chapitre et au paragraphe du *Sermo*.

II. INDEX DES AUTEURS ANCIENS

Les chiffres de droite renvoient aux pages et aux notes de ce volume.

Des caractères gras signalent les citations ou réminiscences figurant dans le texte même du *Sermo de uita S. Honorati*.

III. INDEX DES NOMS PROPRES ET DES ADJECTIFS DÉRIVÉS

Le premier numéro indiqué ici est celui du chapitre ; le second celui de la ligne.

On a mis entre parenthèses les références des passages où paraissent les personnes sans que leur nom soit expressément cité.

Ni le nom de Lérins ni celui d'Arles n'ont été mentionnés dans cet index.

IV. INDEX DE MOTS LATINS

Nous avons établi un index volontairement allégé. Pour un index exhaustif, on voudra bien se reporter à l'édition de Sam. Cavallin citée dans notre bibliographie (p. 61). Le premier numéro indiqué ici est celui du chapitre, le second celui de la ligne.

TABLE DES MATIÈRES

INDEX

Achevé d'imprimer en juillet 2008
sur les presses numériques de l'Imprimerie Maury S.A.S.
Z.I. des Ondes – 12100 Millau
N° d'édition : 6778 – N° d'impression : F08/42253 A
Dépôt légal : 3e trimestre 1977

SOURCES CHRÉTIENNES

LISTE COMPLÈTE DE TOUS LES VOLUMES PARUS

N. B. — L'ordre suivant est celui de la date de parution (nº 1 en 1942) et il n'est pas tenu compte ici du classement en séries : grecque, latine, byzantine, orientale, textes monastiques d'Occident ; et série annexe : textes para-chrétiens.

Sauf indication contraire, chaque volume comporte le texte original, grec ou latin, souvent avec un apparat critique inédit.

La mention *bis* indique une seconde édition. Quand cette seconde édition ne diffère de la première que par de menues corrections et des *Addenda et Corrigenda* ajoutés en appendice, la date est accompagnée de la mention « réimpression avec supplément ».

1. Grégoire de Nysse : **Vie de Moïse.** J. Daniélou (3ᵉ édition) (1968).
2 bis. Clément d'Alexandrie : **Protreptique.** C. Mondésert, A. Plassart (réimpression de la 2ᵉ éd., 1976).
3 bis. Athénagore : **Supplique au sujet des chrétiens.** *En préparation.*
4 bis. Nicolas Cabasilas : **Explication de la divine Liturgie.** S. Salaville, R. Bornert, J. Gouillard, P. Périchon (1967).
5. Diadoque de Photicé : **Œuvres spirituelles.** É. des Places (réimpr. de la 2ᵉ éd., avec suppl., 1966).
6 bis. Grégoire de Nysse : **La création de l'homme.** *En préparation.*
7 bis. Origène : **Homélies sur la Genèse.** H. de Lubac, L. Doutreleau (1976).
8. Nicétas Stéthatos : **Le paradis spirituel.** M. Chalendard. *Remplacé par le nº 81.*
9 bis. Maxime le Confesseur : **Centuries sur la charité.** *En préparation.*
10. Ignace d'Antioche : **Lettres. — Lettres et Martyre** de Polycarpe de Smyrne. P.-Th. Camelot (4ᵉ édition) (1969).
11 bis. Hippolyte de Rome : **La Tradition apostolique.** B. Botte (1968).
12 bis. Jean Moschus : **Le Pré spirituel.** *En préparation.*
13. Jean Chrysostome : **Lettres à Olympias.** A.-M. Malingrey. Trad. seule (1947).
13 bis. 2ᵉ édition avec le texte grec et la **Vie anonyme d'Olympias** (1968).
14. Hippolyte de Rome : **Commentaire sur Daniel.** G. Bardy, M. Lefèvre. Trad. seule (1947).
2ᵉ édition avec le texte grec. *En préparation.*
15 bis. Athanase d'Alexandrie : **Lettres à Sérapion.** J. Lebon. *En préparation.*
16 bis. Origène : **Homélies sur l'Exode.** H. de Lubac, J. Fortier. *En préparation.*
17. Basile de Césarée : **Sur le Saint-Esprit.** B. Pruche. Trad. seule (1947).
17 bis. 2ᵉ édition avec le texte grec (1968).
18 bis. Athanase d'Alexandrie : **Discours contre les païens.** P. Th. Camelot (1977).
19 bis. Hilaire de Poitiers : **Traité des Mystères.** P. Brisson (réimpression, avec supplément, 1967).

20. Théophile d'Antioche : **Trois livres à Autolycus.** G. Bardy, J. Sender. Trad. seule (1948).
2e édition avec le texte grec. *En préparation.*
21. Éthérie : **Journal de voyage.** H. Pétré (réimpression, 1975).
22 bis. Léon le Grand : **Sermons,** t. I. J. Leclercq, R. Dolle (1964).
23. Clément d'Alexandrie : **Extraits de Théodote** (réimpression, 1970).
24 bis. Ptolémée : **Lettre à Flora.** G. Quispel (1966).
25 bis. Ambroise de Milan : **Des sacrements. Des Mystères. Explication du Symbole.** B. Botte (1961).
26 bis. Basile de Césarée : **Homélies sur l'Hexaéméron.** S. Giet (réimpr. avec suppl., 1968).
27 bis. **Homélies Pascales,** t. I. P. Nautin. *En préparation.*
28 bis. Jean Chrysostome : **Sur l'incompréhensibilité de Dieu.** J. Daniélou, A.-M. Malingrey, R. Flacelière (1970).
29 bis. Origène : **Homélies sur les Nombres.** A. Méhat. *En préparation.*
30 bis. Clément d'Alexandrie : **Stromate I.** *En préparation.*
31. Eusèbe de Césarée : **Histoire ecclésiastique,** t. I. G. Bardy (réimpression, 1965).
32 bis. Grégoire le Grand : **Morales sur Job,** t. I. Livres I-II. R. Gillet, A. de Gaudemaris (1975).
33 bis. **A Diognète.** H. I. Marrou (réimpr. avec suppl., 1965).
34 bis. Irénée de Lyon : **Contre les hérésies,** livre III. F. Sagnard. *Remplacé par les nos 210 et 211.*
35 bis. Tertullien : **Traité du baptême.** F. Refoulé. *En préparation.*
36 bis. **Homélies Pascales,** t. II. P. Nautin. *En préparation.*
37 bis. Origène : **Homélies sur le Cantique.** O. Rousseau (1966).
38 bis. Clément d'Alexandrie : **Stromate II.** *En préparation.*
39 bis. Lactance : **De la mort des persécuteurs.** 2 vol. *En préparation.*
40. Théodoret de Cyr : **Correspondance,** t. I. Y. Azéma (1955).
41. Eusèbe de Césarée : **Histoire ecclésiastique,** t. II. G. Bardy (réimpression, 1965).
42. Jean Cassien : **Conférences,** t. I. E. Pichery (réimpression, 1966).
43. Jérôme : **Sur Jonas.** P. Antin (1956).
44. Philoxène de Mabboug : **Homélies.** E. Lemoine. Trad. seule (1956).
45. Ambroise de Milan : **Sur S. Luc,** t. I. G. Tissot (réimpr. avec suppl., 1971).
46. Tertullien : **De la prescription contre les hérétiques.** P. de Labriolle et F. Refoulé (1957).
47. Philon d'Alexandrie : **La migration d'Abraham.** R. Cadiou (1957).
48. **Homélies Pascales,** t. III. F. Floëri et P. Nautin (1957).
49 bis. Léon le Grand : **Sermons,** t. II. R. Dolle (1969).
50 bis. Jean Chrysostome : **Huit Catéchèses baptismales inédites.** A. Wenger (réimpr. avec suppl., 1970).
51 bis. Syméon le Nouveau Théologien : **Chapitres théologiques, gnostiques et pratiques.** J. Darrouzès. *En préparation.*
52. Ambroise de Milan : **Sur S. Luc,** t. II. G. Tissot (1958).
53 bis. Hermas : **Le Pasteur.** R. Joly (réimpr. avec suppl., 1968).
54. Jean Cassien : **Conférences,** t. II. E. Pichery (réimpression, 1966).
55. Eusèbe de Césarée : **Histoire ecclésiastique,** t. III. G. Bardy (réimpression, 1967).

56. ATHANASE D'ALEXANDRIE : **Deux apologies**. J. Szymusiak (1958).
57. THÉODORET DE CYR : **Thérapeutique des maladies helléniques.** 2 volumes, P. Canivet (1958).
58 bis. DENYS L'ARÉOPAGITE : **La hiérarchie céleste.** G. Heil, R. Roques, M. de Gandillac (réimpr. avec suppl., 1970).
59. **Trois antiques rituels du baptême.** A. Salles. Trad. seule. *Épuisé.*
60. AELRED DE RIEVAULX : **Quand Jésus eut douze ans.** A. Hoste, J. Dubois. (1958).
61 bis. GUILLAUME DE SAINT-THIERRY : **Traité de la contemplation de Dieu**. J. Hourlier (1968).
62. IRÉNÉE DE LYON : **Démonstration de la prédication apostolique.** L. Froidevaux. Nouvelle trad. sur l'arménien. Trad. seule (réimpr., 1971).
63. RICHARD DE SAINT-VICTOR : **La Trinité.** G. Salet (1959).
64. JEAN CASSIEN : **Conférences**, t. III. E. Pichery (réimpr., 1971).
65. GÉLASE Ier : **Lettre contre les Lupercales et dix-huit messes du sacramentaire léonien**. G. Pomarès (1960).
66. ADAM DE PERSEIGNE : **Lettres**, t. I. J. Bouvet (1960).
67. ORIGÈNE : **Entretien avec Héraclide.** J. Scherer (1960).
68. MARIUS VICTORINUS : **Traités théologiques sur la Trinité.** P. Henry, P. Hadot. Tome I. Introd., texte critique, traduction (1960).
69. **Id.** — Tome II. Commentaire et tables (1960).
70. CLÉMENT D'ALEXANDRIE : **Le Pédagogue**, t. I. H. I. Marrou, M. Harl (1960).
71. ORIGÈNE : **Homélies sur Josué.** A. Jaubert (1960).
72. AMÉDÉE DE LAUSANNE : **Huit homélies mariales.** G. Bavaud, J. Deshusses, A. Dumas (1960).
73 bis. EUSÈBE DE CÉSARÉE : **Histoire ecclésiastique**, t. IV. Introd. générale de G. Bardy et tables de P. Périchon (réimpr. avec suppl., 1971).
74 bis. LÉON LE GRAND : **Sermons**, t. III. R. Dolle (1976).
75. S. AUGUSTIN : **Commentaire de la 1re Épître de S. Jean**. P. Agaësse (réimpression, 1966).
76. AELRED DE RIEVAULX : **La vie de recluse.** Ch. Dumont (1961).
77. DEFENSOR DE LIGUGÉ : **Le livre d'étincelles**, t. I. H. Rochais (1961).
78. GRÉGOIRE DE NAREK : **Le livre de Prières**. I. Kéchichian. Trad. seule (1961).
79. JEAN CHRYSOSTOME : **Sur la Providence de Dieu**. A.-M. Malingrey (1961).
80. JEAN DAMASCÈNE : **Homélies sur la Nativité et la Dormition.** P. Voulet (1961).
81. NICÉTAS STÉTHATOS : **Opuscules et lettres.** J. Darrouzès (1961).
82. GUILLAUME DE SAINT-THIERRY : **Exposé sur le Cantique des Cantiques**. J.-M. Déchanet (1962).
83. DIDYME L'AVEUGLE : **Sur Zacharie.** Texte inédit. L. Doutreleau. Tome I. Introduction et livre I (1962).
84. **Id.** — Tome II. Livres II et III (1962).
85. **Id.** — Tome III. Livres IV et V, Index (1962).
86. DEFENSOR DE LIGUGÉ : **Le livre d'étincelles**, t. II. H. Rochais (1962).
87. ORIGÈNE : **Homélies sur S. Luc.** H. Crouzel, F. Fournier, P. Périchon (1962).
88. **Lettres des premiers Chartreux**, tome I : S. BRUNO, GUIGUES, S. ANTHELME. Par un Chartreux (1962).

89. **Lettre d'Aristée à Philocrate.** A. Pelletier (1962).
90. **Vie de sainte Mélanie.** D. Gorce (1962).
91. Anselme de Cantorbéry : **Pourquoi Dieu s'est fait homme.** R. Roques (1963).
92. Dorothée de Gaza : **Œuvres spirituelles.** L. Regnault, J. de Préville (1963).
93. Baudouin de Ford : **Le sacrement de l'autel.** J. Morson, É. de Solms, J. Leclercq. Tome I (1963).
94. **Id.** — Tome II (1963).
95. Méthode d'Olympe : **Le banquet.** H. Musurillo, V.-H. Debidour (1963).
96. Syméon le Nouveau Théologien : **Catéchèses.** B. Krivochéine, J. Paramelle. Tome I. Introduction et Catéchèses 1-5 (1963).
97. Cyrille d'Alexandrie : **Deux dialogues christologiques.** G. M. de Durand (1964).
98. Théodoret de Cyr : **Correspondance,** t. II. Y. Azéma (1964).
99. Romanos le Mélode : **Hymnes.** J. Grosdidier de Matons. Tome I. Introduction et Hymnes I-VIII (1964).
100. Irénée de Lyon : **Contre les hérésies,** livre IV. A. Rousseau, B. Hemmerdinger, Ch. Mercier, L. Doutreleau. 2 vol. (1965).
101. Quodvultdeus : **Livre des promesses et des prédictions de Dieu.** R. Braun. Tome I (1964).
102. **Id.** — Tome II (1964).
103. Jean Chrysostome : **Lettre d'exil.** A.-M. Malingrey (1964).
104. Syméon le Nouveau Théologien : **Catéchèses.** B. Krivochéine, J. Paramelle. Tome II. Catéchèses 6-22 (1964).
105. **La règle du Maître.** A. de Vogüé. Tome I. Introduction et chap. 1-10 (1964).
106. **Id.** — Tome II. Chap. 11-95 (1964).
107. **Id.** — Tome III. Concordance et Index orthographique. J.-M. Clément, J. Neufville, D. Demeslay (1965).
108. Clément d'Alexandrie : **Le Pédagogue,** tome II. Cl. Mondésert, H. I. Marrou (1965).
109. Jean Cassien : **Institutions cénobitiques.** J.-C. Guy (1965).
110. Romanos le Mélode : **Hymnes.** J. Grosdidier de Matons. Tome II. Hymnes IX-XX (1965).
111. Théodoret de Cyr : **Correspondance,** t. III. Y. Azéma (1965).
112. Constance de Lyon : **Vie de S. Germain d'Auxerre.** R. Borius (1965).
113. Syméon le Nouveau Théologien : **Catéchèses.** B. Krivochéine, J. Paramelle. Tome III. Catéchèses 23-34, Actions de grâces 1-2 (1965).
114. Romanos le Mélode : **Hymnes.** J. Grosdidier de Matons. Tome III. Hymnes XXI-XXXI (1965).
115. Manuel II Paléologue : **Entretien avec un musulman.** A. Th. Khoury (1966).
116. Augustin d'Hippone : **Sermons pour la Pâque.** S. Poque (1966).
117. Jean Chrysostome : **A Théodore.** J. Dumortier (1966).
118. Anselme de Havelberg : **Dialogues,** livre I. G. Salet (1966).
119. Grégoire de Nysse : **Traité de la Virginité.** M. Aubineau (1966).
120. Origène : **Commentaire sur S. Jean.** C. Blanc. Tome I. Livres I-V (1966).
121. Éphrem de Nisibe : **Commentaire de l'Évangile concordant ou Diatessaron.** L. Leloir. Trad. seule (1966).

122. Syméon le Nouveau Théologien : **Traités théologiques et éthiques** J. Darrouzès. Tome I. Téol. 1-3, Éth. 1-3 (1966).
123. Méliton de Sardes : **Sur la Pâque (et fragments).** O. Perler (1966).
124. **Expositio totius mundi et gentium.** J. Rougé (1966).
125. Jean Chrysostome : **La Virginité.** H. Musurillo, B. Grillet (1966).
126. Cyrille de Jérusalem : **Catéchèses mystagogiques.** A. Piédagnel, P. Paris (1966).
127. Gertrude d'Helfta : **Œuvres spirituelles.** Tome I. **Les Exercices.** J. Hourlier, A. Schmitt (1967).
128. Romanos le Mélode : **Hymnes.** J. Grosdidier de Matons. Tome IV. Hymnes XXXII-XLV (1967).
129. Syméon le Nouveau Théologien : **Traités théologiques et éthiques.** J. Darrouzès. Tome II. Éth. 4-15 (1967).
130. Isaac de l'Étoile : **Sermons.** A. Hoste. G. Salet. Tome I. Introduction et Sermons 1-17 (1967).
131. Rupert de Deutz : **Les œuvres du Saint-Esprit.** J. Gribomont, É. de Solms. Tome I. Livres I et II (1967).
132. Origène : **Contre Celse.** M. Borret. Tome I. Livres I et II (1967).
133. Sulpice Sévère : **Vie de S. Martin.** J. Fontaine. Tome I. Introduction, texte et traduction (1967).
134. **Id.** — Tome II. Commentaire (1968).
135. **Id.** — Tome III. Commentaire (suite), Index (1969).
136. Origène : **Contre Celse.** M. Borret. Tome II. Livres III et IV (1968).
137. Éphrem de Nisibe : **Hymnes sur le Paradis.** F. Graffin, R. Lavenant. Trad. seule (1968).
138. Jean Chrysostome : **A une jeune veuve. Sur le mariage unique.** B. Grillet, G. H. Ettlinger (1968).
139. Gertrude d'Helfta : **Œuvres spirituelles.** Tome II. **Le Héraut.** Livres I et II. P. Doyère (1968).
140. Rufin d'Aquilée : **Les bénédictions des Patriarches.** M. Simonetti, H. Rochais, P. Antin (1968).
141. Cosmas Indicopleustès : **Topographie chrétienne.** Tome I. Introduction et livres I-IV. W. Wolska-Conus (1968).
142. **Vie des Pères du Jura.** F. Martine (1968).
143. Gertrude d'Helfta : **Œuvres spirituelles.** Tome III. **Le Héraut.** Livre III. P. Doyère (1968).
144. **Apocalypse syriaque de Baruch.** Tome I. Introduction et traduction. P. Bogaert (1969).
145. **Id.** — Tome II. Commentaire et tables (1969).
146. **Deux homélies anoméennes pour l'octave de Pâques.** J. Liebaert (1969).
147. Origène : **Contre Celse.** M. Borret. Tome III. Livres V et VI (1969).
148. Grégoire le Thaumaturge : **Remerciement à Origène. — La lettre d'Origène à Grégoire.** H. Crouzel (1969).
149. Grégoire de Nazianze : **La passion du Christ.** A. Tuilier (1969).
150. Origène : **Contre Celse.** M. Borret. Tome IV. Livres VII et VIII (1969).
151. Jean Scot : **Homélie sur le Prologue de Jean.** É. Jeauneau (1969).
152. Irénée de Lyon : **Contre les hérésies,** livre V. A. Rousseau, L. Doutreleau, C. Mercier. Tome I. Introduction, notes justificatives et tables (1969).
153. **Id.** — Tome II. Texte et traduction (1969).

154. Chromace d'Aquilée : **Sermons.** Tome I. Sermons 1-17 A. J. Lemarié (1969).
155. Hugues de Saint-Victor : **Six opuscules spirituels.** R. Baron (1969).
156. Syméon le Nouveau Théologien : **Hymnes.** J. Koder, J. Paramelle. Tome I. Hymnes I-XV (1969).
157. Origène : **Commentaire sur S. Jean.** C. Blanc. Tome II. Livres VI et X (1970).
158. Clément d'Alexandrie : **Le Pédagogue.** Livre III. Cl. Mondésert, H. I. Marrou et Ch. Matray (1970).
159. Cosmas Indicopleustès : **Topographie chrétienne.** Tome II. Livre V. W. Wolska-Conus (1970).
160. Basile de Césarée : **Sur l'origine de l'homme.** A. Smets et M. Van Esbroeck (1970).
161. **Quatorze homélies du IXe siècle d'un auteur inconnu de l'Italie du Nord.** P. Mercier (1970).
162. Origène : **Commentaire sur l'Évangile selon Matthieu.** Tome I. Livres X et XI. R. Girod (1970).
163. Guigues II le Chartreux : **Lettre sur la vie contemplative** (ou **Échelle des Moines). Douze méditations.** E. Colledge, J. Walsh (1970).
164. Chromace d'Aquilée : **Sermons.** Tome II. Sermons 18-41. J. Lemarié (1971).
165. Rupert de Deutz : **Les œuvres du Saint-Esprit.** Tome II. Livres III et IV. J. Gribomont, É. de Solms (1970).
166. Guerric d'Igny : **Sermons,** Tome I. J. Morson, H. Costello, P. Deseille (1970).
167. Clément de Rome : **Épître aux Corinthiens.** A. Jaubert (1971).
168. Richard Rolle : **Le chant d'amour (Melos amoris).** F. Vandenbroucke et les Moniales de Wisques. Tome I (1971).
169. **Id.** — Tome II (1971).
170. Évagre le Pontique : **Traité pratique.** A. et C. Guillaumont. Tome I. Introduction (1971).
171. **Id.** — Tome II. Texte, traduction, commentaire et tables (1971).
172. **Épître de Barnabé.** R. A. Kraft, P. Prigent (1971).
173. Tertullien : **La toilette des femmes.** M. Turcan (1971).
174. Syméon le Nouveau Théologien : **Hymnes.** J. Koder, L. Neyrand. Tome II. Hymnes XVI-XL (1971).
175. Césaire d'Arles : **Sermons au peuple.** Tome I. Sermons 1-20. M.-J. Delage (1971).
176. Salvien de Marseille : **Œuvres.** Tome I. G. Lagarrigue (1971).
177. Callinicos : **Vie d'Hypatios.** G. J. M. Bartelink (1971).
178. Grégoire de Nysse : **Vie de sainte Macrine.** P. Maraval (1971).
179. Ambroise de Milan : **La Pénitence.** R. Gryson (1971).
180. Jean Scot : **Commentaire sur l'évangile de Jean.** É. Jeauneau (1972).
181. **La Règle de S. Benoît.** Tome I. Introduction et chapitres I-VII. A. de Vogüé et J. Neufville (1972).
182. **Id.** — Tome II. Chapitres VIII-LXXIII, Tables et concordance. A. de Vogüé et J. Neufville (1972).
183. **Id.** — Tome III. Étude de la tradition manuscrite. J. Neufville (1972).
184. **Id.** — Tome IV. Commentaire (Parties I-III). A. de Vogüé (1971).
185. **Id.** — Tome V. Commentaire (Parties IV-VI). A. de Vogüé (1971).

186. **Id.** — Tome VI. Commentaire (Parties VII-IX), Index. A. de Vogüé (1971).
187. Hésychius de Jérusalem, Basile de Séleucie, Jean de Béryte, Pseudo-Chrysostome, Léonce de Constantinople : **Homélies pascales.** M. Aubineau (1972).
188. Jean Chrysostome : **Sur la vaine gloire et l'éducation des enfants.** A.-M. Malingrey (1972).
189. **La chaîne palestinienne sur le psaume 118.** Tome I. Introduction, texte critique et traduction. M. Harl (1972).
190. **Id.** — Tome II. Catalogue des fragments, notes et index. M. Harl (1972).
191. Pierre Damien : **Lettre sur la toute-puissance divine.** A. Cantin (1972).
192. Julien de Vézelay : **Sermons.** Tome I. Introduction et Sermons 1-16. D. Vorreux (1972).
194. **Actes de la Conférence de Carthage en 411.** Tome I. Introduction. S. Lancel (1972).
195. **Id.** — Tome II. Texte et traduction de la Capitulation et des Actes de la première séance. S. Lancel (1972).
196. Syméon le Nouveau Théologien : **Hymnes.** J. Koder, J. Paramelle, L. Neyrand. Tome III. Hymnes XLI-LVIII, Index (1973).
197. Cosmas Indicopleustès : **Topographie chrétienne,** t. III. Livres VI-XII, Index. W. Wolska-Conus (1973).
198. **Livre** (cathare) **des deux principes.** Ch. Thouzellier (1973).
199. Athanase d'Alexandrie : **Sur l'incarnation du Verbe.** C. Kannengiesser (1973).
200. Léon le Grand : **Sermons,** tome IV. Sermons 65-98, Éloge de S. Léon, Index. R. Dolle (1973).
201. **Évangile de Pierre.** M.-G. Mara (1973).
202. Guerric d'Igny : **Sermons.** Tome II. J. Morson, H. Costello, P. Deseille (1973).
203. Nersès Šnorhali : **Jésus, Fils unique du Père.** I. Kéchichian. Trad. seule (1973).
204. Lactance : **Institutions divines,** livre V. Tome I. Introd., texte et trad. P. Monat (1973).
205. **Id.** — Tome II. Commentaire et index. P. Monat (1973).
206. Eusèbe de Césarée : **Préparation évangélique,** livre I. J. Sirinelli, É. des Places (1974).
207. Isaac de l'Étoile : **Sermons.** A. Hoste, G. Salet, G. Raciti. Tome II. Sermons 18-39 (1974).
208. Grégoire de Nazianze : **Lettres théologiques.** P. Gallay (1974).
209. Paulin de Pella : **Poème d'action de grâces** et **Prière.** C. Moussy (1974)
210. Irénée de Lyon : **Contre les hérésies,** livre III. A. Rousseau, L. Doutreleau. Tome I. Introduction, notes justificatives et tables (1974).
211. **Id.** — Tome II. Texte et traduction (1974).
212. Grégoire le Grand : **Morales sur Job.** Livres XI-XIV. A. Bocognano (1974).
213. Lactance : **L'ouvrage du Dieu créateur.** Tome I. Introduction, texte critique et traduction. M. Perrin (1974).
214. **Id.** — Tome II. Commentaire et index. M. Perrin (1974).
215. Eusèbe de Césarée : **Préparation évangélique,** livre VII. G. Schroeder, É. des Places (1975).

216. Tertullien : **La chair du Christ.** Tome I. Introduction, texte critique et traduction. J. P. Mahé (1975).
217. **Id.** — Tome II. Commentaire et Index. J. P. Mahé (1975).
218. Hydace : **Chronique.** Tome I. Introduction, texte critique et traduction. A. Tranoy (1975).
219. **Id.** — Tome II. Commentaire et index. A. Tranoy (1975).
220. Salvien de Marseille : **Œuvres,** t. II. G. Lagarrigue (1975).
221. Grégoire le Grand : **Morales sur Job.** Livres XV-XVI. A. Bocognano (1975).
222. Origène : **Commentaire sur S. Jean.** Tome III. Livre XIII. C. Blanc (1975).
223. Guillaume de Saint-Thierry : **Lettre aux Frères du Mont-Dieu (Lettre d'or).** J. Déchanet (1975).
224. **Actes de la Conférence de Carthage en 411.** Tome III. Texte et traduction des Actes de la 2e et de la 3e séance. S. Lancel (1975).
225. Dhuoda : **Manuel pour mon fils.** P. Riché (1975).
226. Origène : **Philocalie 21-27 (Sur le libre arbitre).** É. Junod (1976).
227. Origène : **Contre Celse.** M. Borret. Tome V. Introduction et index (1976).
228. Eusèbe de Césarée : **Préparation évangélique.** Livres II-III. É. des Places (1976).
229. Pseudo-Philon : **Les Antiquités Bibliques.** D. J. Harrington, C. Perrot, P. Bogaert, J. Cazeaux. Tome I. Introduction critique, texte et traduction (1976).
230. **Id.** — Tome II. Introduction littéraire, commentaire et index (1976).
231. Cyrille d'Alexandrie : **Dialogues sur la Trinité.** Tome I. Dial. I et II. G. M. de Durand (1976).
232. Origène : **Homélies sur Jérémie.** P. Nautin et P. Husson. Tome I. Introduction et homélies I-XI.
233. Didyme l'Aveugle : **Sur la Genèse,** t. I. P. Nautin et L. Doutreleau.
234. Théodoret de Cyr : **Histoire des moines de Syrie.** Tome I. Introduction et **Histoire philothée,** I-XIII. P. Canivet et A. Leroy-Molinghen (1977).
235. Hilaire d'Arles : **Vie de S. Honorat.** M.-D. Valentin (1977).
236. **Rituel cathare.** Ch. Thouzellier (1977).

Hors série :

Directives pour la préparation des manuscrits (de « Sources Chrétiennes »). A demander au Secrétariat de « Sources Chrétiennes ». 29, rue du Plat, 69002 Lyon.

La Règle de S. Benoît. VII. Commentaire doctrinal et spirituel. A. de Vogüé (1977).

SOUS PRESSE

Cyrille d'Alexandrie : **Dialogues sur la Trinité.** Tomes II et III. G. M. de Durand.

Origène : **Homélies sur Jérémie,** t. II. P. Nautin et P. Husson.

Dydime l'Aveugle : **Sur la Genèse,** t. II. P. Nautin et L. Doutreleau.

Théodoret de Cyr : **Histoire des moines de Syrie,** t. II. P. Canivet et A. Leroy-Molinghen.

Ambroise de Milan : **Apologie pour David.** P. Hadot et M. Cordier.

Pierre de Celle : **L'école du cloître.** G. de Martel.

SOURCES CHRÉTIENNES

(1-236)

ACTES DE LA CONFÉRENCE DE CARTHAGE : *194*, *195*, *224*.

ADAM DE PERSEIGNE.
Lettres, I : *66*.

AELRED DE RIEVAULX.
Quand Jésus eut douze ans : *60*.
La vie de recluse : *76*.

AMBROISE DE MILAN.
Des sacrements : *25*.
Des mystères : *25*.
Explication du Symbole : *25*.
La Pénitence : *179*.
Sur saint Luc, I-VI : *45*.
— VII-X : *52*.

AMÉDÉE DE LAUSANNE.
Huit homélies mariales : *72*.

ANSELME DE CANTORBÉRY.
Pourquoi Dieu s'est fait homme : *91*.

ANSELME DE HAVELBERG.
Dialogues, I : *118*.

APOCALYPSE DE BARUCH : *144* et *145*.

ARISTÉE (LETTRE D') : *89*.

ATHANASE D'ALEXANDRIE.
Deux apologies : *56*.
Discours contre les païens : *18*.
Lettres à Sérapion : *15*.
Sur l'Incarnation du Verbe : *199*.

ATHÉNAGORE.
Supplique au sujet des chrétiens : *3*.

AUGUSTIN.
Commentaire de la première Épître de saint Jean : *75*.
Sermons pour la Pâque : *116*.

BARNABÉ (ÉPÎTRE DE) : *172*.

BASILE DE CÉSARÉE.
Homélies sur l'Hexaéméron : *26*.
Sur l'origine de l'homme : *160*.
Traité du Saint-Esprit : *17*.

BASILE DE SÉLEUCIE.
Homélie pascale : *187*.

BAUDOUIN DE FORD.
Le sacrement de l'autel : *93* et *94*.

BENOÎT (RÈGLE DE S.) : *181-186*.

CALLINICOS.
Vie d'Hypatios : *177*.

CASSIEN, *voir* Jean Cassien.

CÉSAIRE D'ARLES.
Sermons au peuple, *1-20* : *175*.

LA CHAÎNE PALESTINIENNE SUR LE PSAUME 118 : *189* et *190*.

CHARTREUX.
Lettres des premiers Chartreux, t. I : *88*.

CHROMACE D'AQUILÉE.
Sermons 1-17 : *154*.
— 18-41 : *164*.

CLÉMENT D'ALEXANDRIE.
Le Pédagogue, I : *70*.
— II : *108*.
— III : *158*.
Protreptique : *2*.
Stromate I : *30*.
Stromate II : *38*.
Extraits de Théodote : *23*.

CLÉMENT DE ROME.
Épître aux Corinthiens : *167*.

CONSTANCE DE LYON.
Vie de S. Germain d'Auxerre : *112*.

COSMAS INDICOPLEUSTÈS.
Topographie chrétienne, I-IV : *141*.
— V : *159*.
— VI-XII : *197*.

CYRILLE D'ALEXANDRIE.
Deux dialogues christologiques : *97*.
Dialogues sur la Trinité, I-III : *231*.

CYRILLE DE JÉRUSALEM.
Catéchèses mystagogiques : *126*.

DEFENSOR DE LIGUGÉ.
Livre d'étincelles, 1-32 : *77*.
— 33-81 : *86*.

DENYS L'ARÉOPAGITE.
La hiérarchie céleste : *58*.

DHUODA.
Manuel pour mon fils : *225*.

DIADOQUE DE PHOTICÉ.
Œuvres spirituelles : *5*.

Également aux Éditions du Cerf :

LES ŒUVRES DE PHILON D'ALEXANDRIE

publiées sous la direction de
R. ARNALDEZ, C. MONDÉSERT, J. POUILLOUX
Texte grec et traduction française

1. **Introduction générale. De opificio mundi.** R. Arnaldez (1961).
2. **Legum allegoriae.** C. Mondésert (1962).
3. **De cherubim.** J. Gorez (1963).
4. **De sacrificiis Abelis et Caini.** A. Méasson (1966).
5. **Quod deterius potiori insidiari soleat.** I. Feuer (1965).
6. **De posteritate Caini.** R. Arnaldez (1972).

7-8. **De gigantibus. Quod Deus sit immutabilis.** A. Mosès (1963).

9. **De agricultura.** J. Pouilloux (1961).
10. **De plantatione.** J. Pouilloux (1963).

11-12. **De ebrietate. De sobrietate.** J. Gorez (1962).

13. **De confusione linguarum.** J.-G. Kahn (1963).
14. **De migratione Abrahami.** J. Cazeaux (1965).
15. **Quis rerum divinarum heres sit.** M. Harl (1966).
16. **De congressu eruditionis gratia.** M. Alexandre (1967).
17. **De fuga et inventione.** E. Starobinski-Safran (1970).
18. **De mutatione nominum.** R. Arnaldez (1964).
19. **De somniis.** P. Savinel (1962).

21. **De Iosepho.** J. Laporte (1964).

20. **De Abrahamo.** J. Gorez (1966).

22. **De vita Mosis.** R. Arnaldez, C. Mondésert, J. Pouilloux, P. Savinel (1967).
23. **De Decalogo.** V. Nikiprowetzky (1965).
24. **De specialibus legibus.** Livres I-II. S. Daniel (1975).
25. **De specialibus legibus.** Livres III-IV. A. Mosès (1970).
26. **De virtutibus.** R. Arnaldez, A.-M. Vérilhac, M.-R. Servel et P. Delobre (1962).
27. **De praemiis et poenis. De exsecrationibus.** A. Beckaert (1961).
28. **Quod omnis probus liber sit,** M. Petit (1974).
29. **De vita contemplativa.** F. Daumas et P. Miquel (1964).
30. **De aeternitate mundi.** R. Arnaldez et J. Pouilloux (1969).
31. **In Flaccum.** A. Pelletier (1967).
32. **Legatio ad Caium.** A. Pelletier (1972).
33. **Quaestiones in Genesim et in Exodum. Fragments grecs.** F. Petit (sous presse).
34. **Quaestiones in Genesim et in Exodum. Traduction de la version arménienne** (en préparation). Tome I : sous presse.
35. **De Providentia,** I-II. M. Hadas-Lebel (1973).